"十二五"国家重点图书出版规划项目

CHINA WETLANDS RESOURCES
*Jilin Volume*

# 中国湿地资源

## 吉林卷

◎ 国家林业局组织编写

中国林業出版社

图书在版编目（CIP）数据

中国湿地资源·吉林卷／国家林业局组织编写；陈林分册主编．－北京：中国林业出版社，2015.12

“十二五”国家重点图书出版规划项目

ISBN 978-7-5038-8304-0

Ⅰ．①中…　Ⅱ．①国…　②陈…　Ⅲ．①湿地资源－研究－吉林省　Ⅳ．①P942.078

中国版本图书馆CIP数据核字（2015）第296591号

审图号：吉S（2015）040号

总 策 划：金　旻

策划编辑：徐小英

主要编辑：徐小英　刘香瑞　李　伟<br>何　鹏　于界芬

美术编辑：赵　芳

出版发行　中国林业出版社（100009　北京西城区刘海胡同7号）<br>http://lycb.forestry.gov.cn<br>E-mail:forestbook@163.com　电话：(010)83143515、83143543

设计制作　北京天放自动化技术开发公司<br>北京捷艺轩彩印制版有限公司

印刷装订　北京中科印刷有限公司

版　　次　2015年12月第1版

印　　次　2015年12月第1次

开　　本　787mm×1092mm　1/16

字　　数　281千字

印　　张　11

定　　价　85.00元

## 中国湿地资源系列图书
## 编撰工作领导小组

**顾　问：** 陈宜瑜　李文华　刘兴土

**组　长：** 张永利

**副组长：** 马广仁

**成　员：**（按姓氏笔画排序）

王文宇　王忠武　王海洋　韦纯良　邓乃平　邓三龙
兰宏良　刘建武　刘艳玲　刘新池　李　兴　李三原
李永林　来景刚　吴　亚　张宗启　陆月星　陈则生
陈传进　陈俊光　林云举　呼　群　金　旻　金小麒
周光辉　降　初　孟　沙　侯新华　夏春胜　党晓勇
徐济德　奚克路　阎钢军　程中才　雷桂龙　蔡炳华
樊　辉

## 中国湿地资源系列图书
## 编撰工作领导小组办公室

**主　任：** 马广仁

**副主任：** 鲍达明　唐小平　熊智平　马洪兵

**成　员：** 王福田　姬文元　刘　平　闫宏伟　李　忠　田亚玲
王志臣　张阳武　但新球　刘世好　王　侠　徐小英

## 《中国湿地资源·吉林卷》编写组

**主　　编：**陈　林

**副 主 编：**刘　壮　李树生　梁金花　刁洪伟

**编 著 者：**（按姓氏笔画排序）

刁洪伟　卜云华　于海媛　王升忠　王　辉　闫晓旺　李树生　李伟东　李钟律　李明泉　刘　壮　吴景才　宋立文　陈　林　陈建军　陈永财　范　旭　赵日玲　赵洪艳　郭　岳　郭宝华　高　侃　梁金花　韩晓东

**主　　审：**梁金花　李　彤

**技术顾问：**刘兴土　吕宪国

**摄影插图：**李月安　赵冷冰　牟惠生　汤政泽

# 总 序

湿地是地球表层系统的重要组成部分，是自然界最具生产力的生态系统和人类文明的发祥地之一。在联合国环境规划署（UNEP）委托世界自然保护联盟（IUCN）编制的《世界自然资源保护大纲》中，湿地与森林和海洋一起并称为全球三大生态系统。湿地具有类型多样、分布广泛的特点；湿地更重要的是还具有多种供给、调节、支持与文化服务功能，是人类重要的生存环境和资源资本。湿地与人类生产生活和社会经济发展息息相关。湿地的重要性受到世界各国和国际社会的普遍关注。早在1971 年，国际社会就建立了全球第一个政府间多边环境公约，即《关于特别是作为水禽栖息地的国际重要湿地公约》（简称《湿地公约》）。同时，该公约也是全球最早针对单一生态系统保护的国际公约。1992 年中国加入《湿地公约》，自此我国湿地保护事业进入了新的发展时期。

我国加入《湿地公约》后，在国家林业局设立了专门的湿地保护和履约机构，对内负责组织、协调、指导和监督全国湿地保护工作，对外负责《湿地公约》的履约工作。近年来，中国各级政府在湿地保护方面开展了大量卓有成效的工作，采取了一系列保护和合理利用湿地资源的措施，在湿地保护规划和重点工程建设、财政补贴政策制定实施、法规制度建设、保护体系建设、科研监测、宣传教育和国际合作等方面取得了长足进步。但我国湿地生态系统仍然面临着盲目围垦与改造、污染、水土流失、泥沙淤积、生物资源过度利用等多种因素的破坏和威胁，导致面积减少，生态功能下降，生物多样性丧失。因此，切实保护和合理利用湿地资源，既是保障生态安全和国土安全的当务之急，更是中国实施可持续发展战略势在必行的要务。

开展湿地资源调查，摸清湿地资源家底，把握湿地资源动态，是所有湿地保护工作的基础，也是履行《湿地公约》各项工作的根基。2009 ～ 2013 年，在中央财政的支持下，国家林业局组织开展了第二次全国湿地资源调查工作。在此期间，我有幸作为第二次全国湿地资源调查专家技术委员会的主任委员，和其他专家一起全程参与了此次湿地资源调查的主要技术环节和成果鉴定。

我认为此次调查具有以下几个特点：一是，此次调查的湿地分类、界定标准、调查方法基本与《湿地公约》规定相接轨，使得调查数据符合《湿地公约》的要求，调查成果易于被国际认可，便于国际间的对比和交流。二是，制定了内容全面、方法科学、符合国际标准的统一技术规程《全国湿地资源调查技术规程（试行）》，进行了同标准、同口径的分期分批调查。三是，本次调查利用“3S”技术与现地验证相结合的技术方法，查清了全国范围内（未包括香港、澳门、台湾）8 公顷以上的湿地资源基本情况。四是，湿地调查分为一般调查和重点调查。重点调查包括，国际重要湿地、国家重要湿地、自然保护区（含自然保护小区）和湿地公园内的湿地以及其他特有、分布濒危物种和红树林等具有特殊保护价值的湿地。五是，组织保障有力。国家层面上，成立了第二次全国湿地资源调查领导小组、专家技术委员会、中央技术支撑单位和国家质量检查组；省级层面上，分别成立了湿地调查专职机构，组建了省级专业调查队伍。

需要指出的是，第二次全国湿地资源调查期间，我国湿地保护事业发展迅速。2009 年，中央启动了“湿地生态效益补偿试点”工作；2010 年开始，中央财政设立了湿地保护补助专项资金；2012 年，党的十八大将建设生态文明纳入中国特色社会主义事业“五位一体”总体布局，提出要“扩大森林、湖泊、湿地面积，保护生物多样性”。期间，国家林业局会同相关部门认真实施了《全国湿地保护工程实施规划 (2005 ～ 2010 年 )》和《全国湿地保护工程“十二五”实施规划》。2013 年，国家林业局出台的《推进生态文明建设规划纲要》划定了湿地保护红线，到 2020 年中国湿地面积不少于 8 亿亩。2013 年，国家林业局出台了第一部国家层面的湿地保护部门规章《湿地保护管理规定》。应该说，历时 5 年的湿地资源调查与同期湿地保护事业的发展，是休戚相关，相互促进的。

第二次全国湿地资源调查取得了丰硕成果。在全球范围内，我国率先完成了《湿地公约》倡导的国家湿地资源调查，首次科学、系统地查明了《湿地公约》所定义的我国湿地资源情况。建立了完整的全国湿地资源空间数据库和属性数据库，掌握了近 10 年来湿地资源动态变化情况，建立了稳定的湿地资源调查专业队伍和专家团队，形成了较为完整的湿地资源调查监测技术规范，完成了全国湿地资源总报告、分省报告和多个专题报告，编制了系列成果图。调查成果达到国际先进水平。

党的十八大对建设生态文明作出了全面部署，强调把生态文明建设放在突出地位，融入经济建设、政治建设、文化建设、社会建设各方面和全过程。在全国第二次湿地资源调查成果的基础上，系统编著形成了中国湿地资源系列图书，为新时期我国湿地保护事业奠定了坚实基础。希望本系列图书能够为我国湿地工作者在开展湿地研究、保护与合理利用工作时提供参考和借鉴。

中国科学院院士 陈宜瑜

2015 年 9 月

# 前 言

吉林省湿地资源较为丰富，全省湿地总面积 170.07 万公顷，占全省国土总面积的 9.08%。其中，天然湿地 102.5 万公顷，占全省国土总面积的 5.4%。目前，全省共有 8 处湿地被列入“中国重要湿地名录”，其中，向海和莫莫格两块湿地被列入“国际重要湿地名录”。从类型看，全省湿地分为河流、湖泊、沼泽和人工 4 大类 16 型，其中天然湿地 9 型、人工湿地 7 型。从分布看，全省东起长白山，西至松嫩平原，北从大兴安岭南麓，南到鸭绿江北岸，都有湿地分布，而且一个地区内有多种类型湿地存在，一种湿地类型在几个地区分布，从而构成了遍及全省丰富多样的湿地组合。从区域差异看，西部松嫩平原为松花江、第二松花江、嫩江的三江交汇处，湿地面积辽阔、分布连片集中，湿地类型以湖泊、草本沼泽为主；中部主要是以松花湖、红石湖、白山湖为主的湖泊湿地；东部长白山区水源丰富、降水充沛，受山体走向及切割影响，湿地面积小、分布零散，但湿地类型多样，河流、湖泊、沼泽镶嵌，呈复合分布。从生物多样性的角度看，全省共有湿地野生动物 30 目 59 科 297 种，湿地高等植物 112 科 253 属 613 种，其中濒危重点保护物种 70 种，是生物多样性最为丰富的生态系统之一。

湿地是重要的国土资源和自然资源，它与森林、海洋并称为自然界三大生态系统，是自然界价值最高、生物多样性最丰富的生态系统，曾一度被誉为“地球之肾”“生命的摇篮”“文明和发源地”和“物种的基因库”。长期以来，吉林省对湿地保护工作高度重视，早在 20 世纪 80 年代初，就在湿地重要分布区——向海、莫莫格、松花江三湖等地建立了自然保护区，进行了保护区的资源调查和功能区划，开展了湿地鸟类，尤其是珍稀鹤、鹳类的调查与生态研究。尤其是进入“十一五”以来，吉林省成立了以主管副省长为组长的湿地保护协调工作领导小组，负责协调解决湿地保护管理中的重大问题，并在全国率先成立了湿地保护管理机构，在重点野生动植物和湿地分布区建立了一批湿地保护区和湿地公园，累计投资 4 亿多元，启动了一批湿地保护和恢复工程。2010 年，在全国省份中率先颁布了《吉林省湿地保护条例》，开创了全国湿地立法工作的先河，对加强湿地保护管理具有里程碑的意义。在全省的共同努力下，湿地保护事业呈现不断加强态势，湿地强大的生态功能、丰富的物产功能和独特的文化功能日益彰显，在促进全省生态文明建设、推进经济社会的协调可持续发展中发挥了举足轻重的作用。

为进一步查清全省湿地资源现状，及时掌握湿地资源的动态变化情况，吉林省抢抓机遇，积极争取。2009 年被国家林业局确定为第二次全国湿地资源调查试点省份之一。按照国家林业局的统一部署，吉林省成立了以省林业厅和相关部门以及省内科研院校领导为成员的吉林省湿地资源调查工作领导小组，并设立了办公室，成立了专家技术委员会。依托东北师范大学、吉林省林业科学研究院、吉林省林业调查规划院分别成立了湿地植被与生态调查队、湿地野生动物调查队、湿地综合调查队等 3 个湿地专业调查队伍，邀请了国家林业局调查规划设计院、中国科学院东北地理与农业生态研究所、吉林省环境科学研究院、东北师范大学、吉林省林业科学研究院、吉林省林业调查规划院等相关科研院所为技术支撑单位。第二次吉林省湿地资源调查从 2009 年年初开始，经过了调查前的准备、调查实施、统计汇总三个阶段，至 2010 年 1 月末结束，历时 1 年。2009 年 3 月份完成了《吉林省湿地资源调查实施细则》和《吉林省湿地资源调查工作方案》的编写，经过专家技术委员会的审查，通过了国家林业局的审核，并备案。在外业调查前的准备阶段，进行了资料收集、技术培训等工作。7 月 15 日外业调查全面展开，9 月末湿地资源调查外业工作全部结束，11 月 10 日，内业整理、数据统计汇总和绘图工作初步完成，提交湿地调查工作领导小组审查，并召开了“吉林省湿地资源调查初步调查成果审查讨论会”，对初步统计结果进行了审查和讨论，对其中存在的问题，提出了修改和补充建议。2010 年 1 月 22 日，吉林省召开了第二次湿地资源调查成果评审会，调查成果经专家审查通过后上报国家林业局。6 月 2~4 日，国家林业局湿地资源调查检查验收小组对吉林省湿地资源调查的内外业工作进行了全面检查验收，调查总体质量评定为优秀。6 月 10 日，国家林业局召开了“2009 年六省市湿地资源调查成果专家鉴定会”，吉林省《湿地资源调查报告》等调查成果获得大会一致通过。

党的十八大以来，生态文明理念深入人心，湿地保护已成为生态文明建设的一项重要内容。中共中央和国务院制定和印发了《生态文明体制改革总体方案》，划定了全国生态保护红线，并将湿地保护管理纳入国民经济发展的“十三五”规划中。在这样的大背景下，国家林业局提出编写《中国湿地资源》，汇集全国各地湿地资源现状，揭示各地湿地资源动态变化规律，对于加强湿地保护管理和科学开发利用意义深远。《中国湿地资源 · 吉林卷》是《中国湿地资源》的一个重要组成部分，该卷主要通过对第二次湿地资源调查成果进行概括和总结，客观真实记载了吉林省自然地理概况及社会经济概况；全面介绍了吉林省湿地资源的面积、类型与分布状况，并结合吉林省的地貌、气候、水文等自然环境要素，分析总结了吉林湿地资源的分布特征；详细介绍了湿地植物和植被以及湿地动物资源；系统阐述了湿地资源利用方式及其利用现状，包括湿地生态旅游、湿地养殖、湿地种植模式、湿地综合利用等方面，进而分析了湿地资源可持续利用前景，提出了湿地资源可持续利用策略；客观评价了湿地水文、水质及生态状况，综合分析了吉林湿地受威胁因子、重点调查湿地受威胁状况、湿地资源变化及其原因，并提出了相应的应对策略；同时，还分析了湿地保护管理现状，阐述了湿地的各种生态功能和重要作用，对吉林各重要湿地的资源、环境、管理等状况进行了详细说明，进而提出了湿地保护管理建议。这既是一部以弘扬生态文化为主旋律、普及湿地知识、记载吉林湿地现状特征和变化规律的史料书，也是一部唤起人们对湿地问题的重视和保护、推动湿地保护与利用的工作指导书。该卷的出版，对吉林省乃至全国湿地的保护管理与开发利用都具有重要的理论和现实意义。

《中国湿地资源·吉林卷》编辑委员会

2015 年 10 月

# 目 录

# 第一章
# 基本情况

## 第一节
## 自然概况

### 1 地理位置

吉林省位于欧亚大陆东部边缘，地处东经 121°38′~131°19′、北纬 40°52′~46°18′之间，是我国东北地区中部的边疆省份。吉林省东与俄罗斯接壤，边境线长 232.7 公里；东南隔图们江、鸭绿江与朝鲜民主主义人民共和国相望，边境线长 1206.0 公里；南连辽宁省；西接内蒙古自治区；北邻黑龙江省。吉林省东西最长约 750 公里，南北最宽约 600 公里，总面积 1874 万公顷，约占全国土地总面积的 1.95%，居全国第 14 位。

### 2 地质地貌

吉林省地质结构复杂，地貌类型丰富。在地质结构上，位于阴山—天山纬向构造的东端与新华夏构造体系的复合部位。在阴山—天山纬向构造与北北东向构造体系的作用下，各种构造体系相互交切、相互联合，并经过多次构造、岩浆活动和晚近期火山喷发作用，塑造了全省构造格局与地貌轮廓。

#### 2.1 地质结构

吉林省地质结构的纬向构造是阴山—天山巨型复式隆起褶皱带的东延部分。其主体北界大致位于北纬 42°40′，是一个自鞍山运动以来经历了长期多次构造运动而形成的复杂构造带。由太古界、元古界、古生界及中、新生界的凹陷、褶皱、断裂、片理、片麻理和前震旦纪、华力西期、印支期、燕山期花岗岩、喜山期玄武岩及这些岩浆岩中的挤压断裂带构成。多呈东、北东、北北东及北西向展布。由于各种构造的相互交切，形迹支离破碎。区域的东西向构造主要有长白、二道江、天池等断裂。全省除通化、白山、延边地区部分地段纬向构造发育外，主要为规模大、分布广、影响深的新华夏构造体系。它控制了中生代以来的沉积作用和现代地形地貌景观。在北北东向新华夏构造体系影响下，将全省分割成 3 个巨型一级构造带。即东南部长白山地巨型隆起带、中西部松辽平原沉降带和西北部大兴安岭山地巨型隆起带。

## 2.2 地 势

吉林省地势呈东南向西北递降趋势，最高点长白山白云峰，海拔2691米，为东北地区最高峰；最低点位于敬信湿地，海拔在5米以下；松辽平原平均海拔在110~200米之间。

## 2.3 地 貌

### 2.3.1 地貌分区

吉林省地貌主要受亚洲东部新华夏系构造第二隆起带和第二沉降带的控制影响，以中部大黑山为界，分为东部山地和中西部平原两大地貌区，面积分别占全省总面积的60.00%和40.00%。

东部山地地形复杂，主要分为长白中山低山区和吉东低山丘陵区两个二级地貌区。其中，长白中山低山区北起张广才岭，向西南延至通化、柳河交界的龙岗山脉以东地区，主要包括白山市、通化市和延边朝鲜族自治州。海拔多在800~1000米以上，相对高差500米以上；吉东低山丘陵区是山地向平原的过渡地带，范围在张广才岭和龙岗山脉西麓以西至大黑山脉之间，包括吉林市、辽源市，以及通化市西部、四平市东部和长春市东部。一般海拔多在400~500米，相对高差在100~300米。

中西部平原分为中部台地平原区和西部沙丘覆盖的冲积平原区两个二级地貌区。中部台地平原区位于大黑山西麓以西至弓棚子—王府—长岭—怀德镇—榆树台一线，沿哈大铁路两侧延伸，包括长春市大部、四平市中部和松原市东部边缘，海拔多在200~250米，相对高差20~50米。西部沙丘覆盖的冲积平原区位于弓棚子—王府—长岭—怀德镇—榆树台一线以西，至大兴安岭山前，包括白城地区、松原地区和四平市西部。主要分为松辽河间过渡带风砂覆盖的平原、辽河风砂覆盖的倾斜平原、松嫩盐渍化发育的低平原和松嫩湖沼漫布的低平原。海拔高程一般130~160米。相对高差20米。

### 2.3.2 地貌类型

吉林省的地貌包括山地、丘陵、台地和平原等4个基本形态类型。山地中包括中山和低山。中山海拔在1000米以上，最高不过2700米；低山海拔一般在500米以上和1000米以下。除火山之外，山地多属侵蚀剥蚀山地、侵蚀剥蚀断块山或侵蚀剥蚀褶皱断块山，山脉间常有断陷盆地或谷地。个别地方有喀斯特作用的山地。丘陵一般分布在中山或低山的两侧及宽谷盆地的边缘。相对高度多在30~300米之间。除火山丘之外，大部分为侵蚀剥蚀丘陵。台地包括高台地和低台地两种。前者的坡坎高度在100米以上，以熔岩台地为主；后者坡坎高度在100米以下，多为侵蚀剥蚀台地或冲积洪积台地，包括由河流形成的高阶地。平原海拔多在200米以下，除山地中狭窄的河谷平原外，大多开阔平坦，主要为冲积平原、冲积洪积平原和湖成平原。西部平原上常覆盖有大片风成沙丘。吉林省山地面积占全省土地总面积的36%；丘陵面积占全省土地总面积的5.80%；台地面积占全省土地总面积的28.20%；平原面积占全省土地总面积的30%。

吉林省地貌的成因类型主要为火山地貌、流水地貌、湖成地貌和风成地貌。火山与熔岩流地貌占全省面积的8.70%；流水侵蚀地貌占40.60%；流水堆积地貌占42.90%；湖成地貌占2.60%；风成地貌占5.20%。此外还有喀斯特地貌、冰缘地貌和冰川地貌。

(1)火山地貌：吉林省的火山地貌包括火山中山、火山丘、熔岩丘陵和熔岩台地等几种类型。火山中山主要有位于吉林省东部边境的长白火山，该火山为一巨型复式火山。此外，还有位于长白火山南侧的望天鹅火山。火山丘相对高度多在200米以下，一般为孤立的小火山锥，并集中分布在长白熔岩台地和靖宇熔岩台地上。另外，在伊通、公主岭、双辽一带的平原上有多座火山丘平地突起，格外醒目。熔岩丘陵主要分布在长白山火山锥体西北侧的熔岩台地之上，面积不大。熔岩台地又分熔岩高台地和熔岩低台地。前者主要分布在长白熔岩台地和靖宇熔岩台地，由于河流切割，常发育有深达数十米至数百米的熔岩峡谷；后者主要分布在敦化盆地、吉林市以上的第二松花江谷地及图们江上游谷地，台地平坦，台坡高度数十米不一。

(2)流水地貌：流水地貌主要包括侵蚀剥蚀地貌和冲积、洪积地貌两大类。侵蚀剥蚀山地主要分布在张广才岭—龙岗山脉一线以东，包括老爷岭、牡丹岭、哈尔巴岭等山脉的广大地区；侵蚀剥蚀丘陵为东部山地向西部平原过渡的主要类型，主要分布在侵蚀剥蚀山地以西地区，以及东部山间盆地周围；侵蚀剥蚀台地主要分布在东部山地中宽谷盆地两侧和低山丘陵边缘地带；冲积、洪积台地主要分布在大黑山山前地带、伊舒地堑的两侧和辉发河谷地；河流阶地广泛分布在大、中型河流谷地两侧，中部平原面积较大；冲积扇平原主要分布大兴安岭东麓，由洮儿河、蛟流河的冲洪积物堆积而成，地势平坦；河谷平原分布在东部山地大小河谷中，宽窄不一，包括河漫滩和狭窄而低平的一级阶地。

(3)湖成地貌：湖成地貌包括湖积平原和湖积冲积平原，主要分布在西部平原上的一些现代或古代湖泊周围，海拔多在120~160米，地面由灰黑色亚黏土或亚砂土组成，多有不同程度的盐渍化。沿月亮湖、大布苏湖等大型湖泊的周围发育有一、二级湖成阶地。

(4)风成地貌：风成地貌主要分布在平原地区西部，多为固定或半固定沙堆、垅状沙丘、复合垅状沙丘及缓起伏的沙地，属半湿润或半干旱地区沙质地面的风成形态。其东界大致沿梨树县的团结—公主岭市的莲花山—农安县的哈拉海—扶余县的弓棚子一线，在通榆、长岭、前郭一带形成多条向南突出的弧形沙带。

(5)喀斯特地貌：吉林省的喀斯特地貌以类型少、规模小和数量少为特点，而且大多受流水作用改造，与流水地貌呈复域分布。主要分布在通化市和白山市，以浑江中上游流域最为集中。此外，在吉林市、四平市、长春市南部和延边朝鲜族自治州也有零星分布。主要形态有石峰、石柱、溶隙、溶沟、落水洞及浅层喀斯特溶洞等。

(6)冰川地貌：冰川地貌主要见于长白山顶部。末次冰期东亚雪线以上有冰斗，在天池气象站公路下侧的谷地中还发现有冰碛垄。冰后期长白山顶部发育有现代冰缘形态，主要类型有融冰岩屑堆、雪蚀洼地以及冰缘岩柱、雪蚀壁龛、高夷平阶地、多边形土、石海、石川等。

## 3 气 候

吉林省地处北温带，东部距日本海较近，气候湿润多雨；西部接近蒙古高原，受西伯利亚气候影响，比较干燥、少雨、多风沙。四季分明，春季干燥多风，夏季炎热多雨，秋季晴冷温差大，冬季严寒漫长，是显著的北温带大陆性季风气候，冬季1月是最冷月份，最低气温-39.4℃，平均气温在-11℃以下；夏季7月为最热月份，最高气温37.8℃，平均气温在23℃以上；全年平均气温6.3℃。全省各地全年日照时数在2200~3000小时之间，≥10℃年活动积温2700~3200℃

左右，受地理位置、海拔高度及季节的影响，明显呈西部较多、东部较少，平原较多、山地较少，夏季较多、冬季较少的特征。全省霜期东部山区早，西部平原晚，山区初霜出现在8月下旬至9月上旬，终霜出现在5月中、下旬。平原地区初霜出现在9月下旬至10月上旬，终霜出现在4月下旬至5月上旬。全年无霜期一般为110～160天，山区110～130天，平原区140～160天左右。全省主导风向为西南风，年平均风速一般为4～5米/秒。风速受地形影响较大，明显呈山区风速小，平原区风速大的特征。其中，西部最大风速达34米/秒，年大风日数一般为16～20天，且多发生于3～5月份，干旱与大风同季是该地区气候的重要特征。但该地区日照长、积温高，为农、林、牧业的发展提供了有利条件；而干旱、大风、少雨亦是制约西部经济发展的主要因素。

因此，吉林东部地区雨量充沛，径流丰富，为湿地的形成创造了充分的条件，也有利于湿地长期稳定的发展。西部地区属半湿润半干旱气候，洪水泛滥是湿地形成的必要条件，大气降水和地下水补给是湿地仅有的水源补充。由于补给不足，洪水过后湿地逐年萎缩，等待下一次洪水来临，形成了松嫩平原湿地周期性动态变化规律。

全省年均降水量593.6毫米，各地区年降水量在400～900毫米之间，由西向东各区域降水量渐次递增，有明显的半干旱、半湿润和湿润的差异。其中，长白山年降水量最多，达1349毫米；通榆县年降水量最少，不足300毫米。这种空间分布造成了吉林省东南部地区经常出现洪涝灾害、中西部地区干旱频繁发生的现象。全省降水多集中在6、7、8三个月份，降水量约占全年降水量的60.00%，对植物生长十分有利。春季4～5月份降水量较少，仅占全年降水量的13.00%。因此，全省春旱发生频率较高，尤其西部地区有“十年九春旱”之说。

## 4　水　文

吉林省是我国东北地区主要江河的河源省份，松花江、图们江、鸭绿江、东辽河和绥芬河五大水系均发源于吉林省。松花江水系在吉林省境内流域面积1345万公顷，占全省土地总面积的71.77%。主要支流有嫩江、辉发河、饮马河、拉林河、牡丹江、洮儿河等。图们江水系在中国一侧流域面积为192万公顷，占全省土地总面积的10.25%，主要支流有嘎呀河、布尔哈通河、珲春河等。鸭绿江水系，在吉林省境内流域面积为155万公顷，占全省土地总面积的8.27%，主要支流有浑江等。辽河水系在吉林省境内主要是东辽河及西辽河的一小部分，流域面积为158万公顷，占全省土地总面积的8.43%。绥芬河水系，在吉林省属于上游河源部分，流域面积约24万公顷，占全省土地总面积的1.28%。全省流长在30公里以上的河流有221条，流域面积2000公顷以上的河流有1648条。全省有湖泊700余个，较大的湖泊有松花湖、白山湖、红石湖、二龙湖、月亮湖、大布苏湖、查干湖等。其中长白山天池以中国最大的高山湖泊闻名于世。吉林省现有大型水库16座，中型水库97座，小型水库1371座，还有塘坝4万多座。总库容308亿立方米，兴利库容169亿立方米。

吉林省东部山地地下水以基岩裂隙水为主，玄武岩孔洞裂隙水及碳酸盐类裂隙溶洞水次之。江河两侧分布有山间盆地的松散岩类孔隙水和碎屑岩类孔隙水。构造、风化裂隙发育，沟谷深切，地下水循环交替强烈，多以泉水及河流形式排泄于地表。大气降水是地下水的唯一补给来源。多季节性泉流，水质较好，多为矿化度小于0.5克/升的重碳酸型淡水。松辽平原区属中生代以来下沉的地区，巨厚的碎屑岩及松散堆积物形成丰富的多层地下水。但其上层潜水受气候条件影响，有大面积矿化度大于1克/升的微咸水和氟离子含量超标的地下水。白城地区冲积洪积扇的砂砾石层地下水供水条件最好，其次为王府、伏龙泉台地的砂砾石层及河谷盆地的砂砾石层较富水，地下水埋深为3~10米，砂砾含水层在10~80米之间，单井涌水量1000~1500吨/天，矿化度在0.1~0.5克/升之间。其他地区的潜水含水层富水性较差。潜水层下伏承压含水层，富水性好，孔隙发育。在平原中部低洼处，承压水头高于潜水位，有的高出地面，成为自流水，如乾安县道字泡、大布苏湖均有自流水。承压水水质好，为重碳酸钙、钙钠型水，是平原区具有供水价值的含水层。

吉林省水资源总量为328.5亿立方米，其中地表水资源量276.6亿立方米，地下水资源量107.8亿立方米，重复量55.6亿立方米。松花江流域水资源量为259.5亿立方米，辽河流域水资源量为69.3亿立方米。全省人均占有水资源量1213.1立方米，耕地亩均水资源量368.8立方米。按国际公认标准，吉林省属中度缺水省份。

## 5 土　壤

吉林省从东到西依次形成暗棕壤、黑土、黑钙土、栗钙土等4个地带性土壤。

暗棕壤是吉林省主要的森林土壤，在东部山地广泛分布，约占全省土地总面积的31.60%。暗棕壤主要分布在海拔1000~1200米以下的山坡和部分河流高阶地上，向上与棕色针叶林土逐渐过渡。成土母质多为花岗岩、变质岩及石灰岩等沉积岩的风化残积物。植被主要为针阔混交林或次生阔叶林，土层厚度一般在30~50厘米，黑土层一般不厚，在风化残积物很薄的地方，只有很薄的黑色表层，下部即为岩石碎块。在海拔500米以下的低山丘陵暗棕壤地带，多已被垦为耕地，由于水土流失比较严重，土壤肥力较低。

黑土集中分布在中部波状起伏的台地上，多见于长春市、公主岭市及扶余县、前郭尔罗斯蒙古族自治县的东部。成土母质为黄土状亚黏土，质地比较黏重。黑土剖面形态最突出的特征是有一个明显的黑色或灰黑色的粒状腐殖质层，厚度在30~70厘米，有时可达100厘米，呈舌状向下过渡。黑土质地较黏重，腐殖质含量较高，表层具有良好的团粒结构，土体疏软较多空隙，耐旱耐涝。黑土虽然在腐殖质积累与还原淋溶作用下，具有很高的肥力，但随着开垦耕种，土壤有机质和养分均趋向减少。

黑钙土是吉林省中西部平原区的一种地带性土壤，主要分布在德惠、农安、公主岭、梨树、双辽等县(市)以及白城地区、松原地区各县(市)，位于黑土带以西。黑钙土是在黑土化过程与聚钙化过程中形成的，成土母质主要为各种成因的黄土状亚砂土。腐殖质层厚20~50厘米，暗灰色或暗棕灰色，粒状—团粒状结构。其下部为黄棕色过渡层，厚度为30~50厘米，再向下为白色或棕色钙积层，深度一般50~90厘米。黑钙土带的降水量少于黑土带，土壤水分为非淋溶型，水分不够充足，植被为草甸草原，每年土壤中的有机质积累量很少。由于生物气候条件的差异，愈向西，土壤中的钙积层愈高，石灰含量愈多，腐殖质的含量愈少，腐殖质层的厚度愈薄。

栗钙土主要分布在吉林省西北端，洮南市西北的德龙岗和镇赉县北大岗等地。吉林省的栗钙土属于暗栗钙土亚类。成土母质为残积、坡积物和洪积物，大部分呈红黄色。腐殖质层较薄，小于30厘米。腐殖质层下面有明显的石灰淀积层，厚度在30厘米左右。德龙岗和北大岗的暗栗钙土区地下水位深，不受盐碱危害，但土层薄，钙积层近于地表，不易植树，经耕翻后可成为价值较高的羊草草原。

白浆土主要分布在东部山区冲积洪积台地和熔岩台地上。泥炭土主要集中在东部山区，零星分布于河谷和山间沟谷洼地。棕壤面积较小，主要分布在吉林省南部的白山市、通化市的鸭绿江沿岸。盐土、碱土及风沙土在吉林省中西部平原分布较广。水稻土主要分布在东部山区，以延边朝鲜族自治州最为广泛，其他地区也有分布。草甸土、沼泽土等非地带性土壤全省各地区均有分布。

湿地土壤属非地带性土壤，主要包括沼泽土和泥炭土两大类，是经常处于多水或过湿环境和生长在喜湿性沼生植物的条件下形成的一类水成土壤。沼泽土和泥炭土在全省范围内广泛分布，在长期或短期积水或过湿的地方均可发育。

沼泽土包括草甸沼泽土、腐殖质沼泽土、淤泥沼泽土、泥炭沼泽土等。草甸沼泽土主要分布于沼泽的外侧，是沼泽土向草甸土过渡的沼泽土壤，多出现于河漫滩、阶地、平原的低洼处等，主要生长薹草、小叶章、油桦、沼柳等植物。该类沼泽土多被开垦为稻田。腐殖质沼泽土主要分布在阶地、宽谷、湖泊和旧河道的边缘以及湖滨洼地，在多雨季节和河湖涨水时地面短期淹水，秋后又露出水面，积水时间比草甸沼泽长，水深也较大，主要生长毛果薹草、漂筏薹草、乌拉草等植物。淤泥沼泽土主要分布在湖滨、河流泛滥地的洼地，面积相对较小，数量也不多，主要生长有芦苇、香蒲、菰、薹草等植物。泥炭沼泽土主要分布在泥炭土边缘，常见于河流谷地、支流交汇处及山前缓坡地带，在平原地区主要生长毛果薹草、漂筏薹草等植物，在山地则为笃斯越橘、泥炭藓、薹草等。

泥炭土主要分布在长白山地、台地及缓坡坡地，主要生长毛果薹草、漂筏薹草、落叶松—细叶杜香—泥炭藓、落叶松—笃斯越橘—泥炭藓、泥炭藓等植物群落。主要成土过程为泥炭化过程和潜育化过程，而且潜育化过程比较强烈，堆积有深厚的泥炭层。在泥炭层与潜育层之间多为腐泥层和腐殖质过渡层。有机质含量高，可达45%~70%，氮含量依泥炭土发育的阶段有差异，贫营养沼泽发育的泥炭土氮、磷、钾含量低，富营养沼泽下发育的泥炭土，氮丰富，磷、钾含量较低。pH值一般呈微酸性或酸性。

# 第二节 社会经济概况

## 1 行政区划、人口、民族

吉林省现辖长春市、吉林市、四平市、辽源市、通化市、白山市、松原市、白城市、延边朝鲜族自治州和长白山保护开发区。全省有20个县级市、20个县(其中有3个少数民族自治县)、20个市辖区，273个街道办事处、423个镇、198个乡，其中有33个民族乡(镇)(表1-1)。全省有村民委员会9321个。全省现有耕地面积594.3万公顷，占全省土地总面积的31.71%。其中常用耕地面积505.2万公顷，临时性耕地面积89.1万公顷，人均耕地0.21公顷。全省共有49个民族，总人口2734.21万人。48个少数民族主要有朝鲜族、满族、蒙古族、回族和锡伯族等。延边朝鲜族自治州（以下简称延边州）、伊通满族自治县、长白朝鲜族自治县、前郭尔罗斯蒙古族自治县4个少数民族自治地方，人口为333.71万人，其中少数民族人口114.58万人，占自治地方总人口的34.34%。

**表1-1　吉林省行政区划**

| 省辖市（州） | 县（市、区）名称 |
| --- | --- |
| 长春市 | 南关区、宽城区、朝阳区、二道区、绿园区、双阳区、农安县、九台市、榆树市、德惠市 |
| 吉林市 | 昌邑区、龙潭区、船营区、丰满区、永吉县、蛟河市、桦甸市、舒兰市、磐石市 |
| 四平市 | 铁西区、铁东区、梨树县、伊通满族自治县、公主岭市、双辽市 |
| 辽源市 | 龙山区、西安区、东丰县、东辽县 |
| 通化市 | 东昌区、二道江区、通化县、辉南县、柳河县、梅河口市、集安市 |
| 白山市 | 浑江区、江源区、抚松县、靖宇县、长白朝鲜族自治县、临江市 |
| 松原市 | 宁江区、前郭尔罗斯县、长岭县、乾安县、扶余县 |
| 白城市 | 洮北区、镇赉县、通榆县、洮南市、大安市 |
| 延边州 | 延吉市、图们市、敦化市、珲春市、龙井市、和龙市、汪清县、安图县 |

全省铁路总里程3749公里，公路总里程87099公里，运输网规模总量不足，现有运输网密度按土地面积和人均水平较先进省份有较大差距。公路网密度居全国第23位，明显处于落后地位。《吉林省高速公路网规划》的“五纵、五横、三环、四联络”高速公路、哈大高铁和吉图珲铁路客运专线网建成后，吉林省交通状况将得到明显改善。

## 2　经济发展及工、农业生产情况

吉林省2008年实现地区生产总值（GDP）6424.06亿元，比2007年增长16.00%。其中，第一产业916.70亿元，第二产业3064.63亿元，第三产业2442.73亿元。产业结构得到进一步优化，三大产业比例为14.3∶47.7∶38.0，第一、第二、第三产业对经济增长的贡献率分别为8.10%、50.10%、41.80%。全省财政收入845.17亿元，地方级财政收入422.80亿元，各级财政总支出1180.12亿元。全省民营经济主营业务收入增长33.60%，规模以上工业增加值单位能耗降低6.96%。按常住人口计算，全省年人均生产总值达到23514元，在岗职工年平均工资23486元，城镇居民年人均可支配收入12829元，农村居民年人均纯收入4933元。

全省规模以上工业企业产值8369.01亿元，完成增加值2491.28亿元，实现利润353.80亿元，上缴税金381.70亿元。其中轻工业增加值638.59亿元，实现利润86.65亿元；重工业增加值1852.69亿元，实现利润267.15亿元。全省建筑业产值994.65亿元，其中资质等级以上的总承包和专业承包建筑企业完成总产值962.79亿元，实现工程结算收入809.44亿元。

全省农作物总播种面积499.82万公顷。其中粮食作物播种面积439.12万公顷，粮食总产量2840.00万吨，粮食单产6467.48公斤/公顷。全省农业产值749.20亿元。全省猪、牛、羊、禽出栏量分别发展到2450.00万头、435.60万头、395.00万只、5.36亿只，肉、蛋、奶产量分别达到384.48万吨、127.00万吨和65.00万吨，畜牧业产值770.21亿元。全省实现林业产值54.97亿元，渔业产值22.52亿元。加上农林牧渔服务业产值17.91亿元，全省农林牧渔业总产值1614.80亿元。

# 第二章
# 湿地类型

## 第一节
## 湿地类型与面积

### 1 湿地概况

吉林省土地总面积 1874.00 万公顷，共区划 72 个湿地区，24 个重点调查湿地，区划湿地斑块 5873 块。

全省湿地类型分为 4 类 16 型，湿地总面积 170.07 万公顷，占全省土地总面积的 9.08%。其中，河流湿地面积 22.35 万公顷，包括永久性河流、季节性河流、洪泛平原湿地；湖泊湿地面积 11.20 万公顷，包括永久性淡水湖、永久性咸水湖、季节性咸水湖；沼泽湿地面积 52.74 万公顷，包括草本沼泽、灌丛沼泽、森林沼泽、内陆盐沼、季节性咸水沼泽、沼泽化草甸；人工湿地面积 83.77 万公顷，包括库塘、输水河、水产养殖场、稻田。其中，稻田面积 70.31 万公顷（表 2-1）。

吉林省湿地分布见图 2-1。

吉林省重要湿地分布见图 2-2。

全省单独区划的湿地区中，已建立湿地自然保护区（含保护小区）23 个。其中，国家级自然保护区 12 个，包括向海国家级自然保护区、莫莫格国家级自然保护区、松花江三湖国家级自然保护区、鸭绿江上游国家级自然保护区、查干湖国家级自然保护区、哈泥国家级自然保护区、龙湾国家级自然保护区、雁鸣湖国家级自然保护区、大布苏国家级自然保护区、波罗湖国家级自然保护区、黄泥河国家级自然保护区、靖宇国家级自然保护区；省级自然保护区 11 个，包括包拉温都省级自然保护区、扶余洪泛湿地省级自然保护区、辉南大椅山省级自然保护区、长岭龙凤湖省级自然保护区、九台湿地省级自然保护区、敬信湿地省级自然保护区、安图圆池湿地省级自然保护区、上屯湿地省级自然保护区、长白鸭绿江源湿地省级自然保护区、海兰江源省级自然保护区、双辽白鹤省级自然保护区。已建立湿地保护小区 4 个，包括通榆双岗湿地保护小区、通榆什花道野生动植物保护小区、大安沿江天鹅保护小区、白石山大石河湿地保护小区。此外，建有国家湿地公园 21 个，省级湿地公园 5 个，还有 6 个单独区划的湿地区未建专门的保护机构；

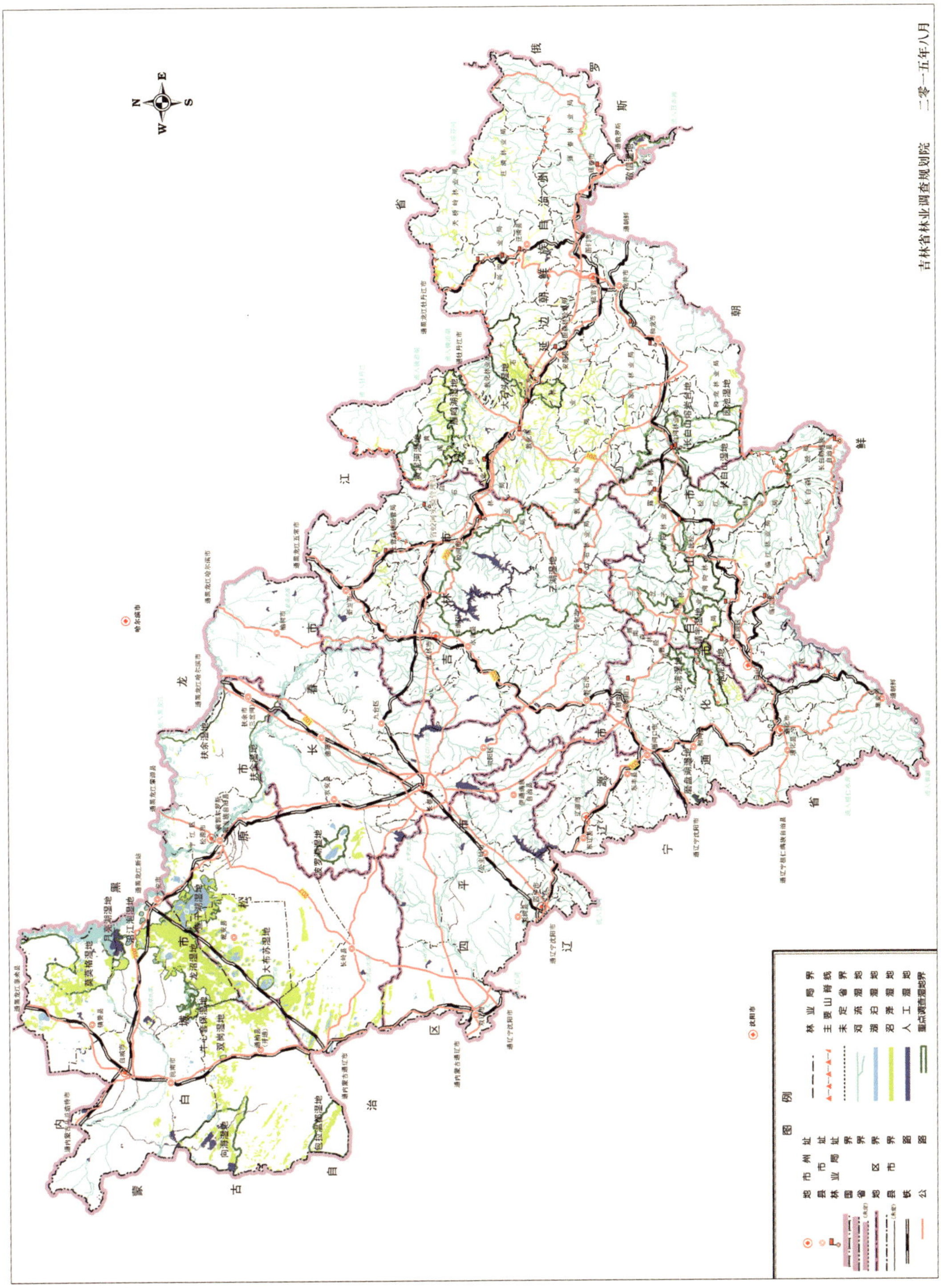

图 2-1 吉林省湿地分布

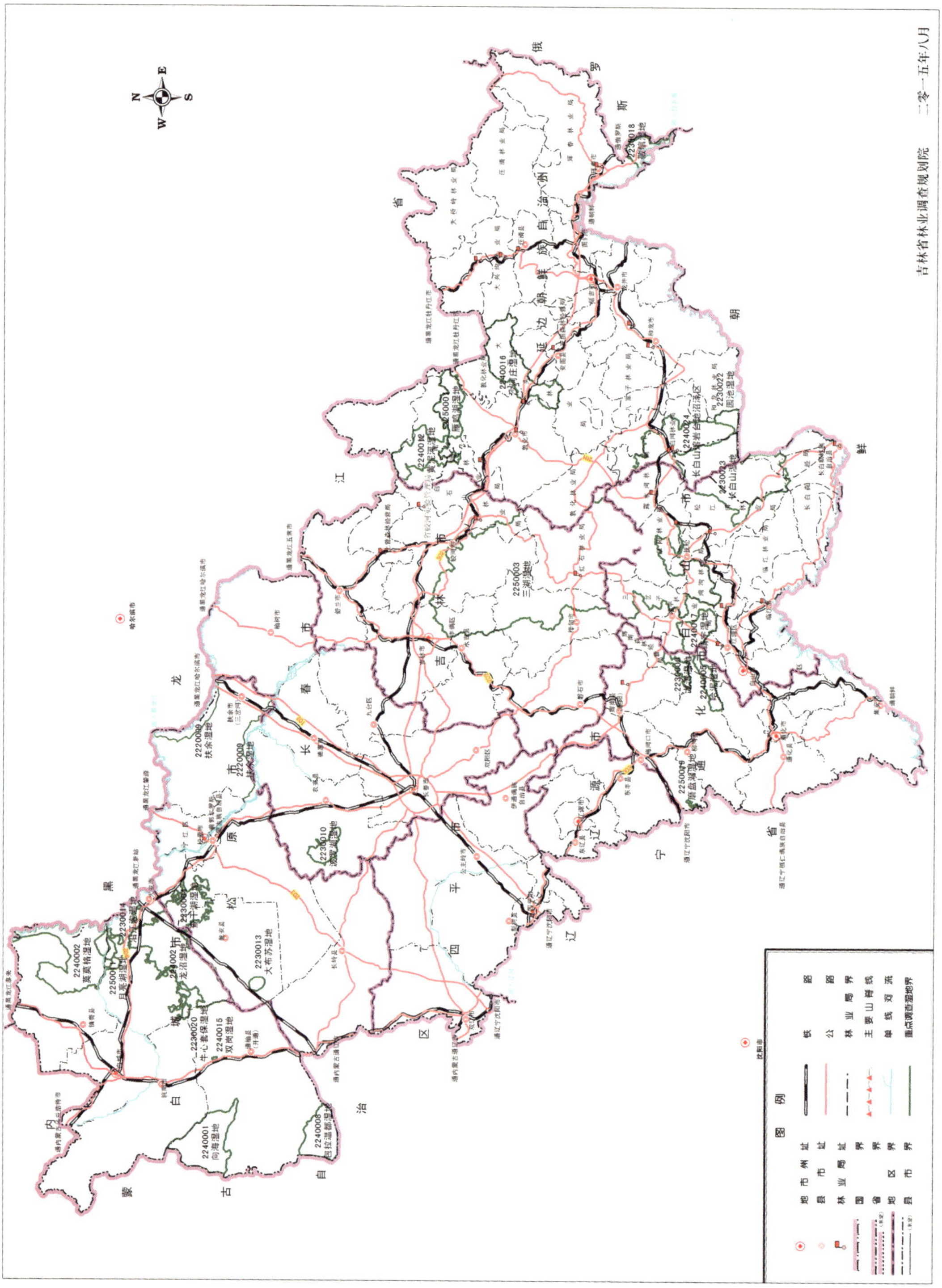

图 2-2 吉林省重要湿地分布

表 2-1　吉林省各湿地类型面积统计(公顷)

| 湿地类 | 湿地型 | 面　积 |
| --- | --- | --- |
| 河流湿地 | 永久性河流 | 167762. 06 |
| | 季节性河流 | 5790. 73 |
| | 洪泛平原湿地 | 49947. 67 |
| | 小　计 | 223500. 46 |
| 湖泊湿地 | 永久性淡水湖 | 53756. 08 |
| | 永久性咸水湖 | 51307. 00 |
| | 季节性咸水湖 | 6964. 34 |
| | 小　计 | 112027. 42 |
| 沼泽湿地 | 草本沼泽 | 75916. 09 |
| | 灌丛沼泽 | 20209. 34 |
| | 森林沼泽 | 28922. 90 |
| | 内陆盐沼 | 112414. 30 |
| | 季节性咸水沼泽 | 247588. 96 |
| | 沼泽化草甸 | 42363. 97 |
| | 小　计 | 527415. 56 |
| 人工湿地 | 库塘 | 129049. 32 |
| | 输水河 | 4044. 78 |
| | 水产养殖场 | 1568. 27 |
| | 稻田 | 703058. 00 |
| | 小　计 | 837720. 37 |
| 总　　计 | | 1700663. 81 |

48 个以县域为单位的零星湿地区以县(市)名称命名，包括单独区划的湿地区以外的各类零散湿地。

本次调查，全省 24 个单独区划的湿地区全部作为重点调查湿地进行重点调查。其中，向海湿地、莫莫格湿地、松花湖湿地、查干湖湿地、月亮湖湿地、大布苏湿地、龙沼沼泽、长白山熔岩台地沼泽区等 8 处湿地为国家重要湿地；向海湿地、莫莫格湿地是国际重要湿地。重点调查湿地斑块 912 块，湿地面积 41. 13 万公顷，占现地调查湿地总面积的 41. 22%。48 个以县域为单位的零星湿地区进行一般调查，一般调查湿地斑块 4961 块，湿地面积 58. 64 万公顷，占现地调查湿地总面积的 58. 78%。

## 1.1 现地调查湿地各类型面积

吉林省现地调查湿地类型有4类15型(稻田不做现地调查)。现地调查湿地总面积99.76万公顷，占全省土地总面积的5.32%。其中，河流湿地面积22.35万公顷，占现地调查湿地总面积的22.40%，包括永久性河流、季节性河流、洪泛平原湿地3型；湖泊湿地面积11.20万公顷，占现地调查湿地总面积的11.23%，包括永久性淡水湖、永久性咸水湖、季节性咸水湖3型；沼泽湿地面积52.74万公顷，占现地调查湿地总面积的52.87%，包括草本沼泽、灌丛沼泽、森林沼泽、内陆盐沼、季节性咸水沼泽、沼泽化草甸6型；人工湿地面积13.47万公顷，占现地调查湿地总面积的13.50%，包括库塘、输水河、水产养殖场3型(图2-3)。

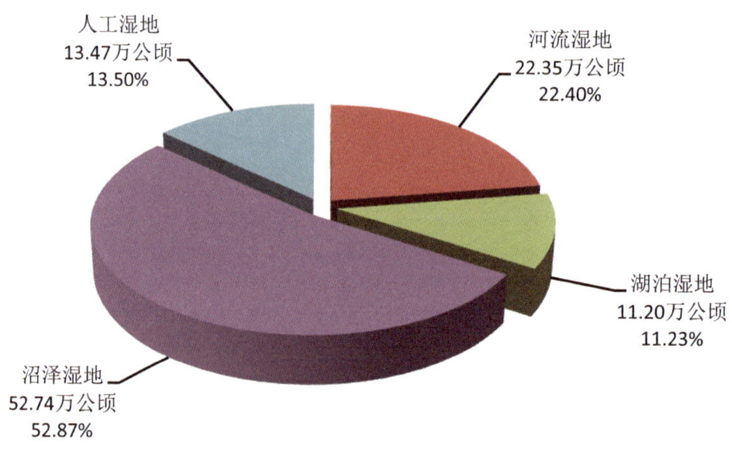


图2-3 吉林省现地调查湿地各湿地类面积与比例构成

## 1.2 各流域的湿地类及面积

吉林省流域分为2个一级流域、9个二级流域、12个三级流域。各级流域代码及所属县(市)情况见表2-2。

**表2-2 吉林省一、二、三级河流分区代码及分布**

| 代码 | 一级流域 | 代码 | 二级流域 | 代码 | 三级流域 | 所属县(市) |
|---|---|---|---|---|---|---|
| 3 | 松花江区 | 2 | 嫩江 | 10 | 江桥以下 | 白城市市辖区、洮南、镇赉、大安、通榆北部；松原市市辖区西部、乾安、前郭西部、长岭北部 |
| | | 3 | 第二松花江 | 23 | 丰满以下 | 长春市市辖区、农安、德惠、九台、榆树南部；松原市市辖区中部、前郭东部、扶余南部、长岭东部；吉林市市辖区北部、舒兰西部、蛟河北部、永吉西部、磐石北部、桦甸少部；公主岭东部、伊通东部；东丰北部 |
| | | | | 32 | 丰满以上 | 吉林市市辖区南部、蛟河中部、永吉东部、桦甸大部、磐石南部；东丰南部；梅河口、辉南、柳河北部；白山市市辖区东部、靖宇、抚松、临江北部；敦化南部、安图南部、和龙西部 |

（续）

| 代码 | 一级流域 | 代码 | 二级流域 | 代码 | 三级流域 | 所属县(市) |
|---|---|---|---|---|---|---|
| 3 | 松花江区 | 4 | 松花江（三岔口以下） | 19 | 牡丹江 | 敦化北部、蛟河东部 |
| | | | | 20 | 三岔口至哈尔滨 | 松原市市辖区北部、扶余北部；舒兰东部 |
| | | 7 | 绥芬河 | 27 | 绥芬河 | 汪清东部 |
| | | 8 | 图们江 | 33 | 图们江 | 汪清西部、珲春、图们、龙井、延吉、安图东部、和龙东部 |
| 4 | 辽河区 | 9 | 西辽河 | 24 | 乌力吉木仁河 | 通榆南部；长岭南部；双辽北部 |
| | | | | 30 | 西辽河下游（苏家铺以下） | 双辽西南部 |
| | | 10 | 东辽河 | 31 | 东辽河 | 四平市市辖区东部、双辽东部、公主岭西部、梨树北部、伊通西部；辽源市市辖区、东辽大部 |
| | | 11 | 辽河干流 | 36 | 柳河口以上 | 四平市市辖区西部、梨树南部、东辽少部 |
| | | 13 | 鸭绿江 | 45 | 浑江口以上 | 通化市市辖区、通化市、集安、柳河东南部；白山市市辖区西部、临江南部、长白 |

### 1.2.1 一级流域的湿地类及面积

吉林省一级流域包括松花江区、辽河区。松花江区包括白城、松原、长春、吉林、延边、四平东部、辽源东部、通化北部、白山北部，涵盖吉林省大部分地区；辽河区主要分布在四平西部、辽源西部、通化南部、白山南部及通榆县西南部、长岭县南部等部分地区(图 2-4)。

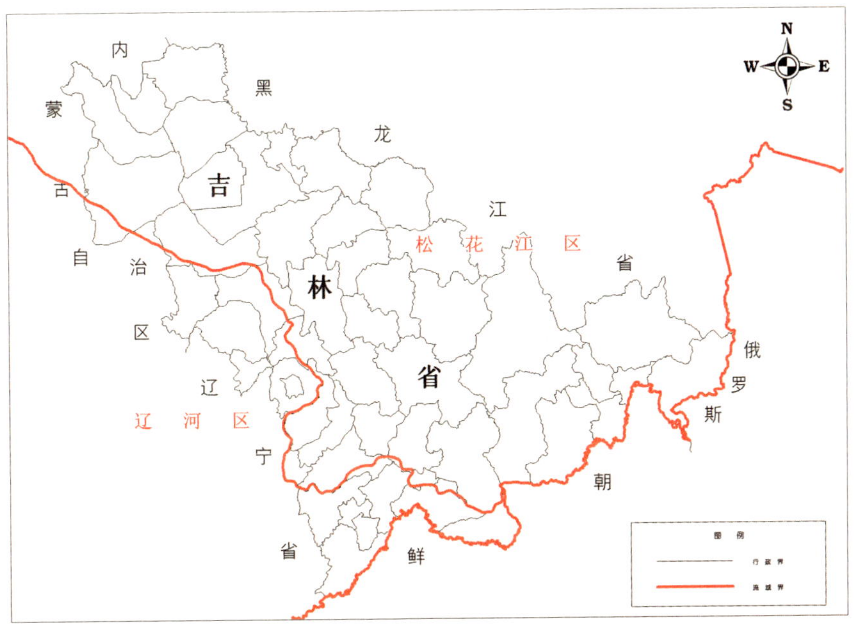


图 **2-4** 吉林省一级流域分布示意

吉林省一级流域中，松花江区湿地面积 90.70 万公顷，占全省现地调查湿地总面积的 90.92%；辽河区湿地面积 9.06 万公顷，占全省现地调查湿地总面积的 9.08%（图 2-5，表2-3）。

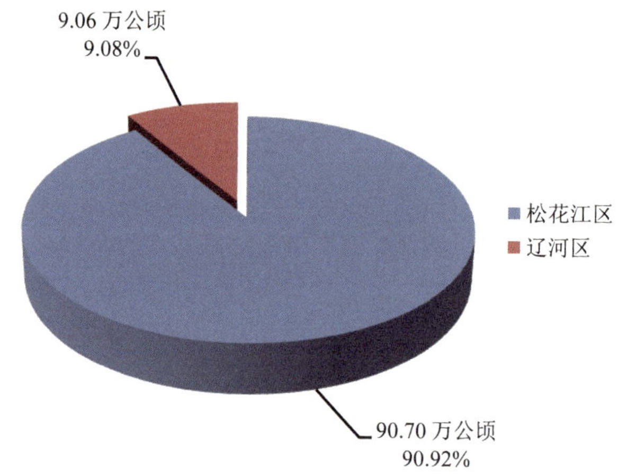


图 **2-5** 吉林省一级流域湿地面积与比例构成

**表 2-3 吉林省一级流域各湿地类面积统计**(公顷)

| 湿地类 | 松花江区 | 辽河区 | 合 计 |
|---|---|---|---|
| 河流湿地 | 190629.89 | 32870.57 | 223500.46 |
| 湖泊湿地 | 110416.66 | 1610.76 | 112027.42 |
| 沼泽湿地 | 495967.56 | 31448.00 | 527415.56 |
| 人工湿地 | 110032.75 | 24629.62 | 134662.37 |
| 总 计 | 907046.86 | 90558.95 | 997605.81 |

从湿地类来看，河流湿地、湖泊湿地、沼泽湿地、人工湿地 4 个湿地类主要分布在松花江区，分布面积分别占全省各湿地类总面积的 85.29%、98.56%、94.04%、81.71%。

### 1.2.2 二级流域的湿地类及面积

吉林省分布有 9 个二级流域，分别是嫩江、第二松花江、松花江(三岔口以下)、绥芬河、图们江、西辽河、东辽河、辽河干流、鸭绿江流域(图 2-6)。

吉林省二级流域以嫩江、第二松花江、松花江(三岔口以下)湿地分布面积较大，分别占全省现地调查湿地总面积的 55.62%、20.60%、10.12%，其次是图们江、鸭绿江、西辽河、东辽河流域，湿地面积分别占全省现地调查湿地总面积的 4.01%、3.39%、2.83%、2.60%，绥芬河、辽河干流湿地最少，湿地面积分别占全省现地调查湿地总面积的 0.57%、0.28%（图 2-7，表2-4）。

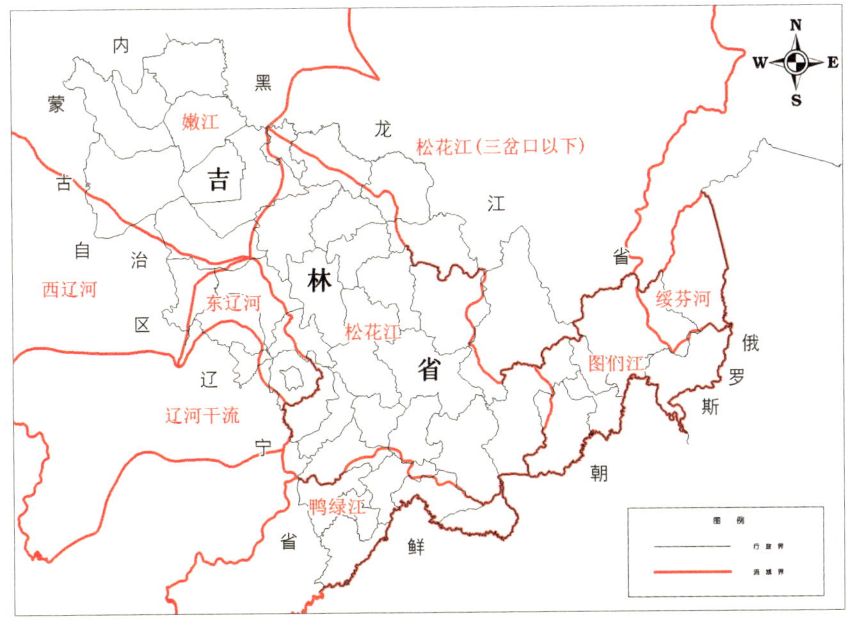


图 2-6 吉林省二级流域分布示意

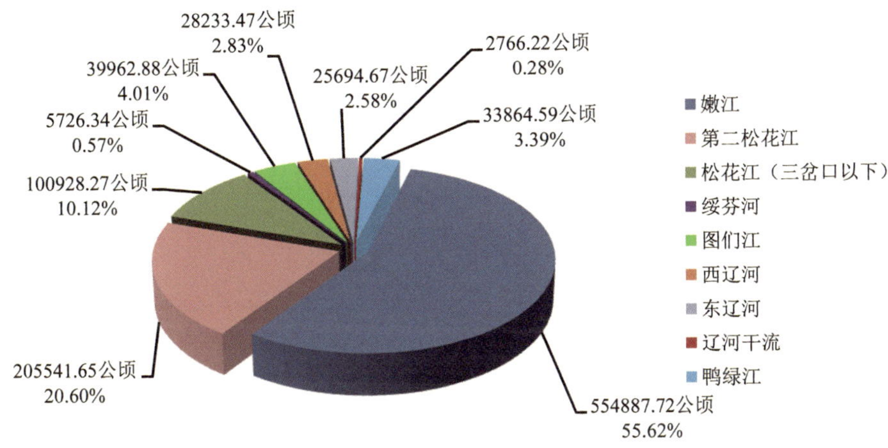


图 2-7 吉林省二级流域湿地面积与比例构成

**表 2-4 吉林省二级流域各湿地类面积统计(公顷)**

| 湿地类 | 嫩 江 | 第二松花江 | 松花江(三岔口以下) | 绥芬河 | 图们江 | 西辽河 | 东辽河 | 辽河干流 | 鸭绿江 | 合 计 |
|---|---|---|---|---|---|---|---|---|---|---|
| 河流湿地 | 46647.44 | 88964.88 | 31366.66 | 1834.18 | 21816.73 | 846.73 | 8703.31 | 1870.48 | 21450.05 | 223500.46 |
| 湖泊湿地 | 100849.66 | 7758.31 | 1312.31 | | 496.38 | 1194.49 | 416.27 | | | 112027.42 |
| 沼泽湿地 | 385392.89 | 33533.51 | 59424.82 | 3892.16 | 13724.18 | 25986.54 | 133.26 | | 5328.20 | 527415.56 |
| 人工湿地 | 21997.73 | 75284.95 | 8824.48 | | 3925.59 | 205.71 | 16441.83 | 895.74 | 7086.34 | 134662.37 |
| 总 计 | 554887.72 | 205541.65 | 100928.27 | 5726.34 | 39962.88 | 28233.47 | 25694.67 | 2766.22 | 33864.59 | 997605.81 |

从湿地类来看，河流湿地面积较大的二级流域有第二松花江、嫩江、松花江(三岔口以下)，其河流湿地面积分别占全省河流湿地总面积的39.81%、20.87%、14.03%。湖泊湿地面积较大的二级流域有嫩江、第二松花江、松花江(三岔口以下)，其湖泊湿地面积分别占全省湖泊湿地总面积的90.02%、6.93%、1.17%。沼泽湿地面积较大的二级流域有嫩江、松花江(三岔口以下)、第二松花江流域，其沼泽湿地面积分别占全省沼泽湿地总面积的73.07%、11.27%、6.34%。人工湿地面积较大的二级流域有第二松花江、嫩江、东辽河流域，其人工湿地面积分别占全省人工湿地总面积的55.91%、16.34%、12.21%。

### 1.2.3　三级流域的湿地类及面积

吉林省分布有12个三级流域，分别是嫩江江桥以下、第二松花江丰满以下、丰满以上、牡丹江、松花江三岔口至哈尔滨、绥芬河、图们江、乌力吉木仁河、西辽河下游(苏家铺以下)、东辽河、柳河口以上、浑江口以上流域(图2-8)。

三级流域中，丰满以下和丰满以上同属第二松花江二级流域；牡丹江和三岔口至哈尔滨同属松花江(三岔口以下)二级流域；乌力吉木仁河和西辽河下游(苏家铺以下)同属西辽河二级流域(表2-5)。其他三级流域与相应二级流域一一对应，湿地分布情况一致，表中不再重列。

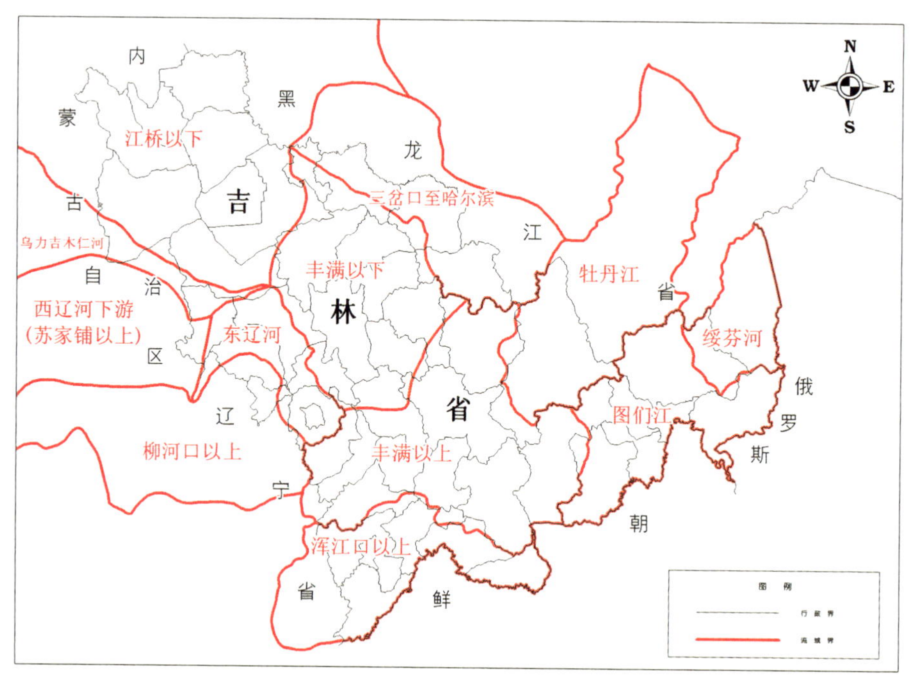


图2-8　吉林省三级流域分布示意

吉林省三级流域，以嫩江江桥以下、丰满以上、丰满以下湿地分布面积较大，分别占全省现地调查湿地总面积的55.62%、11.84%、8.76%。

表 2-5 吉林省部分三级流域各湿地类面积统计(公顷)

| 湿地类 | 嫩 江 | 第二松花江 | | 松花江(三岔口以下) | | 西辽河 | |
|---|---|---|---|---|---|---|---|
| | 江桥以下 | 丰满以下 | 丰满以上 | 牡丹江 | 三岔口至哈尔滨 | 乌力吉木仁河 | 西辽河下游(苏家铺以下) |
| 河流湿地 | 46647.44 | 41779.92 | 47184.96 | 10032.50 | 21334.16 | 0.93 | 845.80 |
| 湖泊湿地 | 100849.66 | 7005.35 | 752.96 | | 1312.31 | 1194.49 | |
| 沼泽湿地 | 385392.89 | 8619.29 | 24914.22 | 55318.25 | 4106.57 | 24958.11 | 1028.43 |
| 人工湿地 | 21997.73 | 29986.75 | 45298.20 | 3448.57 | 5375.91 | 136.41 | 69.30 |
| 总 计 | 554887.72 | 87391.31 | 118150.34 | 68799.32 | 32128.95 | 26289.94 | 1943.53 |

从湿地类来看，河流湿地面积较大的三级流域有丰满以上、嫩江江桥以下、丰满以下，其河流湿地面积分别占全省河流湿地总面积的21.11%、20.87%、18.69%。湖泊湿地面积较大的三级流域有嫩江江桥以下、丰满以下、三岔口至哈尔滨，其湖泊湿地面积分别占全省湖泊湿地总面积的90.02%、6.25%、1.17%。沼泽湿地面积较大的三级流域有嫩江江桥以下、牡丹江、丰满以上，其沼泽湿地面积分别占全省沼泽湿地总面积的73.07%、10.49%、4.73%。人工湿地面积较大的三级流域有丰满以上、丰满以下、嫩江江桥以下，其人工湿地面积分别占全省人工湿地总面积的33.64%、22.27%、16.34%。

## 1.3 各湿地区的湿地类及面积

吉林省各湿地区各湿地类面积，见表2-6。各湿地区中，龙沼湿地、莫莫格湿地、乾安县湿地分布的湿地面积较大，分别占全省现地调查湿地总面积的11.07%、6.86%、6.42%。

表 2-6 吉林省各湿地区各湿地类面积统计(公顷)

| 湿地区名称 | | 斑块数 | 河流湿地 | 湖泊湿地 | 沼泽湿地 | 人工湿地 | 湿地总面积 |
|---|---|---|---|---|---|---|---|
| 重点调查湿地 | 包拉温都湿地 | 6 | | 11.24 | 11936.49 | | 11947.73 |
| | 波罗湖湿地 | 7 | 22.20 | 5081.22 | 1335.22 | 380.57 | 6819.21 |
| | 查干湖湿地 | 43 | | 32230.32 | 27014.37 | 23.76 | 59268.45 |
| | 大布苏湿地 | 2 | | 3257.41 | 2466.31 | | 5723.72 |
| | 扶余湿地 | 73 | 4685.42 | 649.95 | 41.53 | 323.98 | 5700.88 |
| | 哈泥湿地 | 12 | 176.60 | | 1759.23 | | 1935.83 |
| | 黄泥河湿地 | 50 | 752.26 | | 1242.78 | | 1995.04 |
| | 敬信湿地 | 31 | 1489.06 | 496.38 | 270.14 | 1369.16 | 3624.74 |
| | 靖宇湿地 | 9 | 81.51 | 39.34 | 3081.79 | | 3202.64 |
| | 龙湾湿地 | 12 | 168.94 | 226.89 | 114.10 | | 509.93 |
| | 龙沼湿地 | 89 | | 7104.22 | 102788.16 | 15.78 | 109908.16 |
| | 磨盘湖湿地 | 1 | | | | 1421.22 | 1421.22 |

（续）

| 湿地区名称 | | 斑块数 | 河流湿地 | 湖泊湿地 | 沼泽湿地 | 人工湿地 | 湿地总面积 |
|---|---|---|---|---|---|---|---|
| 重点调查湿地 | 莫莫格湿地 | 64 | 31242.54 | 5424.22 | 28263.19 | 3727.43 | 68657.38 |
| | 牛心套保湿地 | 4 | | 76.77 | 2951.01 | | 3027.78 |
| | 三湖湿地 | 243 | 20499.95 | | 1723.76 | 32661.94 | 54885.65 |
| | 沙河庄湿地 | 27 | 773.74 | | 14909.21 | 472.08 | 16155.03 |
| | 双岗湿地 | 1 | | | 500.00 | | 500.00 |
| | 向海湿地 | 65 | 113.29 | 1775.20 | 20639.08 | 5875.13 | 28402.70 |
| | 沿江泡湿地 | 7 | | 2892.62 | 4090.31 | | 6982.93 |
| | 雁鸣湖湿地 | 69 | 1627.24 | | 4379.42 | 1161.09 | 7167.75 |
| | 园池湿地 | 15 | 254.42 | 3.12 | 567.61 | | 825.15 |
| | 月亮湖湿地 | 2 | 43.97 | | | 5069.18 | 5113.15 |
| | 长白山熔岩台地沼泽区 | 48 | 1192.40 | | 3013.94 | 85.77 | 4292.11 |
| | 长白山湿地 | 32 | 2236.66 | 419.82 | 528.94 | | 3185.42 |
| 零星湿地 | 安图县零星湿地区 | 219 | 4222.22 | | 15189.80 | 748.01 | 20160.03 |
| | 白城市市辖区零星湿地区 | 97 | 452.93 | | 1439.32 | 1832.67 | 3724.92 |
| | 白山市市辖区零星湿地区 | 31 | 1974.46 | | 35.07 | 1424.34 | 3433.87 |
| | 大安市零星湿地区 | 109 | 8840.45 | 3517.47 | 1752.19 | 302.60 | 14412.71 |
| | 德惠市零星湿地区 | 110 | 5700.05 | | | 318.22 | 6018.27 |
| | 东丰县零星湿地区 | 197 | 1546.15 | | | 2054.69 | 3600.84 |
| | 东辽县零星湿地区 | 80 | 1937.04 | | | 3392.54 | 5329.58 |
| | 敦化市零星湿地区 | 444 | 7611.64 | | 36204.74 | 1805.09 | 45621.47 |
| | 扶余县零星湿地区 | 52 | 6869.42 | 1193.65 | 639.84 | 149.71 | 8852.62 |
| | 抚松县零星湿地区 | 65 | 3532.58 | | 517.32 | 734.56 | 4784.46 |
| | 公主岭市零星湿地区 | 84 | 4185.99 | | | 4418.70 | 8604.69 |
| | 和龙市零星湿地区 | 52 | 3513.87 | | 2254.96 | 310.04 | 6078.87 |
| | 桦甸市零星湿地区 | 35 | 1410.49 | | | 562.85 | 1973.34 |
| | 珲春市零星湿地区 | 48 | 6503.68 | | 1492.36 | 109.46 | 8105.50 |
| | 辉南县零星湿地区 | 86 | 2140.65 | | 24.66 | 827.94 | 2993.25 |
| | 吉林市市辖区零星湿地区 | 90 | 5586.26 | | 112.28 | 1661.56 | 7360.10 |
| | 集安市零星湿地区 | 90 | 6075.44 | | | 2839.69 | 8915.13 |
| | 蛟河市零星湿地区 | 84 | 3524.49 | | 214.88 | 692.54 | 4431.91 |
| | 靖宇县零星湿地区 | 23 | 887.01 | 63.79 | 606.72 | 72.47 | 1629.99 |
| | 九台市零星湿地区 | 73 | 2982.28 | | | 2501.02 | 5483.30 |
| | 梨树县零星湿地区 | 98 | 2206.05 | | | 743.18 | 2949.23 |

（续）

| 湿地区名称 | | 斑块数 | 河流湿地 | 湖泊湿地 | 沼泽湿地 | 人工湿地 | 湿地总面积 |
|---|---|---|---|---|---|---|---|
| 零星湿地 | 辽源市市辖区零星湿地区 | 16 | 515.83 | | | 372.56 | 888.39 |
| | 临江市零星湿地区 | 63 | 3935.23 | | 218.69 | 1249.76 | 5403.68 |
| | 柳河县零星湿地区 | 140 | 2234.62 | | 332.15 | 1485.73 | 4052.50 |
| | 龙井市零星湿地区 | 56 | 3061.28 | | 225.20 | 242.96 | 3529.44 |
| | 梅河口市零星湿地区 | 198 | 1506.55 | | | 2818.35 | 4324.9 |
| | 农安县零星湿地区 | 146 | 3660.24 | 1392.84 | 6895.83 | 4203.94 | 16152.85 |
| | 磐石市零星湿地区 | 217 | 3548.97 | | 407.76 | 3259.04 | 7215.77 |
| | 前郭尔罗斯蒙古族自治县零星湿地区 | 87 | 4932.62 | 3254.15 | 17611.86 | 1129.04 | 26927.67 |
| | 乾安县零星湿地区 | 144 | | 14090.66 | 49459.50 | 110.76 | 63660.92 |
| | 舒兰市零星湿地区 | 125 | 4957.44 | | 3597.14 | 3481.03 | 12035.61 |
| | 双辽市零星湿地区 | 61 | 1419.57 | 973.23 | 6579.27 | 1251.00 | 10223.07 |
| | 四平市市辖区零星湿地区 | 26 | 771.60 | | | 1879.47 | 2651.07 |
| | 松原市市辖区零星湿地区 | 43 | 11719.62 | | 56.85 | 68.05 | 11844.52 |
| | 洮南市零星湿地区 | 155 | 2298.77 | 4624.39 | 6169.16 | 2635.71 | 15728.03 |
| | 通化市市辖区零星湿地区 | 27 | 1066.81 | | | 8.08 | 1074.89 |
| | 通化市零星湿地区 | 90 | 3919.38 | | 2074.80 | 1369.97 | 7364.15 |
| | 通榆县零星湿地区 | 163 | 226.27 | 5538.21 | 56167.90 | 36.22 | 61968.60 |
| | 图们市零星湿地区 | 20 | 1700.69 | | | 111.78 | 1812.47 |
| | 汪清县零星湿地区 | 196 | 6107.55 | | 11179.90 | 1076.77 | 18364.22 |
| | 延吉市零星湿地区 | 23 | 691.61 | | 403.25 | 376.66 | 1471.52 |
| | 伊通满族自治县零星湿地区 | 94 | 1810.90 | | | 7079.34 | 8890.24 |
| | 永吉县零星湿地区 | 96 | 2202.30 | | | 3894.36 | 6096.66 |
| | 榆树市零星湿地区 | 69 | 5682.30 | | | 1650.22 | 7332.52 |
| | 长白朝鲜族自治县零星湿地区 | 76 | 4565.35 | | 307.85 | 204.73 | 5077.93 |
| | 长春市市辖区零星湿地区 | 206 | 3655.85 | | | 13120.42 | 16776.27 |
| | 长岭县零星湿地区 | 78 | 37.05 | 7824.93 | 48317.10 | 1457.45 | 57636.53 |
| | 镇赉县零星湿地区 | 179 | 208.71 | 9865.38 | 23310.62 | | 33384.71 |
| 总　计 | | 5873 | 223500.46 | 112027.42 | 527415.56 | 134662.37 | 997605.81 |

注：表中各县(市、区)的零星湿地区面积不包含前面24个重要湿地的面积。

从湿地类来看，河流湿地面积较大的湿地区有莫莫格湿地、三湖湿地、松原市市辖区零星湿地区，其河流湿地面积分别占全省河流湿地总面积的13.98%、9.17%、5.24%。湖泊湿地面积较大的湿地区有查干湖湿地、乾安县零星湿地区、镇赉县零星湿地区，其湖泊湿地面积分别占全省湖泊湿地总面积的28.77%、12.58%、8.81%。沼泽湿地面积较大的湿地区有龙沼湿地、通榆县零星湿地区、乾安县零星湿地区，其沼泽湿地面积分别占全省沼泽湿地总面积的19.49%、10.65%、9.38%。人工湿地面积较大的湿地区有三湖湿地、长春市辖区零星湿地区、伊通满族自治县零星湿地区，其人工湿地面积分别占全省人工湿地总面积的24.25%、9.74%、5.26%。

## 1.4 各行政区的湿地类及面积

本次调查，吉林省现地调查湿地总面积99.76万公顷。按9个行政区划分，各区湿地面积以白城市、松原市、延边州最多，分别占全省现地调查湿地总面积的37.20%、23.10%、14.24%；辽源市、通化市、四平市湿地最少，分别占全省现地调查湿地总面积的1.00%、3.27%、3.38%（图2-9，表2-7）。

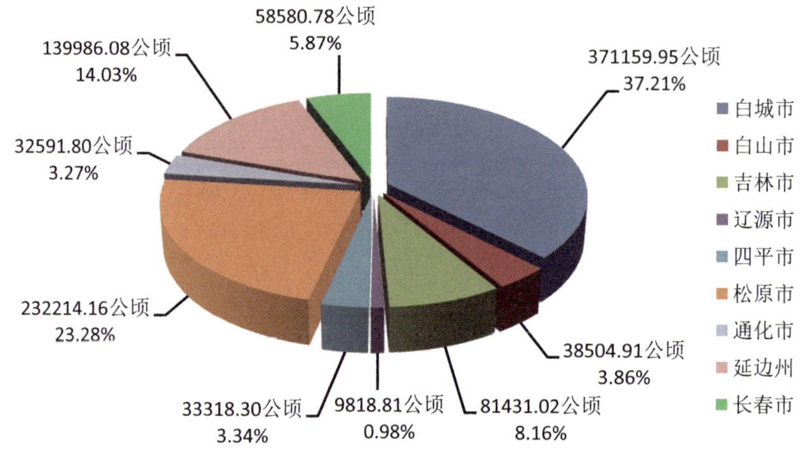


图2-9 吉林省各行政区湿地面积与比例构成

表2-7 吉林省各行政区各湿地类面积统计(公顷)

| 地区 | 涉及重点调查湿地数 | 斑块数 | 河流湿地 | 湖泊湿地 | 沼泽湿地 | 人工湿地 | 湿地总面积 | 其中重点调查湿地面积 |
|---|---|---|---|---|---|---|---|---|
| 白城市 | 8 | 951 | 43426.93 | 43092.00 | 265146.30 | 19494.72 | 371159.95 | 241940.98 |
| 白山市 | 3 | 418 | 26302.65 | 326.84 | 7020.14 | 4855.28 | 38504.91 | 18174.98 |
| 吉林市 | 1 | 766 | 32055.06 | | 4332.06 | 45043.90 | 81431.02 | |
| 辽源市 | | 293 | 3999.02 | | | 5819.79 | 9818.81 | |
| 四平市 | | 363 | 10394.11 | 973.23 | 6579.27 | 15371.69 | 33318.30 | 42315.99 |
| 松原市 | 3 | 512 | 28244.13 | 60238.79 | 140468.49 | 3262.75 | 232214.16 | 63291.90 |
| 通化市 | 3 | 656 | 17288.99 | 226.89 | 4304.94 | 10770.98 | 32591.80 | 3866.98 |
| 延边州 | 7 | 1304 | 40088.29 | 695.61 | 91333.31 | 7868.87 | 139986.08 | 34842.56 |
| 长春市 | 1 | 610 | 21701.28 | 6474.06 | 8231.05 | 22174.39 | 58580.78 | 6819.21 |
| 总计 | 共26个 | 5873 | 223500.46 | 112027.42 | 527415.56 | 134662.37 | 997605.81 | 411252.60 |

从湿地类来看，河流湿地面积较大的行政区有白城市、延边州、吉林市，其河流湿地面积分别占全省河流湿地总面积的19.43%、17.94%、14.34%。湖泊湿地面积较大的行政区有松原市、白城市、长春市，其湖泊湿地面积分别占全省湖泊湿地总面积的53.77%、38.47%、5.78%。沼

泽湿地面积较大的行政区有白城市、松原市、延边州，其沼泽湿地面积分别占全省沼泽湿地总面积的50.27%、26.63%、17.32%。人工湿地面积较大的行政区有吉林市、长春市、白城市，其人工湿地面积分别占全省人工湿地总面积的33.45%、16.47%、14.48%。

# 2　河流湿地

## 2.1　河流各湿地型及面积

吉林省宽度10米以上、长度5公里以上的河流湿地总面积22.35万公顷(图2-10)。包括永久性河流、季节性河流、洪泛平原湿地，面积分别为16.78万公顷、0.58万公顷、4.99万公顷，面积比例为75∶3∶22(图2-11)。

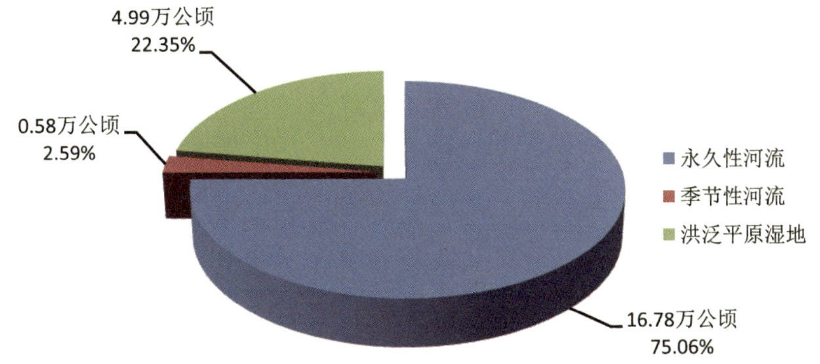


图**2-11**　吉林省河流湿地各湿地型面积与比例构成

## 2.2　各流域河流湿地型及面积

### 2.2.1　一级流域河流湿地型及面积

吉林省2个一级流域中，松花江区河流湿地面积19.06万公顷，占全省河流湿地总面积的85.29%；辽河区河流湿地面积3.29万公顷，占全省河流湿地总面积的14.71%(图2-12)。

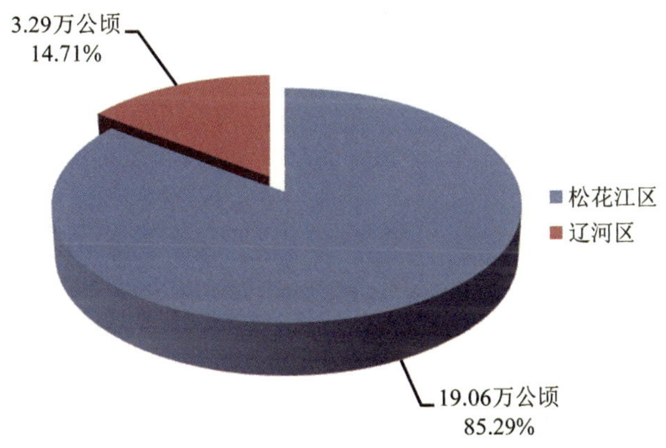


图**2-12**　吉林省一级流域河流湿地面积与比例构成

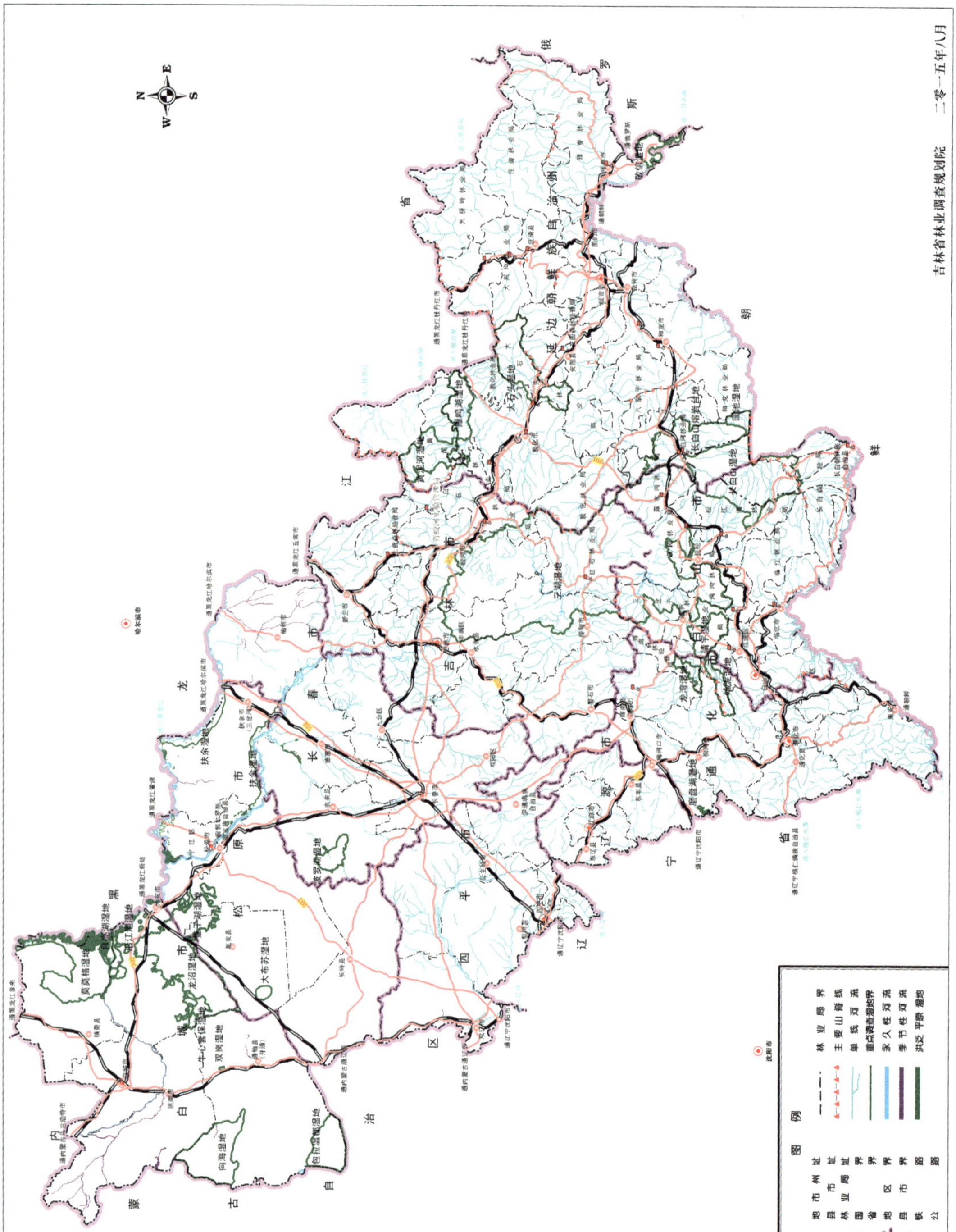

图 2-10 吉林省河流湿地分布

吉林省一级流域河流湿地各湿地型面积，见表2-8。

**表2-8　吉林省一级流域河流湿地各湿地型面积统计**(公顷)

| 湿地类 | 湿地型 | 松花江区 | 辽河区 | 合　计 |
|---|---|---|---|---|
| 河流湿地 | 永久性河流 | 135081.51 | 32680.55 | 167762.06 |
| | 季节性河流 | 5705.52 | 85.21 | 5790.73 |
| | 洪泛平原湿地 | 49842.86 | 104.81 | 49947.67 |
| 总　计 | | 190629.89 | 32870.57 | 223500.46 |

从湿地型来看，永久性河流、季节性河流、洪泛平原湿地在一级流域中主要分布在松花江区，面积分别占全省各湿地型总面积的80.52%、98.53%、99.79%。

### 2.2.2　二级流域河流湿地型及面积

吉林省9个二级流域中，河流湿地面积较大的有第二松花江、嫩江、松花江(三岔口以下)，其河流湿地面积分别占全省河流湿地总面积的39.81%、20.87%、14.03%(图2-13，表2-9)。

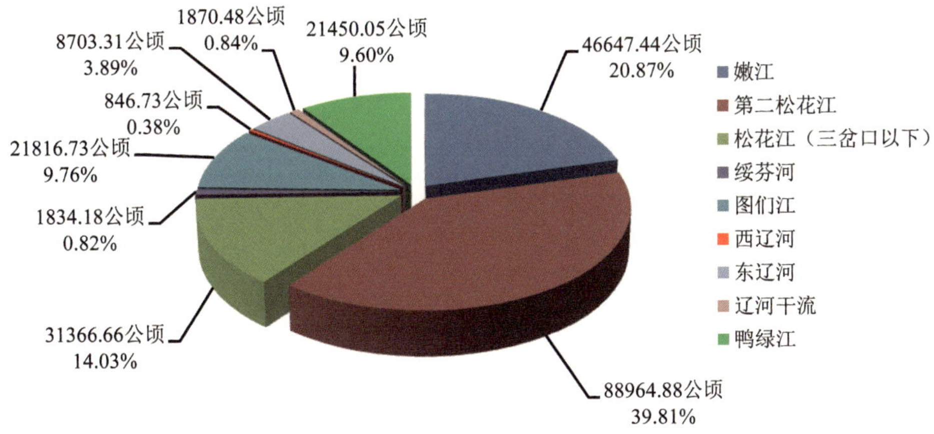


图**2-13**　吉林省二级流域河流湿地面积与比例构成

**表2-9　吉林省二级流域河流湿地各湿地型面积统计**(公顷)

| 湿地类 | 湿地型 | 嫩江 | 第二松花江 | 松花江(三岔口以下) | 绥芬河 | 图们江 | 西辽河 | 东辽河 | 辽河干流 | 鸭绿江 | 合　计 |
|---|---|---|---|---|---|---|---|---|---|---|---|
| 河流湿地 | 永久性河流 | 5182.18 | 81893.59 | 24354.83 | 1834.18 | 21816.73 | 787.74 | 8703.31 | 1844.26 | 21345.24 | 167762.06 |
| | 季节性河流 | 3445.10 | 597.52 | 1662.90 | | | 58.99 | | 26.22 | | 5790.73 |
| | 洪泛平原湿地 | 38020.16 | 6473.77 | 5348.93 | | | | | | 104.81 | 49947.67 |
| 总　计 | | 46647.44 | 88964.88 | 31366.66 | 1834.18 | 21816.73 | 846.73 | 8703.31 | 1870.48 | 21450.05 | 223500.46 |

从湿地型来看，永久性河流面积较大的二级流域有第二松花江、松花江(三岔口以下)、图们江流域，其永久性河流面积分别占全省永久性河流总面积的48.82%、14.52%、13.00%。季节性

河流面积较大的二级流域有嫩江、松花江(三岔口以下)、第二松花江流域，其季节性河流面积分别占全省季节性河流总面积的59.49%、28.72%、10.32%。洪泛平原湿地面积较大的二级流域有嫩江、第二松花江流域、松花江(三岔口以下)，其洪泛平原湿地面积分别占全省洪泛平原湿地总面积的76.12%、12.96%、10.71%。

### 2.2.3 三级流域河流湿地型及面积

吉林省三级流域河流湿地各湿地型面积，见表2-10。嫩江、绥芬河、图们江、东辽河、辽河干流、鸭绿江的三级流域与相应二级流域一一对应，湿地分布情况一致，表中不再重复列出。

吉林省12个三级流域中，河流湿地以丰满以上、嫩江江桥以下、丰满以下分布面积较大，分别占全省河流湿地总面积的21.11%、20.87%、18.69%。

**表2-10 吉林省部分三级流域河流湿地各湿地型面积统计(公顷)**

| 湿地类 | 湿地型 | 嫩江 | 第二松花江 | | 松花江 | | 西辽河 | |
|---|---|---|---|---|---|---|---|---|
| | | 江桥以下 | 丰满以下 | 丰满以上 | 牡丹江 | 三岔口至哈尔滨 | 乌力吉木仁河 | 西辽河下游 |
| 河流湿地 | 永久性河流 | 5182.18 | 34745.61 | 47147.98 | 10032.50 | 14322.33 | 0.93 | 786.81 |
| | 季节性河流 | 3445.10 | 560.54 | 36.98 | | 1662.90 | | 58.99 |
| | 洪泛平原湿地 | 38020.16 | 6473.77 | | | 5348.93 | | |
| 总　计 | | 46647.44 | 41779.92 | 47184.96 | 10032.50 | 21334.16 | 0.93 | 845.80 |

从湿地型来看，永久性河流在三级流域中丰满以上、丰满以下分布面积较大，分别占永久性河流总面积的28.10%、20.71%。季节性河流在三级流域中嫩江江桥以下、三岔口至哈尔滨、丰满以下分布面积较大，分别占季节性河流总面积的59.45%、28.72%、9.68%。洪泛平原湿地在三级流域中嫩江江桥以下、丰满以下、三岔口至哈尔滨分布面积较大，分别占洪泛平原湿地总面积的76.12%、12.96%、10.71%。

## 2.3 各湿地区河流湿地型及面积

吉林省各湿地区河流湿地各湿地型及面积，见表2-11。各湿地区中，莫莫格湿地、三湖湿地、松原市市辖区零星湿地区分布的河流湿地面积较大，分别占全省河流湿地总面积的13.98%、9.17%、5.24%。

**表2-11 吉林省各湿地区河流湿地各湿地型面积统计(公顷)**

| 湿地区名称 | 永久性河流 | 季节性河流 | 洪泛平原湿地 | 合　计 |
|---|---|---|---|---|
| 包拉温都湿地 | | | | |
| 波罗湖湿地 | | 22.20 | | 22.20 |
| 查干湖湿地 | | | | |
| 大布苏湿地 | | | | |
| 扶余湿地 | 3775.06 | | 910.36 | 4685.42 |

（续）

| 湿地区名称 | 永久性河流 | 季节性河流 | 洪泛平原湿地 | 合　计 |
|---|---|---|---|---|
| 哈泥湿地 | 176.60 | | | 176.60 |
| 黄泥河湿地 | 752.26 | | | 752.26 |
| 敬信湿地 | 1489.06 | | | 1489.06 |
| 靖宇湿地 | 81.51 | | | 81.51 |
| 龙湾湿地 | 168.94 | | | 168.94 |
| 龙沼湿地 | | | | |
| 磨盘湖湿地 | | | | |
| 莫莫格湿地 | 3222.16 | 74.15 | 27946.23 | 31242.54 |
| 牛心套保湿地 | | | | |
| 三湖湿地 | 20499.95 | | | 20499.95 |
| 沙河庄湿地 | 773.74 | | | 773.74 |
| 双岗湿地 | | | | |
| 向海湿地 | | 113.29 | | 113.29 |
| 沿江泡湿地 | | | | |
| 雁鸣湖湿地 | 1627.24 | | | 1627.24 |
| 园池湿地 | 254.42 | | | 254.42 |
| 月亮湖湿地 | | 43.97 | | 43.97 |
| 长白山熔岩台地沼泽区 | 1192.40 | | | 1192.40 |
| 长白山湿地 | 2236.66 | | | 2236.66 |
| 安图县零星湿地区 | 4222.22 | | | 4222.22 |
| 白城市市辖区零星湿地区 | | 452.93 | | 452.93 |
| 白山市市辖区零星湿地区 | 1974.46 | | | 1974.46 |
| 大安市零星湿地区 | 852.43 | 100.01 | 7888.01 | 8840.45 |
| 德惠市零星湿地区 | 4870.57 | | 829.48 | 5700.05 |
| 东丰县零星湿地区 | 1546.15 | | | 1546.15 |
| 东辽县零星湿地区 | 1937.04 | | | 1937.04 |
| 敦化市零星湿地区 | 7611.64 | | | 7611.64 |
| 扶余县零星湿地区 | 3740.46 | 92.83 | 3036.13 | 6869.42 |
| 抚松县零星湿地区 | 3532.58 | | | 3532.58 |
| 公主岭市零星湿地区 | 4185.99 | | | 4185.99 |
| 和龙市零星湿地区 | 3513.87 | | | 3513.87 |
| 桦甸市零星湿地区 | 1410.49 | | | 1410.49 |
| 珲春市零星湿地区 | 6503.68 | | | 6503.68 |
| 辉南县零星湿地区 | 2140.65 | | | 2140.65 |
| 吉林市市辖区零星湿地区 | 5586.26 | | | 5586.26 |

（续）

| 湿地区名称 | 永久性河流 | 季节性河流 | 洪泛平原湿地 | 合 计 |
| --- | --- | --- | --- | --- |
| 集安市零星湿地区 | 6075.44 | | | 6075.44 |
| 蛟河市零星湿地区 | 3524.49 | | | 3524.49 |
| 靖宇县零星湿地区 | 887.01 | | | 887.01 |
| 九台市零星湿地区 | 2953.18 | 29.10 | | 2982.28 |
| 梨树县零星湿地区 | 2179.83 | 26.22 | | 2206.05 |
| 辽源市市辖区零星湿地区 | 515.83 | | | 515.83 |
| 临江市零星湿地区 | 3830.42 | | 104.81 | 3935.23 |
| 柳河县零星湿地区 | 2234.62 | | | 2234.62 |
| 龙井市零星湿地区 | 3061.28 | | | 3061.28 |
| 梅河口市零星湿地区 | 1506.55 | | | 1506.55 |
| 农安县零星湿地区 | 2338.34 | 250.85 | 1071.05 | 3660.24 |
| 磐石市零星湿地区 | 3511.99 | 36.98 | | 3548.97 |
| 前郭尔罗斯蒙古族自治县零星湿地区 | 2611.75 | 134.95 | 2185.92 | 4932.62 |
| 乾安县零星湿地区 | | | | |
| 舒兰市零星湿地区 | 4957.44 | | | 4957.44 |
| 双辽市零星湿地区 | 1360.58 | 58.99 | | 1419.57 |
| 四平市市辖区零星湿地区 | 771.60 | | | 771.60 |
| 松原市市辖区零星湿地区 | 5705.64 | 38.30 | 5975.68 | 11719.62 |
| 洮南市零星湿地区 | | 2298.77 | | 2298.77 |
| 通化市市辖区零星湿地区 | 1066.81 | | | 1066.81 |
| 通化市零星湿地区 | 3919.38 | | | 3919.38 |
| 通榆县零星湿地区 | | 226.27 | | 226.27 |
| 图们市零星湿地区 | 1700.69 | | | 1700.69 |
| 汪清县零星湿地区 | 6107.55 | | | 6107.55 |
| 延吉市零星湿地区 | 691.61 | | | 691.61 |
| 伊通满族自治县零星湿地区 | 1810.90 | | | 1810.90 |
| 永吉县零星湿地区 | 2202.30 | | | 2202.30 |
| 榆树市零星湿地区 | 4112.23 | 1570.07 | | 5682.30 |
| 长白朝鲜族自治县零星湿地区 | 4565.35 | | | 4565.35 |
| 长春市市辖区零星湿地区 | 3570.71 | 85.14 | | 3655.85 |
| 长岭县零星湿地区 | 37.05 | | | 37.05 |
| 镇赉县零星湿地区 | 73.00 | 135.71 | | 208.71 |
| 总 计 | 167762.06 | 5790.73 | 49947.67 | 223500.46 |

注：表中各县(市、区)的零星湿地区面积不包含前面24个重要湿地的湿地面积。

从湿地型来看，永久性河流在三湖湿地、敦化市零星湿地区、珲春市分布面积较大，其永久性河流面积分别占全省永久性河流总面积的12.22%、4.54%、3.88%。季节性河流在洮南市零星湿地区、榆树市零星湿地区、白城市市辖区零星湿地区分布面积较大，其季节性河流面积分别占全省季节性河流总面积的39.70%、27.11%、7.82%。洪泛平原湿地在莫莫格湿地、大安市零星湿地区、松原市市辖区零星湿地区分布面积较大，其洪泛平原湿地面积分别占全省洪泛平原湿地总面积的55.95%、15.79%、11.96%。

## 2.4　各行政区河流湿地型及面积

吉林省各行政区河流湿地面积，如图2-14。

吉林省各行政区中，河流湿地面积较大的有白城市、延边州、吉林市，其河流湿地面积分别占全省河流湿地总面积的19.43%、17.94%、14.34%。辽源市、四平市河流湿地面积最小，分别占全省河流湿地总面积的1.79%、4.65%。

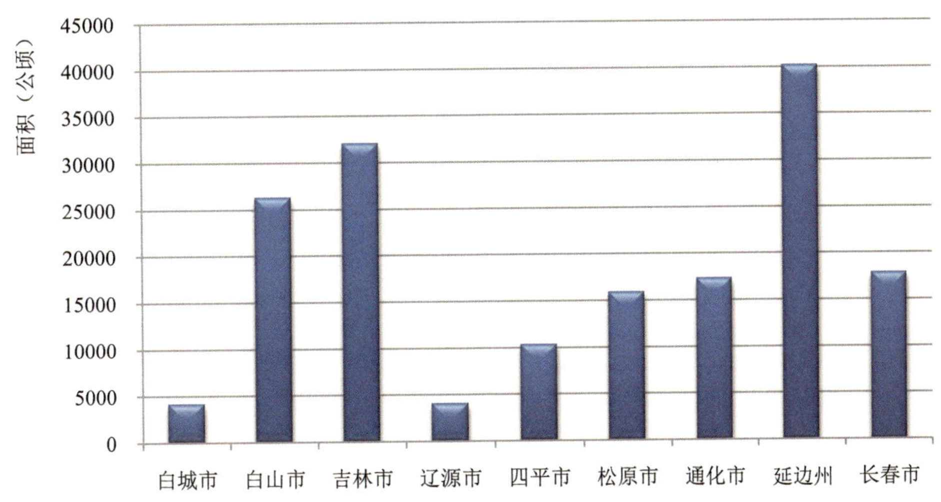


图2-14　吉林省各行政区河流湿地面积

吉林省各行政区河流湿地各湿地型面积，见表2-12。

**表2-12　吉林省各行政区河流湿地各湿地型面积统计(公顷)**

| 行政区 | 永久性河流 | 季节性河流 | 洪泛平原湿地 | 合　计 |
|---|---|---|---|---|
| 白城市 | 4147.59 | 3445.10 | 35834.24 | 43426.93 |
| 白山市 | 26197.84 | | 104.81 | 26302.65 |
| 吉林市 | 32018.08 | 36.98 | | 32055.06 |
| 辽源市 | 3999.02 | | | 3999.02 |
| 四平市 | 10308.90 | 85.21 | | 10394.11 |
| 松原市 | 15869.96 | 266.08 | 12108.09 | 28244.13 |
| 通化市 | 17288.99 | | | 17288.99 |

（续）

| 行政区 | 永久性河流 | 季节性河流 | 洪泛平原湿地 | 合　计 |
|---|---|---|---|---|
| 延边州 | 40088.29 | | | 40088.29 |
| 长春市 | 17843.39 | 1957.36 | 1900.53 | 21701.28 |
| 总　计 | 167762.06 | 5790.73 | 49947.67 | 223500.46 |

### 2.4.1 永久性河流

吉林省的河流分属松花江、辽河、鸭绿江、图们江及绥芬河5个水系。流域面积20平方公里以上的河流共1648条，流域面积1000平方公里以上的河流有52条，流域面积10000平方公里以上的河流15条。

吉林省各流域按面积分级包含河流数量统计，见表2-13。

**表2-13 吉林省各流域按面积分级包含河流数量统计**(条/平方公里)

| 流　域 | 10000以上 | 1000～10000 | 1000以上 | 200～1000 | 200以上 | 20～200 | 20以上 |
|---|---|---|---|---|---|---|---|
| 松花江 | 8 | 28 | 36 | 89 | 125 | 934 | 1059 |
| 辽　河 | 2 | 3 | 5 | 19 | 24 | 86 | 110 |
| 鸭绿江 | 2 | 1 | 3 | 18 | 21 | 182 | 203 |
| 图们江 | 2 | 5 | 7 | 26 | 33 | 217 | 250 |
| 绥芬河 | 1 | 0 | 1 | 4 | 5 | 21 | 26 |
| 总　计 | 15 | 37 | 52 | 156 | 208 | 1440 | 1648 |

吉林省宽度10米以上、长度5公里以上的永久性河流总面积16.78万公顷。主要分布在东部中低山区，延边州、白山市、通化市永久性河流面积分别占全省永久性河流总面积的23.90%、15.62%、10.31%，合计占49.81%；其次是中部丘陵台地区，吉林市、长春市、四平市、辽源市永久性河流面积分别占全省永久性河流总面积的19.09%、10.64%、6.14%、2.38%，合计占38.25%；西部平原区最少，松原市、白城市永久性河流面积分别占全省永久性河流总面积的9.46%、2.47%，合计占11.93%(图2-15)。

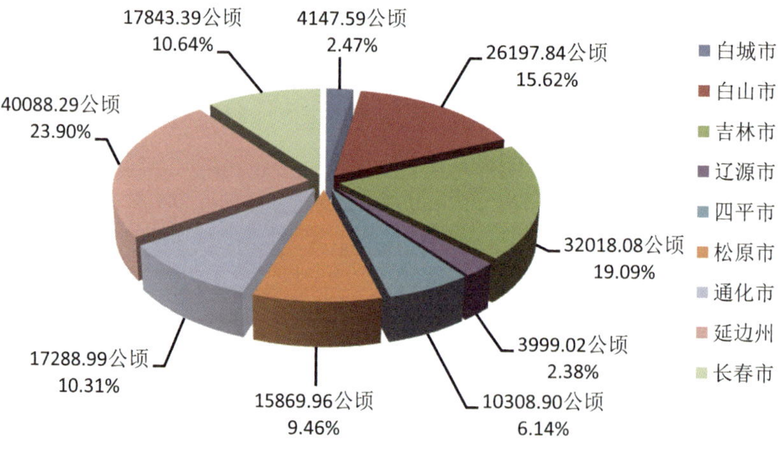


图2-15 吉林省各行政区永久性河流面积与比例构成

### 2.4.2 季节性河流

吉林省宽度10米以上，长度5公里以上的季节性河流总面积0.58万公顷。主要分布在白城市，面积为0.34万公顷。主要包括流经白城市市辖区、洮南市、大安市、镇赉县的洮儿河，以及洮南市境内的洮儿河支流那金河、蛟流河、东升河、湖苍沟、龙华河、三发河等；长春市季节性河流面积为0.20万公顷，主要包括农安县房身沟、娘娘庙河、苇子沟，榆树市卡岔河、芦家沟、一统河、十五道沟、坝全沟、二道河、三道河、四道河、椴树河、嗅水沟、小三道沟、黑名沟等；松原市季节性河流面积为0.03万公顷，主要包括前郭县东河、扶余县贾津沟等；四平市季节性河流面积为0.01万公顷，主要包括双辽市卧虎河，梨树西南大沟等；另有少量季节性河流分布在第二松花江干流和主要支流下游。

吉林省季节性河流主要分布在西部平原区，以白城市的洮儿河为代表，全流域干、支流基本上都以季节性水流为主，面积占全省季节性河流总面积的59.49%；其次为长春市的榆树市和农安县，季节性河流主要分布在第二松花江、拉林河及饮马河、伊通河下游的一些小型支流，季节性河流面积占全省季节性河流总面积的33.80%；松原市的前郭县、四平市的双辽市和梨树县、吉林市亦有少量季节性河流分布(图2-16)。

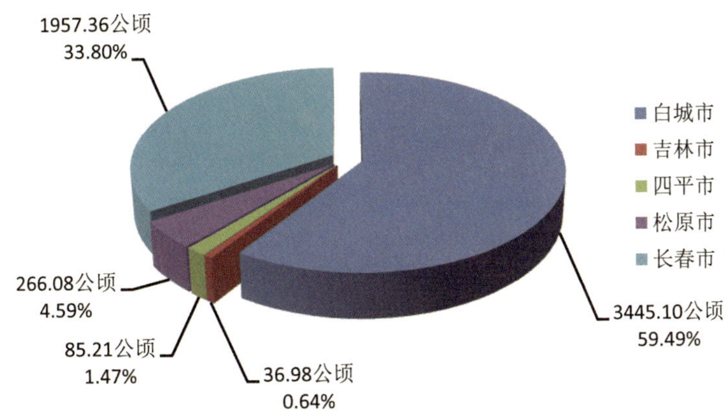


图2-16 吉林省各行政区季节性河流面积与比例构成

### 2.4.3 洪泛平原湿地

吉林省8公顷(含8公顷)以上的洪泛平原湿地共109块，总面积4.99万公顷。其中，白城市有洪泛平原湿地14块，面积3.58万公顷；松原市有洪泛平原湿地84块，面积1.21万公顷；长春市有洪泛平原湿地6块，面积0.20万公顷；白山市有洪泛平原湿地5块，面积0.01万公顷。

吉林省洪泛平原湿地主要分布在西部平原区。白城市的镇赉县、大安市境内的嫩江西岸，面积占全省洪泛平原湿地总面积的71.74%；松原市市辖区、前郭县、扶余县境内的松花江、第二松花江、拉林河沿岸，洪泛平原湿地面积占全省洪泛平原湿地总面积的24.24%；长春市中西部台地平原区的榆树市、农安县境内的松花江、第二松花江及拉林河沿岸分布的洪泛平原湿地面积约占全省洪泛平原湿地总面积的3.81%；白山市临江市鸭绿江北岸支流河口有少量洪泛区域，根据小地形区划为洪泛平原湿地(图2-17)。

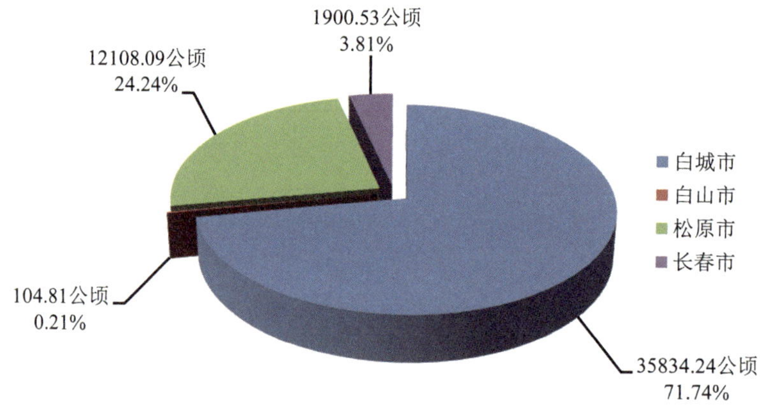


图 **2-17** 吉林省各行政区洪泛平原湿地面积与比例构成

# 3 湖泊湿地

## 3.1 湖泊各湿地型及面积

吉林省面积在 8 公顷(含 8 公顷)以上的湖泊有 566 个，湖泊湿地总面积 11.20 万公顷(图 2-19)。包括永久性淡水湖 94 个、永久性咸水湖 263 个、季节性咸水湖 209 个，面积分别为 5.38 万公顷、5.13 万公顷、0.70 万公顷，面积与比例约为 48:46:6(图 2-18)。

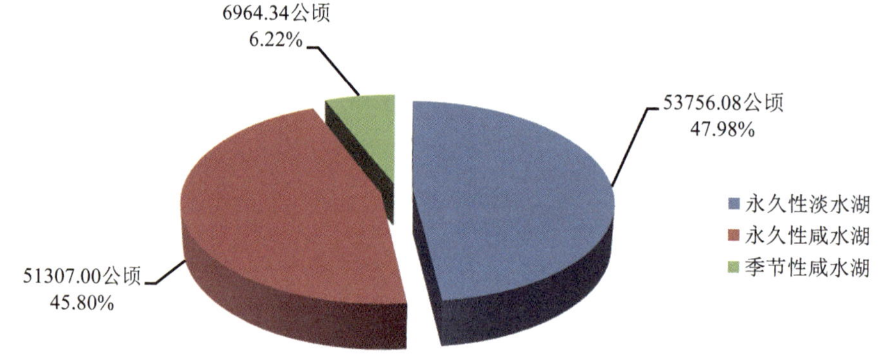


图 **2-18** 吉林省湖泊湿地各湿地型面积与比例构成

## 3.2 各流域湖泊湿地型及面积

### 3.2.1 一级流域湖泊湿地型及面积

吉林省 2 个一级流域中，松花江区湖泊湿地面积 110416.66 公顷，占全省湖泊湿地总面积的 98.56%；辽河区湖泊湿地面积 1610.76 公顷，占全省湖泊湿地总面积的 1.44%(图 2-20，表 2-14)。

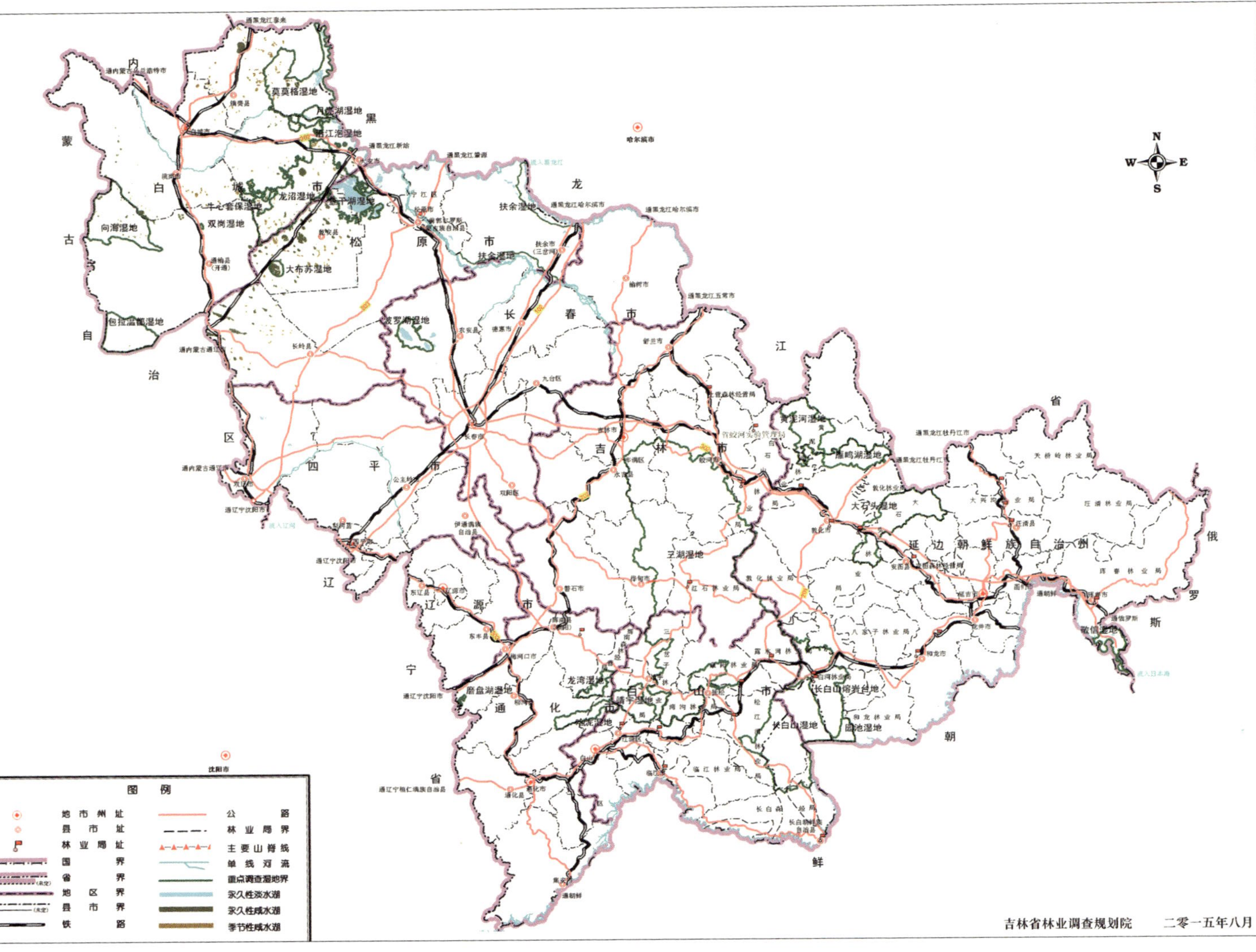


图 2-19　吉林省湖泊湿地分布

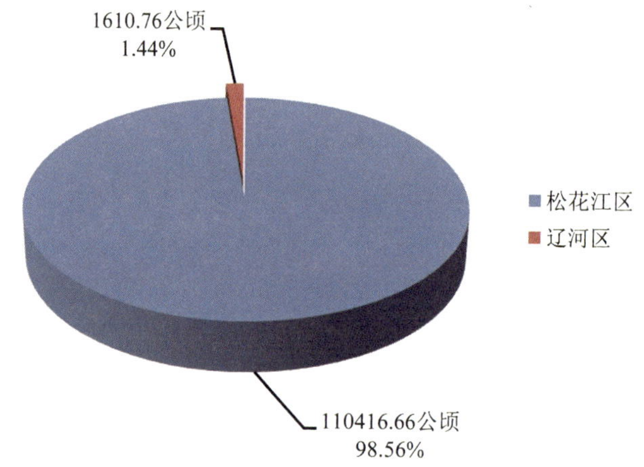


图 **2-20** 吉林省一级流域湖泊湿地面积与比例构成

**表 2-14 吉林省一级流域湖泊湿地各湿地型面积统计(公顷)**

| 湿地类 | 湿地型 | 松花江区 | 辽河区 | 合 计 |
|---|---|---|---|---|
| 湖泊湿地 | 永久性淡水湖 | 52867.51 | 888.57 | 53756.08 |
| | 永久性咸水湖 | 50655.83 | 651.17 | 51307.00 |
| | 季节性咸水湖 | 6893.32 | 71.02 | 6964.34 |
| 总 计 | | 110416.66 | 1610.76 | 112027.42 |

从湿地型来看，永久性淡水湖、永久性咸水湖、季节性咸水湖在一级流域中主要分布在松花江区，面积分别占全省各湿地型总面积的98.35%、98.73%、98.98%。

### 3.2.2 二级流域湖泊湿地型及面积

吉林省9个二级流域中，湖泊湿地面积较大的有嫩江、第二松花江、松花江流域，其湖泊湿地面积分别占全省湖泊湿地总面积的90.02%、6.93%、1.17%(图2-21，表2-15)。

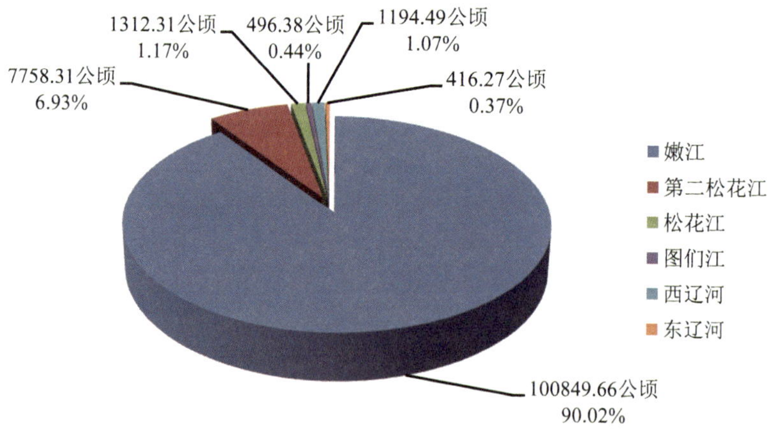


图 **2-21** 吉林省各行政区二级流域湖泊湿地面积与比例构成

表 2-15　吉林省二级流域湖泊湿地各湿地型面积统计(公顷)

| 湿地类 | 湿地型 | 嫩　江 | 第二松花江 | 松花江 | 绥芬河 | 图们江 | 西辽河 | 东辽河 | 辽河干流 | 鸭绿江 | 合　计 |
|---|---|---|---|---|---|---|---|---|---|---|---|
| 湖泊湿地 | 永久性淡水湖 | 43300. 51 | 7758. 31 | 1312. 31 |  | 496. 38 | 472. 30 | 416. 27 |  |  | 53756. 08 |
|  | 永久性咸水湖 | 50655. 83 |  |  |  |  | 651. 17 |  |  |  | 51307. 00 |
|  | 季节性咸水湖 | 6893. 32 |  |  |  |  | 71. 02 |  |  |  | 6964. 34 |
| 总　计 |  | 100849. 66 | 7758. 31 | 1312. 31 |  | 496. 38 | 1194. 49 | 416. 27 |  |  | 112027. 42 |

从湿地型来看，永久性淡水湖面积较大的二级流域有嫩江、第二松花江、松花江流域，其永久性淡水湖面积分别占全省永久性淡水湖总面积的 80. 55%、14. 44%、2. 44%。永久性咸水湖都分布在嫩江、西辽河二级流域，其永久性咸水湖面积分别占全省永久性咸水湖总面积的 98. 73%、1. 27%。季节性咸水湖同样都分布在嫩江和西辽河二级流域，其季节性咸水湖面积分别占全省季节性咸水湖总面积的 98. 98%、1. 02%。

### 3. 2. 3　三级流域湖泊湿地型及面积

吉林省三级流域湖泊湿地各湿地型面积，见表 2-16。嫩江江桥以下、绥芬河、图们江、东辽河、辽河干流、鸭绿江三级流域与相应二级流域一一对应，湿地分布情况一致，表中不再重复列出。

吉林省 12 个三级流域中，湖泊湿地以嫩江江桥以下、丰满以下、三岔口至哈尔滨分布面积较大，分别占全省湖泊湿地总面积的 90. 02%、6. 25%、1. 17%(表 2-16)。

表 2-16　吉林省三级流域湖泊湿地各湿地型面积统计(公顷)

| 湿地类 | 湿地型 | 嫩　江 | 第二松花江 |  | 松花江(三岔口以下) |  | 西辽河 |  |
|---|---|---|---|---|---|---|---|---|
|  |  | 江桥以下 | 丰满以下 | 丰满以上 | 牡丹江 | 三岔口至哈尔滨 | 乌力吉木仁河 | 西辽河下游 |
| 湖泊湿地 | 永久性淡水湖 | 43300. 51 | 7005. 35 | 752. 96 |  | 1312. 31 | 472. 30 |  |
|  | 永久性咸水湖 | 50655. 83 |  |  |  |  | 651. 17 |  |
|  | 季节性咸水湖 | 6893. 32 |  |  |  |  | 71. 02 |  |
| 总　计 |  | 100849. 66 | 7005. 35 | 752. 96 |  | 1312. 31 | 1194. 49 |  |

从湿地型来看，永久性淡水湖在三级流域中嫩江江桥以下、丰满以下、三岔口至哈尔滨分布面积较大，分别占永久性淡水湖总面积的 80. 55%、13. 03%、2. 44%。永久性咸水湖都分布在嫩江江桥以下、乌力吉木仁河三级流域中，面积分别占全省永久性咸水湖总面积的 98. 73%、1. 27%。季节性咸水湖同样都分布在嫩江江桥以下、乌力吉木仁河三级流域中，面积分别占全省季节性咸水湖总面积的 98. 98%、1. 02%。

## 3. 3　各湿地区湖泊湿地型及面积

吉林省各湿地区湖泊湿地各湿地型及面积，见表 2-17。

吉林省各湿地区中，查干湖湿地、乾安县零星湿地区、镇赉县零星湿地区分布的湖泊湿地面积较大，分别占全省湖泊湿地总面积的28.77%、12.58%、8.81%。

**表2-17 吉林省各湿地区湖泊湿地各湿地型面积统计**(公顷)

| 湿地区名称 | 永久性淡水湖 | 永久性咸水湖 | 季节性咸水湖 | 合 计 |
|---|---|---|---|---|
| 包拉温都湿地 | | 11.24 | | 11.24 |
| 波罗湖湿地 | 5081.22 | | | 5081.22 |
| 查干湖湿地 | 30228.38 | 1935.31 | 66.63 | 32230.32 |
| 大布苏湿地 | | 3257.41 | | 3257.41 |
| 扶余湿地 | 649.95 | | | 649.95 |
| 哈泥湿地 | | | | |
| 黄泥河湿地 | | | | |
| 敬信湿地 | 496.38 | | | 496.38 |
| 靖宇湿地 | 39.34 | | | 39.34 |
| 龙湾湿地 | 226.89 | | | 226.89 |
| 龙沼湿地 | 411.90 | 5651.53 | 1040.79 | 7104.22 |
| 磨盘湖湿地 | | | | |
| 莫莫格湿地 | 3814.50 | 1217.39 | 392.33 | 5424.22 |
| 牛心套保湿地 | | 43.05 | 33.72 | 76.77 |
| 松花江三湖湿地 | | | | |
| 沙河庄湿地 | | | | |
| 双岗湿地 | | | | |
| 向海湿地 | 70.78 | 1581.56 | 122.86 | 1775.20 |
| 沿江泡湿地 | 2530.10 | 362.52 | | 2892.62 |
| 雁鸣湖湿地 | | | | |
| 园池湿地 | 3.12 | | | 3.12 |
| 月亮湖湿地 | | | | |
| 长白山熔岩台地沼泽区 | | | | |
| 长白山湿地 | 419.82 | | | 419.82 |
| 安图县零星湿地区 | | | | |
| 白城市市辖区零星湿地区 | | | | |
| 白山市市辖区零星湿地区 | | | | |
| 大安市零星湿地区 | 1865.23 | 1172.64 | 479.60 | 3517.47 |
| 德惠市零星湿地区 | | | | |
| 东丰县零星湿地区 | | | | |
| 东辽县零星湿地区 | | | | |
| 敦化市零星湿地区 | | | | |
| 扶余县零星湿地区 | 1193.65 | | | 1193.65 |
| 抚松县零星湿地区 | | | | |
| 公主岭市零星湿地区 | | | | |
| 和龙市零星湿地区 | | | | |

（续）

| 湿地区名称 | 永久性淡水湖 | 永久性咸水湖 | 季节性咸水湖 | 合　计 |
|---|---|---|---|---|
| 桦甸市零星湿地区 | | | | |
| 珲春市零星湿地区 | | | | |
| 辉南县零星湿地区 | | | | |
| 吉林市市辖区零星湿地区 | | | | |
| 集安市零星湿地区 | | | | |
| 蛟河市零星湿地区 | | | | |
| 靖宇县零星湿地区 | 63.79 | | | 63.79 |
| 九台市零星湿地区 | | | | |
| 梨树县零星湿地区 | | | | |
| 辽源市市辖区零星湿地区 | | | | |
| 临江市零星湿地区 | | | | |
| 柳河县零星湿地区 | | | | |
| 龙井市零星湿地区 | | | | |
| 梅河口市零星湿地区 | | | | |
| 农安县零星湿地区 | 1392.84 | | | 1392.84 |
| 磐石市零星湿地区 | | | | |
| 前郭尔罗斯蒙古族自治县零星湿地区 | 2636.64 | 617.51 | | 3254.15 |
| 乾安县零星湿地区 | | 12445.08 | 1645.58 | 14090.66 |
| 舒兰市零星湿地区 | | | | |
| 双辽市零星湿地区 | 888.57 | 84.66 | | 973.23 |
| 四平市市辖区零星湿地区 | | | | |
| 松原市市辖区零星湿地区 | | | | |
| 洮南市零星湿地区 | 511.36 | 3432.86 | 680.17 | 4624.39 |
| 通化市市辖区零星湿地区 | | | | |
| 通化市零星湿地区 | | | | |
| 通榆县零星湿地区 | | 4862.96 | 675.25 | 5538.21 |
| 图们市零星湿地区 | | | | |
| 汪清县零星湿地区 | | | | |
| 延吉市零星湿地区 | | | | |
| 伊通满族自治县零星湿地区 | | | | |
| 永吉县零星湿地区 | | | | |
| 榆树市零星湿地区 | | | | |
| 长白朝鲜族自治县零星湿地区 | | | | |
| 长春市市辖区零星湿地区 | | | | |
| 长岭县零星湿地区 | | 7157.17 | 667.76 | 7824.93 |
| 镇赉县零星湿地区 | 1231.62 | 7474.11 | 1159.65 | 9865.38 |
| 总　　计 | 53756.08 | 51307.00 | 6964.34 | 112027.42 |

注：表中各县(市、区)的零星湿地区面积不包含前面 24 个重要湿地的湿地面积。

从湿地型来看，永久性淡水湖在查干湖湿地、波罗湖湿地、莫莫格湿地分布面积较大，其永久性淡水湖面积分别占全省永久性淡水湖总面积的56.23%、9.45%、7.10%。永久性咸水湖在乾安县零星湿地区、镇赉县零星湿地区、长岭县零星湿地区分布面积较大，其永久性咸水湖面积分别占全省永久性咸水湖总面积的24.26%、14.57%、13.95%。季节性咸水湖在乾安县零星湿地区、镇赉县零星湿地区、龙沼湿地分布面积较大，其季节性咸水湖面积分别占全省季节性咸水湖总面积的23.63%、16.65%、14.94%。

## 3.4 各行政区湖泊湿地型及面积

吉林省8公顷(含8公顷)以上的湖泊有566个，湖泊湿地总面积11.20万公顷。其中松原地区有湖泊183个、面积6.02万公顷，分别占全省湖泊数量和面积的32.33%和53.77%；白城地区有湖泊350个，面积4.31万公顷，分别占全省湖泊数量和面积的61.84%和38.47%(图2-22)。

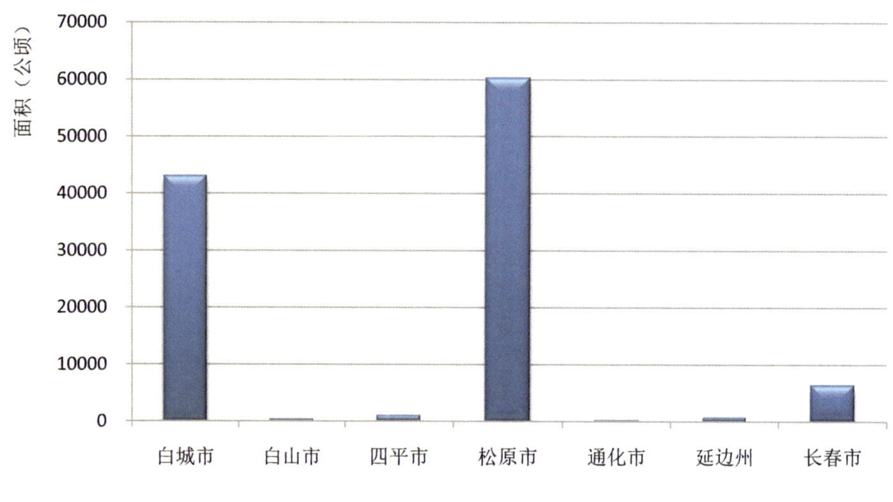


图 **2-22** 吉林省各行政区湖泊湿地面积

吉林省各行政区湖泊湿地各湿地型面积，见表2-18。

**表 2-18 吉林省各行政区湖泊湿地各湿地型面积统计(公顷)**

| 行政区 | 永久性淡水湖 | 永久性咸水湖 | 季节性咸水湖 | 合计 |
|---|---|---|---|---|
| 白城市 | 12632.63 | 25875.00 | 4584.37 | 43092.00 |
| 白山市 | 326.84 | | | 326.84 |
| 吉林市 | | | | |
| 辽源市 | | | | |
| 四平市 | 888.57 | 84.66 | | 973.23 |
| 松原市 | 32511.48 | 25347.34 | 2379.97 | 60238.79 |
| 通化市 | 226.89 | | | 226.89 |
| 延边州 | 695.61 | | | 695.61 |
| 长春市 | 6474.06 | | | 6474.06 |
| 总　计 | 53756.08 | 51307.00 | 6964.34 | 112027.42 |

### 3.4.1 永久性淡水湖分布

吉林省8公顷(含8公顷)以上的永久性淡水湖有94个，面积为5.38万公顷。其中，松原市有永久性淡水湖24个，面积3.25万公顷，主要包括查干湖、新庙泡、库里泡、富康泡、单家泡等；白城市有永久性淡水湖39个，面积1.26万公顷，主要包括哈尔挠泡、新荒泡、莲花泡和他拉红泡等；长春市有永久性淡水湖5个，面积6474.06公顷，主要包括农安县的波罗泡、敖宝图泡、元宝洼泡、广兴店泡和华半坡泡；四平市有永久性淡水湖5个，面积888.57公顷，以双辽市的架树台泡、和亲泡和三合泡为主；延边州有永久性淡水湖13个，面积695.61公顷，主要包括长白山天池在安图县部分、圆池、敬信头道泡、二道泡、三道泡、四道泡等；白山市有永久性淡水湖3个，面积326.84公顷，主要包括长白山天池在抚松县和长白县部分、靖宇县境内的龙泉龙湾和四海龙湾；通化市有永久性淡水湖5个，面积226.89公顷，全部为火山湖，主要包括辉南县的大龙湾、二龙湾、三角龙湾、东龙湾、南龙湾。

永久性淡水湖在吉林省境内，从东到西，从南到北，广泛分布。但无论在数量上还是在面积上，西部松原市和白城市都占明显优势。松原市永久性淡水湖数量和面积分别约占全省永久性淡水湖总数和总面积的25.53%和60.48%；白城市永久性淡水湖数量和面积分别约占全省永久性淡水湖总数和总面积的41.49%和23.50%(图2-23)。

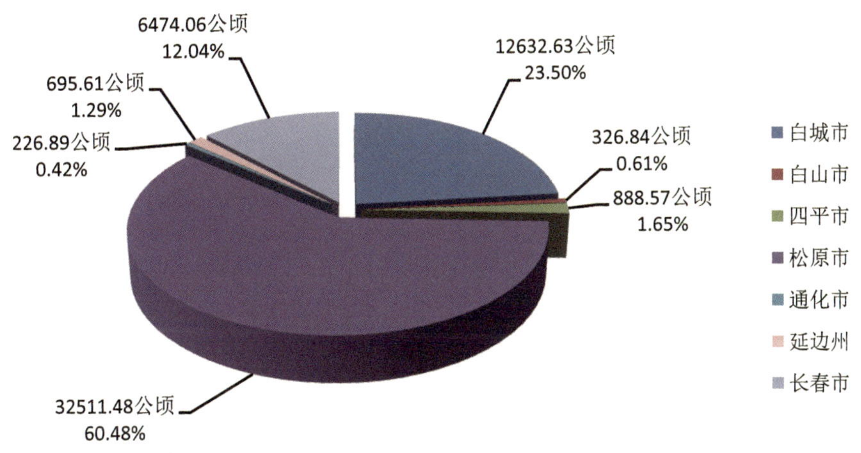


图2-23 吉林省各行政区永久性淡水湖面积与比例构成

### 3.4.2 永久性咸水湖分布

吉林省8公顷(含8公顷)以上的永久性咸水湖有263个，面积5.13万公顷。其中，白城市有永久性咸水湖166个，面积2.59万公顷，主要包括大安市小西米泡、三王泡、油水泡、王焕泡，镇赉县洋沙泡、巨力可泡、老山头泡、龙凤泡，通榆县利民泡、尖底泡、大肚泡、查干代西诺尔泡，洮南市小香海泡、郭家店泡、四海渔场、查干塔拉南泡等；松原市有永久性咸水湖96个，面积2.53万公顷，主要包括前郭县的黑帝庙泡、腾字泡、统领泡，长岭县的十三泡、金盆泡、前四十七、后四十七，乾安县的大布苏湖、花敖泡、道字泡、夜字泡、洪字泡等；四平市的双辽市有永久性咸水湖2个，面积84.66公顷，包括木头板拉泡和五井泡。

吉林省永久性咸水湖主要分布在白城市和松原市，面积分别约占全省永久性咸水湖总面积的

50.43%和49.40%。四平市的双辽市北部与长岭县交界有少量分布(图2-24)。

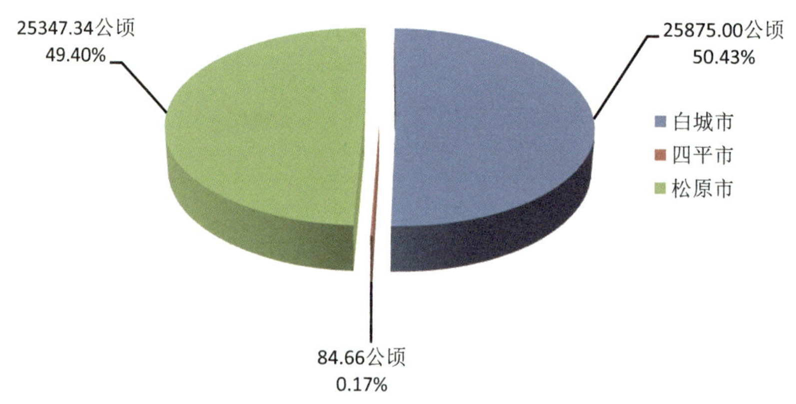


图2-24　吉林省各行政区永久性咸水湖面积与比例构成

### 3.4.3　季节性咸水湖分布

吉林省8公顷(含8公顷)以上的季节性咸水湖有209个，面积0.70万公顷。其中，白城市有季节性咸水湖145个，面积0.46万公顷；松原市有季节性咸水湖64个，面积0.24万公顷。

吉林省季节性咸水湖全部分布在白城市和松原市，面积分别占全省季节性咸水湖总面积的65.83%、34.17%(图2-25)。

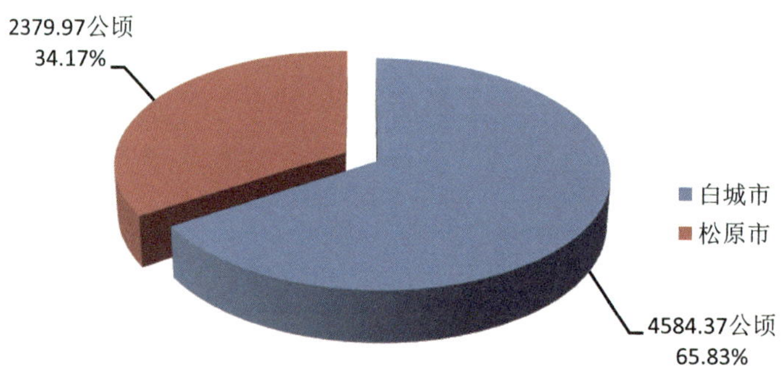


图2-25　吉林省各行政区季节性咸水湖面积与比例构成

# 4　沼泽湿地

## 4.1　沼泽湿地各湿地型及面积

吉林省8公顷(含8公顷)以上的沼泽湿地共1480块，总面积52.74万公顷(图2-26)。包括草本沼泽251块，面积为7.59万公顷；灌丛沼泽108块，面积为2.02万公顷；森林沼泽248块，面积为2.89万公顷；内陆盐沼79块，面积为11.24万公顷；季节性咸水沼泽317块，面积为24.56万公顷；沼泽化草甸475块，面积为4.24万公顷。各湿地型面积比例为14:4:6:21:47:8(图2-27)。

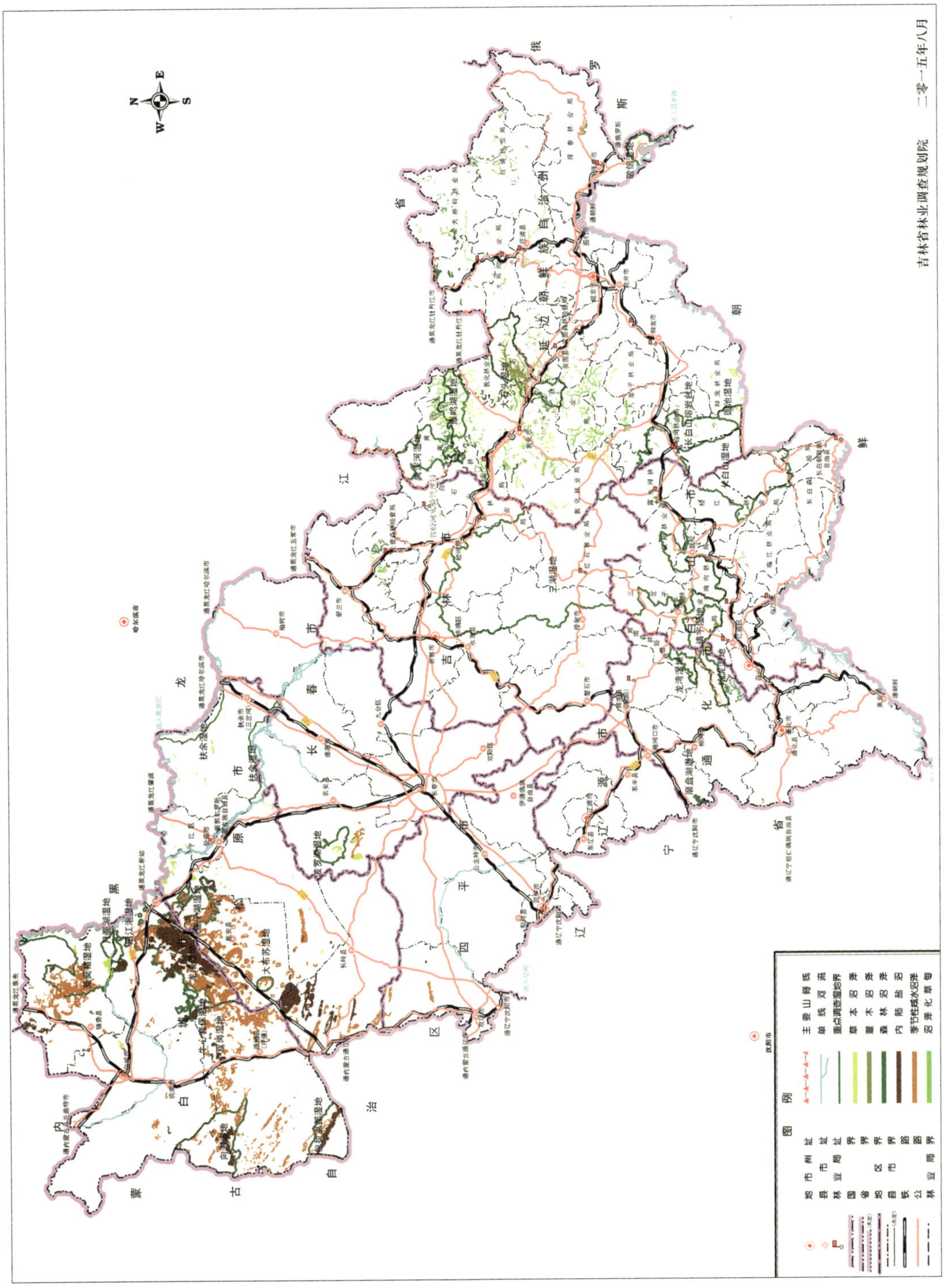

图 2-26　吉林省沼泽湿地分布

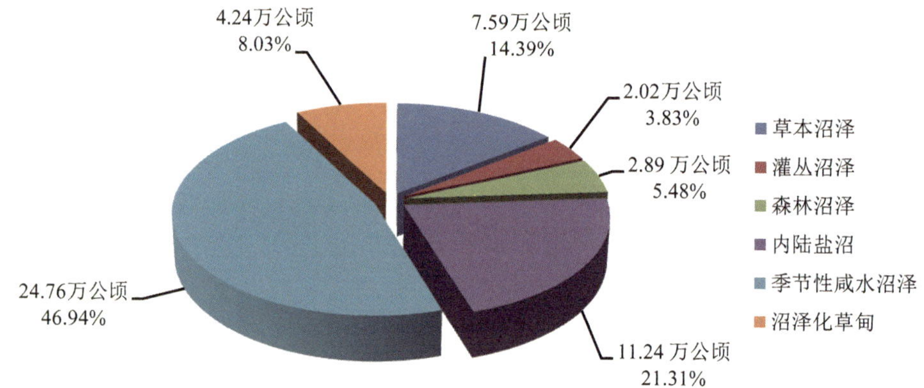


图 **2-27** 吉林省沼泽湿地各湿地型面积与比例构成

## 4.2 各流域沼泽湿地型及面积

### 4.2.1 一级流域沼泽湿地型及面积

吉林省 2 个一级流域中，松花江区沼泽湿地面积 49.60 万公顷，占全省沼泽湿地总面积的 94.04%；辽河区沼泽湿地面积 3.14 万公顷，占全省沼泽湿地总面积的 5.96%（图 2-28）。

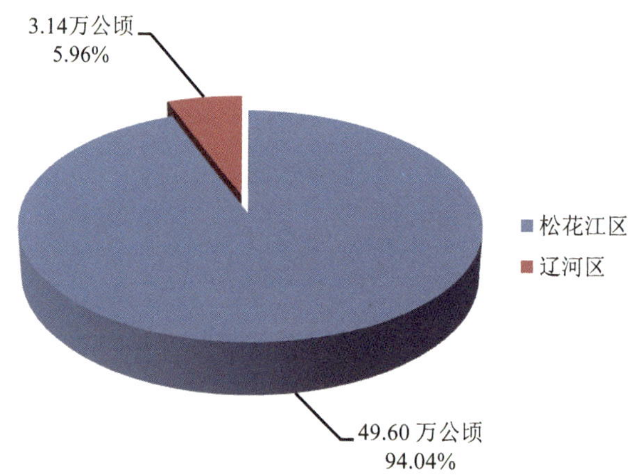


图 **2-28** 吉林省一级流域沼泽湿地面积与比例构成

吉林省一级流域沼泽湿地各湿地型面积，见表 2-19。

从湿地型来看，沼泽湿地各湿地型在一级流域中主要分布在松花江区，草本沼泽、灌丛沼泽、森林沼泽、内陆盐沼、季节性咸水沼泽、沼泽化草甸面积分别占全省各湿地型总面积的 86.33%、97.45%、84.86%、100.00%、93.47%、99.95%。

**表 2-19 吉林省一级流域沼泽湿地各湿地型面积统计(公顷)**

| 湿地类 | 湿地型 | 松花江区 | 辽河区 | 合 计 |
|---|---|---|---|---|
| 沼泽湿地 | 草本沼泽 | 65541.71 | 10374.38 | 75916.09 |
| | 灌丛沼泽 | 19693.91 | 515.43 | 20209.34 |
| | 森林沼泽 | 24544.94 | 4377.96 | 28922.90 |
| | 内陆盐沼 | 112414.30 | | 112414.30 |
| | 季节性咸水沼泽 | 231427.81 | 16161.15 | 247588.96 |
| | 沼泽化草甸 | 42344.89 | 19.08 | 42363.97 |
| 总 计 | | 495967.56 | 31448.00 | 527415.56 |

### 4.2.2 二级流域沼泽湿地型及面积

吉林省9个二级流域中，沼泽湿地面积较大的有嫩江、松花江(三岔口以下)、第二松花江流域，其沼泽湿地面积分别占全省沼泽湿地总面积的73.07%、11.31%、6.36%(图2-29)。

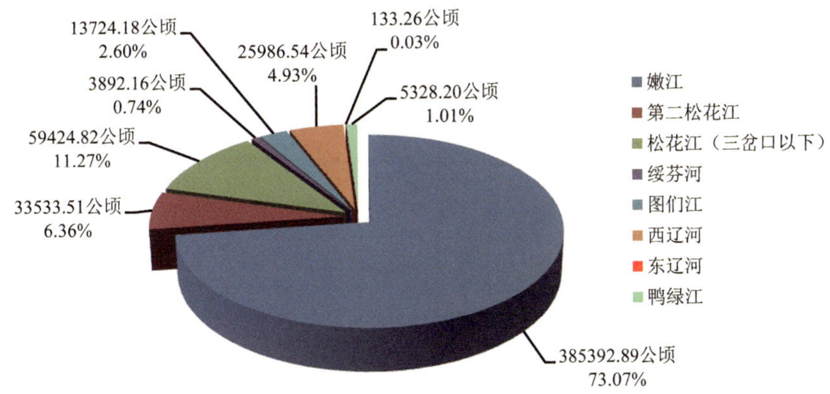


图 2-29 吉林省各行政区二级流域沼泽湿地面积与比例构成

吉林省二级流域沼泽湿地各湿地型面积，见表2-20。

**表 2-20 吉林省二级流域沼泽湿地各湿地型面积统计(公顷)**

| 湿地类 | 湿地型 | 嫩 江 | 第二松花江 | 松花江(三岔口以下) | 绥芬河 | 图们江 | 西辽河 | 东辽河 | 辽河干流 | 鸭绿江 | 合 计 |
|---|---|---|---|---|---|---|---|---|---|---|---|
| 沼泽湿地 | 草本沼泽 | 44474.50 | 8283.24 | 10729.07 | | 2054.90 | 9825.39 | 133.26 | | 415.73 | 75916.09 |
| | 灌丛沼泽 | | 1804.49 | 15424.94 | 374.10 | 2090.38 | | | | 515.43 | 20209.34 |
| | 森林沼泽 | | 6207.61 | 9445.33 | 2538.69 | 6353.31 | | | | 4377.96 | 28922.90 |
| | 内陆盐沼 | 112414.30 | | | | | | | | | 112414.30 |
| | 季节性咸水沼泽 | 227423.03 | 4004.78 | | | | 16161.15 | | | | 247588.96 |
| | 沼泽化草甸 | 1081.06 | 13233.39 | 23825.48 | 979.37 | 3225.59 | | | | 19.08 | 42363.97 |
| 总 计 | | 385392.89 | 33533.51 | 59424.82 | 3892.16 | 13724.18 | 25986.54 | 133.26 | | 5328.20 | 527415.56 |

从湿地型来看，草本沼泽面积较大的二级流域有嫩江、松花江(三岔口以下)、西辽河流域，其草本沼泽面积分别占全省草本沼泽总面积的58.58%、14.13%、12.94%。灌丛沼泽面积较大的二级流域有松花江(三岔口以下)、图们江、第二松花江流域，其灌丛沼泽面积分别占全省灌丛沼泽总面积的76.33%、10.34%、8.93%。森林沼泽面积较大的二级流域有松花江(三岔口以下)、图们江、第二松花江流域，其森林沼泽面积分别占全省森林沼泽总面积的32.66%、21.97%、21.46%。内陆盐沼全部分布在嫩江流域，占内陆盐沼总面积的100.00%。季节性咸水沼泽面积较大的二级流域有嫩江、西辽河、第二松花江流域，其季节性咸水沼泽面积分别占全省季节性咸水沼泽总面积的91.86%、6.53%、1.62%。沼泽化草甸面积较大的二级流域有松花江(三岔口以下)、第二松花江、图们江流域，其沼泽化草甸面积分别占全省沼泽化草甸总面积的56.24%、31.24%、7.61%。

### 4.2.3 三级流域沼泽湿地型及面积

吉林省部分三级流域沼泽湿地各湿地型面积，见表2-21。嫩江江桥以下、绥芬河、图们江、东辽河、辽河干流、鸭绿江三级流域与相应二级流域一一对应，湿地分布情况一致，表中不再重复列出。

吉林省12个三级流域中，沼泽湿地以嫩江江桥以下、牡丹江、丰满以上分布面积较大，分别占全省沼泽湿地总面积的73.07%、10.49%、4.72%(表2-21)。

**表2-21 吉林省部分三级流域沼泽湿地各湿地型面积统计**(公顷)

| 湿地类 | 湿地型 | 嫩 江 | 第二松花江 | | 松花江 | | 西辽河 | |
|---|---|---|---|---|---|---|---|---|
| | | 江桥以下 | 丰满以下 | 丰满以上 | 牡丹江 | 三岔口至哈尔滨 | 乌力吉木仁河 | 西辽河下游 |
| 沼泽湿地 | 草本沼泽 | 44474.50 | 4559.01 | 3724.23 | 10047.70 | 681.37 | 9825.39 | |
| | 灌丛沼泽 | | | 1804.49 | 15424.94 | | | |
| | 森林沼泽 | | 55.50 | 6152.11 | 7149.11 | 2296.22 | | |
| | 内陆盐沼 | 112414.30 | | | | | | |
| | 季节性咸水沼泽 | 227423.03 | 4004.78 | | | | 15132.72 | 1028.43 |
| | 沼泽化草甸 | 1081.06 | | 13233.39 | 22696.50 | 1128.98 | | |
| 总 计 | | 385392.89 | 8619.29 | 24914.22 | 55318.25 | 4106.57 | 24958.11 | 1028.43 |

从湿地型来看，草本沼泽在三级流域中嫩江江桥以下、牡丹江、乌力吉木仁河流域分布面积较大，分别占草本沼泽总面积的58.58%、13.24%、12.94%。灌丛沼泽在三级流域中牡丹江、丰满以上流域分布面积较大，分别占灌丛沼泽总面积的76.33%、8.93%。森林沼泽在三级流域中牡丹江、丰满以上流域分布面积较大，分别占森林沼泽总面积的24.72%、21.27%。内陆盐沼全部分布在嫩江江桥以下流域，占内陆盐沼总面积的100.00%。季节性咸水沼泽在三级流域中嫩江江桥以下、乌力吉木仁河、丰满以下流域分布面积较大，分别占季节性咸水沼泽总面积的91.86%、6.11%、1.62%。沼泽化草甸在三级流域中牡丹江、丰满以上流域分布面积较大，分别占沼泽化草甸总面积的53.58%、31.24%。

## 4.3 各湿地区沼泽湿地型及面积

吉林省各湿地区中，龙沼湿地、通榆县零星湿地区、乾安县零星湿地区分布的沼泽湿地面积较大，分别占全省沼泽湿地总面积的19.49%、10.65%、9.38%。

吉林省各湿地区沼泽湿地各湿地型及面积，见表2-22。

**表2-22 吉林省各湿地区沼泽湿地各湿地型面积统计(公顷)**

| 湿地区名称 | 草本沼泽 | 灌丛沼泽 | 森林沼泽 | 内陆盐沼 | 季节性咸水沼泽 | 沼泽化草甸 | 合 计 |
|---|---|---|---|---|---|---|---|
| 包拉温都湿地 | 9262.73 | | | | 2673.76 | | 11936.49 |
| 波罗湖湿地 | 1335.22 | | | | | | 1335.22 |
| 查干湖湿地 | 12692.55 | | | 217.87 | 14103.95 | | 27014.37 |
| 大布苏湿地 | | | | | 2466.31 | | 2466.31 |
| 扶余湿地 | 41.53 | | | | | | 41.53 |
| 哈泥湿地 | | 224.12 | 1535.11 | | | | 1759.23 |
| 黄泥河湿地 | | 55.71 | 770.07 | | | 417.00 | 1242.78 |
| 敬信湿地 | 270.14 | | | | | | 270.14 |
| 靖宇湿地 | 97.28 | | 2984.51 | | | | 3081.79 |
| 龙湾湿地 | | | 114.10 | | | | 114.10 |
| 龙沼湿地 | 1701.64 | | | 59674.46 | 41412.06 | | 102788.16 |
| 磨盘湖湿地 | | | | | | | |
| 莫莫格湿地 | 6417.45 | | | 136.35 | 21709.39 | | 28263.19 |
| 牛心套保湿地 | | | | 2951.01 | | | 2951.01 |
| 三湖湿地 | 574.35 | | 1149.41 | | | | 1723.76 |
| 沙河庄湿地 | 1065.01 | 13290.20 | 399.38 | | | 154.62 | 14909.21 |
| 双岗湿地 | | | | 500.00 | | | 500.00 |
| 向海湿地 | 6210.48 | | | 5162.55 | 9266.05 | | 20639.08 |
| 沿江泡湿地 | 4090.31 | | | | | | 4090.31 |
| 雁鸣湖湿地 | 1045.17 | 8.11 | 487.74 | | | 2838.40 | 4379.42 |
| 园池湿地 | | 567.61 | | | | | 567.61 |
| 月亮湖湿地 | | | | | | | |
| 长白山熔岩台地沼泽区 | 689.70 | 857.66 | 1360.80 | | | 105.78 | 3013.94 |
| 长白山湿地 | | 27.42 | 501.52 | | | | 528.94 |
| 安图县零星湿地区 | | 277.14 | | | | 14912.66 | 15189.80 |
| 白城市市辖区零星湿地区 | | | | 837.27 | 602.05 | | 1439.32 |
| 白山市市辖区零星湿地区 | 35.07 | | | | | | 35.07 |
| 大安市零星湿地区 | | | | | 1752.19 | | 1752.19 |
| 德惠市零星湿地区 | | | | | | | |
| 东丰县零星湿地区 | | | | | | | |
| 东辽县零星湿地区 | | | | | | | |
| 敦化市零星湿地区 | 9238.73 | 2070.92 | 5491.92 | | | 19403.17 | 36204.74 |

（续）

| 湿地区名称 | 草本沼泽 | 灌丛沼泽 | 森林沼泽 | 内陆盐沼 | 季节性咸水沼泽 | 沼泽化草甸 | 合　计 |
|---|---|---|---|---|---|---|---|
| 扶余县零星湿地区 | 639.84 | | | | | | 639.84 |
| 抚松县零星湿地区 | | | 517.32 | | | | 517.32 |
| 公主岭市零星湿地区 | | | | | | | |
| 和龙市零星湿地区 | 2254.96 | | | | | | 2254.96 |
| 桦甸市零星湿地区 | | | | | | | |
| 珲春市零星湿地区 | | 1492.36 | | | | | 1492.36 |
| 辉南县零星湿地区 | | | 24.66 | | | | 24.66 |
| 吉林市市辖区零星湿地区 | 112.28 | | | | | | 112.28 |
| 集安市零星湿地区 | | | | | | | |
| 蛟河市零星湿地区 | | | 55.50 | | | 159.38 | 214.88 |
| 靖宇县零星湿地区 | 233.11 | 60.03 | 313.58 | | | | 606.72 |
| 九台市零星湿地区 | | | | | | | |
| 梨树县零星湿地区 | | | | | | | |
| 辽源市市辖区零星湿地区 | | | | | | | |
| 临江市零星湿地区 | | | | | | 218.69 | 218.69 |
| 柳河县零星湿地区 | 72.44 | | 259.71 | | | | 332.15 |
| 龙井市零星湿地区 | | | 225.20 | | | | 225.20 |
| 梅河口市零星湿地区 | | | | | | | |
| 农安县零星湿地区 | 2891.05 | | | | 4004.78 | | 6895.83 |
| 磐石市零星湿地区 | 365.71 | 42.05 | | | | | 407.76 |
| 前郭尔罗斯蒙古族自治县零星湿地区 | 7407.36 | | | 1573.22 | 8631.28 | | 17611.86 |
| 乾安县零星湿地区 | 4952.29 | | | 3208.57 | 41298.64 | | 49459.50 |
| 舒兰市零星湿地区 | 171.94 | | 2296.22 | | | 1128.98 | 3597.14 |
| 双辽市零星湿地区 | 133.26 | | | | 6446.01 | | 6579.27 |
| 四平市市辖区零星湿地区 | | | | | | | |
| 松原市市辖区零星湿地区 | 56.85 | | | | | | 56.85 |
| 洮南市零星湿地区 | | | | 644.47 | 5524.69 | | 6169.16 |
| 通化市市辖区零星湿地区 | | | | | | | |
| 通化市零星湿地区 | 41.56 | 263.89 | 1769.35 | | | | 2074.80 |
| 通榆县零星湿地区 | 562.66 | | | 592.59 | 55012.65 | | 56167.90 |
| 图们市零星湿地区 | | | | | | | |
| 汪清县零星湿地区 | | 935.19 | 8396.53 | | | 1848.18 | 11179.90 |
| 延吉市零星湿地区 | | 36.93 | 270.27 | | | 96.05 | 403.25 |
| 伊通满族自治县零星湿地区 | | | | | | | |
| 永吉县零星湿地区 | | | | | | | |
| 榆树市零星湿地区 | | | | | | | |
| 长白朝鲜族自治县零星湿地区 | 307.85 | | | | | | 307.85 |

（续）

| 湿地区名称 | 草本沼泽 | 灌丛沼泽 | 森林沼泽 | 内陆盐沼 | 季节性咸水沼泽 | 沼泽化草甸 | 合 计 |
|---|---|---|---|---|---|---|---|
| 长春市市辖区零星湿地区 | | | | | | | |
| 长岭县零星湿地区 | 610.25 | | | 31720.84 | 15986.01 | | 48317.10 |
| 镇赉县零星湿地区 | 335.32 | | | 5195.10 | 16699.14 | 1081.06 | 23310.62 |
| 总 计 | 75916.09 | 20209.34 | 28922.90 | 112414.30 | 247588.96 | 42363.97 | 527415.56 |

注：表中各县(市、区)的零星湿地区面积不包含前面24个重要湿地的湿地面积。

从湿地型来看，草本沼泽在查干湖湿地、包拉温都湿地、敦化市分布面积较大，其草本沼泽面积分别占全省草本沼泽总面积的16.72%、12.20%、12.17%。灌丛沼泽在沙河庄湿地、敦化市零星湿地区、珲春市零星湿地区分布面积较大，其灌丛沼泽面积分别占全省灌丛沼泽总面积的65.76%、10.25%、7.38%。森林沼泽在汪清县零星湿地区、敦化市零星湿地区、靖宇县零星湿地区分布面积较大，其森林沼泽面积分别占全省森林沼泽总面积的29.03%、18.99%、10.32%。内陆盐沼在龙沼湿地、长岭县零星湿地区、镇赉县零星湿地区分布面积较大，其内陆盐沼面积分别占全省内陆盐沼总面积的53.08%、28.22%、4.62%。季节性咸水沼泽在通榆县零星湿地区、龙沼湿地、乾安县零星湿地区分布面积较大，其季节性咸水沼泽面积分别占全省季节性咸水沼泽总面积的22.22%、16.73%、16.68%。沼泽化草甸在敦化市零星湿地区、安图县零星湿地区、雁鸣湖湿地分布面积较大，其沼泽化草甸面积分别占全省沼泽化草甸总面积的45.80%、35.20%、6.70%。

## 4.4 各行政区沼泽湿地型及面积

吉林省8公顷(含8公顷)以上的沼泽湿地共1480块，总面积52.74万公顷。沼泽湿地主要分布在白城市、松原市和延边州，面积分别占全省沼泽湿地总面积的50.21%、26.62%和17.38%(图2-30)。

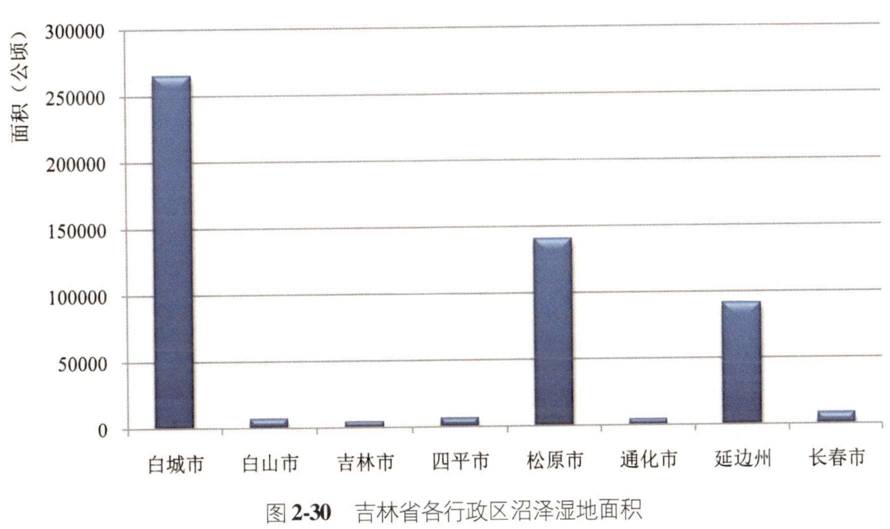


图2-30 吉林省各行政区沼泽湿地面积

吉林省各行政区沼泽湿地各湿地型面积，见表2-23。

表 2-23 吉林省各行政区沼泽湿地各湿地型面积统计(公顷)

| 行政区 | 草本沼泽 | 灌丛沼泽 | 森林沼泽 | 内陆盐沼 | 季节性咸水沼泽 | 沼泽化草甸 | 合 计 |
|---|---|---|---|---|---|---|---|
| 白城市 | 33501.59 | | | 75911.67 | 154651.98 | 1081.06 | 265146.30 |
| 白山市 | 1247.66 | 87.45 | 5466.34 | | | 218.69 | 7020.14 |
| 吉林市 | 649.93 | 42.05 | 2351.72 | | | 1288.36 | 4332.06 |
| 四平市 | 133.26 | | | | 6446.01 | | 6579.27 |
| 松原市 | 21479.67 | | | 36502.63 | 82486.19 | | 140468.49 |
| 通化市 | 114.00 | 488.01 | 3702.93 | | | | 4304.94 |
| 延边州 | 14563.71 | 19591.83 | 17401.91 | | | 39775.86 | 91333.31 |
| 长春市 | 4226.27 | | | | 4004.78 | | 8231.05 |
| 辽源市 | | | | | | | |
| 总 计 | 75916.09 | 20209.34 | 28922.90 | 112414.30 | 247588.96 | 42363.97 | 527415.56 |

### 4.4.1 草本沼泽分布

吉林省8公顷(含8公顷)以上的草本沼泽共252块，总面积7.59万公顷。其中，白城市草本沼泽面积3.35万公顷，主要分布在洮儿河流入月亮湖的河口区域、查干湖北部漫流区及新荒泡、莫莫格湿地等；松原市草本沼泽面积2.15万公顷，主要分布在查干湖周边，以芦苇单建群种的植物群落为优势；延边州草本沼泽面积1.46万公顷，主要分布在哈尔巴岭西侧牡丹江流域的沙河、官地河、都灵河、大石河，和龙市广坪沟，珲春敬信四道泡与六道泡一带；长春市草本沼泽面积0.42万公顷，主要分布在波罗湖、新阳泡、莫波泡沿岸，由于沿岸湖水较浅，植被生长旺盛，部分水面演变为草本沼泽；白山市草本沼泽面积0.12万公顷，主要分布在靖宇县龙湾、三道湖、白江河一带；吉林市草本沼泽面积0.06万公顷，主要分布在左家水库坝下及磐石市和舒兰市境内局部区域；四平市草本沼泽面积0.01万公顷，主要分布在双辽市骆驼岭泡，浅水区植被生长旺盛，形成草本沼泽；通化市草本沼泽面积0.01万公顷，主要分布在小罗圈河下游腰岭苇塘和柳河县鹿林水库。

从吉林全省的角度看，草本沼泽主要分布在白城市、松原市和延边州，面积分别占全省草本沼泽总面积的44.13%、28.29%、19.18%；其他地区分布的草本沼泽相对较少(图2-31)。

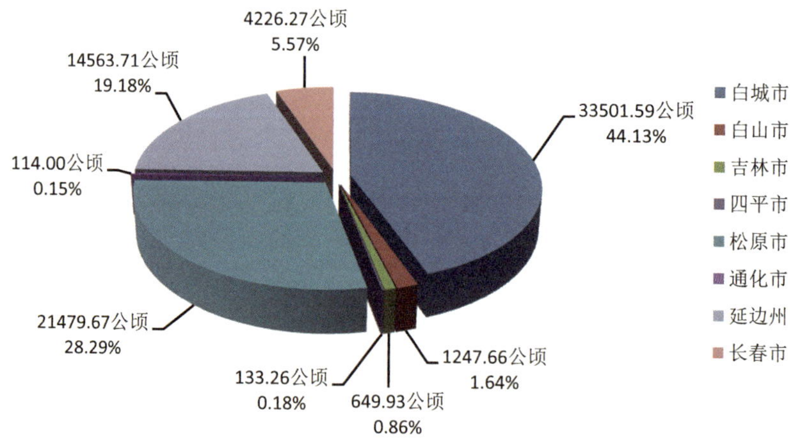


图 2-31 吉林省各行政区草本沼泽面积与比例构成

### 4.4.2 灌丛沼泽分布

吉林省8公顷(含8公顷)以上的灌丛沼泽共108块，面积2.02万公顷。其中，延边州灌丛沼泽面积1.96万公顷，主要分布在延吉市烟集河上游三上村沟、珲春河沿岸、汪清县嘎呀河上游、绥芬河上游、敦化市哈尔巴岭西侧沙河沿岸和以二道荒沟为代表的牡丹江支流，以及安图县三道白河、四道白河、五道白河一带；通化市灌丛沼泽面积0.05万公顷，主要分布在通化市富尔江上游、蝲蛄河上游及小罗圈河支流大砬子沟上游及柳河县哈泥河上游，哈泥自然保护区内；白山市灌丛沼泽面积0.01万公顷，主要分布在长白朝鲜族自治县鸭绿江上游长白山自然保护区境内及靖宇县珠子河中上游一带；吉林市灌丛沼泽面积最少，主要分布在磐石市富太河支流。

吉林省灌丛沼泽主要分布在东部延边州，面积占全省灌丛沼泽总面积的96.94%，尤以敦化市牡丹江流域最多，面积占全省灌丛沼泽总面积的76.33%；通化市、白山市和吉林市有少量灌丛沼泽分布(图2-32)。

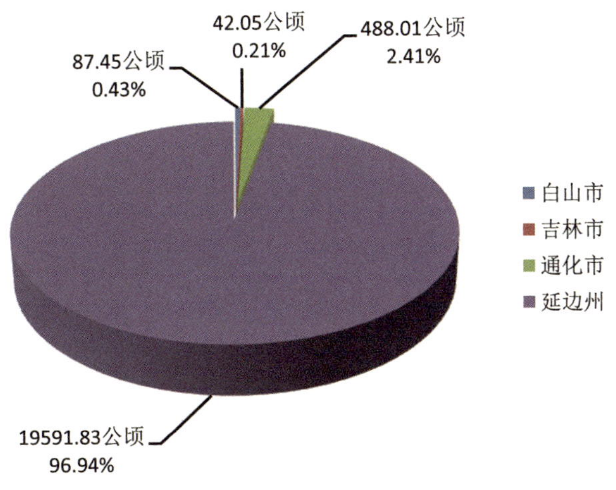


图2-32 吉林省各行政区灌丛沼泽面积与比例构成

### 4.4.3 森林沼泽分布

吉林省8公顷(含8公顷)以上的森林沼泽共248块，面积2.89万公顷。其中，延边州森林沼泽面积1.74万公顷，主要分布在延吉市朝阳河、梨树河和梨树河东沟，龙井市烟集河上游，汪清县绥芬河及嘎呀河上游，敦化市沙河、珠尔多河、大石河、额穆索河、都灵河、塔拉河沿岸，安图县四道白河中游；白山市森林沼泽面积0.55万公顷，主要分布于靖宇县头道花园河和砬门河上游头道老爷府、白江河以及珠子河一带，抚松县锦江、桦皮河下游及二道江支流三道砬子河上游；通化市森林沼泽面积0.37万公顷，主要分布在通化市哈泥河上游朝阳、金家沟和闹枝沟，辉南县金川河下游；吉林市森林沼泽面积0.24万公顷，主要分布在舒兰市干棒河、小城子水库和新安水库上游，蛟河市与舒兰市交界处的南庆岭。

吉林省森林沼泽主要分布在东部延边州，面积占全省森林沼泽总面积的60.17%。其中，汪清县和敦化市最多，森林沼泽面积分别占全省森林沼泽总面积的29.03%和24.72%；其次是白山市，森林沼泽面积占全省森林沼泽总面积的18.90%，其中靖宇县较多，占森林沼泽总面积的15.12%(图2-33)。

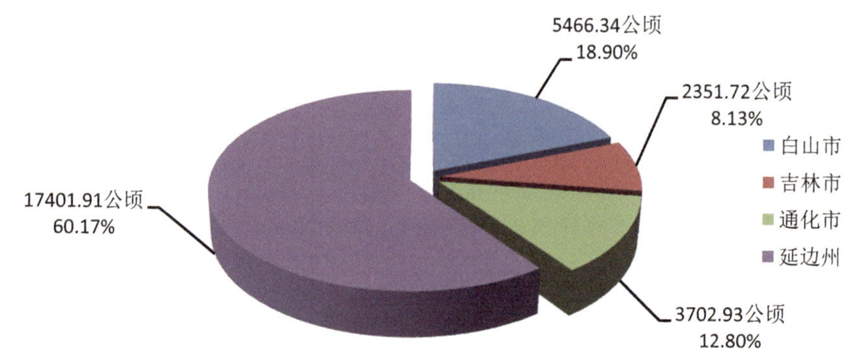


图 **2-33** 吉林省各行政区森林沼泽面积与比例构成

### 4.4.4 内陆盐沼分布

吉林省 8 公顷(含 8 公顷)以上的内陆盐沼共 79 块，面积 11.24 万公顷。其中，白城市陆盐沼面积 7.59 万公顷，主要分布在镇赉县，以及大安市龙沼、海坨、大榆树、西大洼一带，白城市市辖区到保镇，洮南市创业水库一带，通榆县霍林河流经的向海、双岗境内；松原市内陆盐沼面积 3.65 万公顷，主要分布在前郭县西部，乾安县草字泡、周字泡，长岭县腰井子羊草草原、长岭牧场、四十六泡一带。

吉林省内陆盐沼都分布在西部松嫩平原的永久性湖泊周边及内陆河积水段，以白城市内陆盐沼最多，面积占全省内陆盐沼总面积的 67.53%；其次是松原市，面积占全省内陆盐沼总面积的 32.47%(图 2-34)。

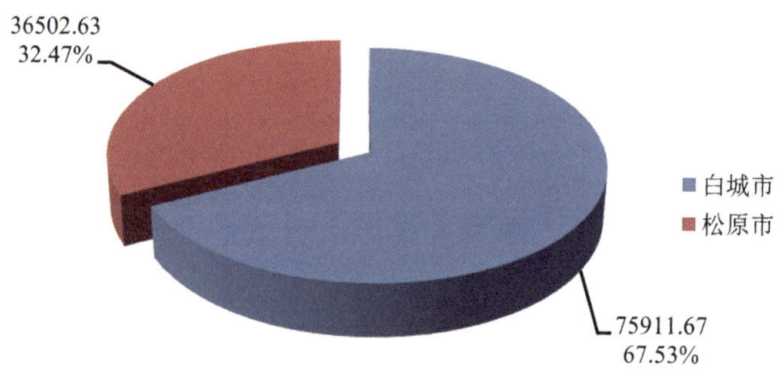


图 **2-34** 吉林省各行政区内陆盐沼面积比例构成

### 4.4.5 季节性咸水沼泽分布

吉林省 8 公顷(含 8 公顷)以上的季节性咸水沼泽共 317 块，面积 24.76 万公顷。其中，白城市季节性咸水沼泽面积 15.47 万公顷，主要分布于通榆县，镇赉县莫莫格、哈吐气一带，大安市龙沼、西大洼一带，洮南市湖苍沟水库以东，白城市到保镇；松原市季节性咸水沼泽面积 8.25 万公顷，主要分布在乾安县，前郭县西部查干花、乌兰敖都一带，长岭县西部，七撮、新丰、太平川、大兴镇一带；四平市季节性咸水沼泽面积 0.64 万公顷，主要分布在双辽市北部五井泡和中部驼腰岭水库、小山水库之间；长春市季节性咸水沼泽面积 0.40 万公顷，主要分布在农安县黄金乡莫波泡一带。

吉林省季节性咸水沼泽主要分布在西部松嫩平原，白城市季节性咸水沼泽面积占全省季节性咸水沼泽总面积的 62.46%，松原市季节性咸水沼泽面积占全省季节性咸水沼泽总面积的 33.32%，四平市的双辽市和长春市农安县有少量季节性咸水沼泽分布(图 2-35)。

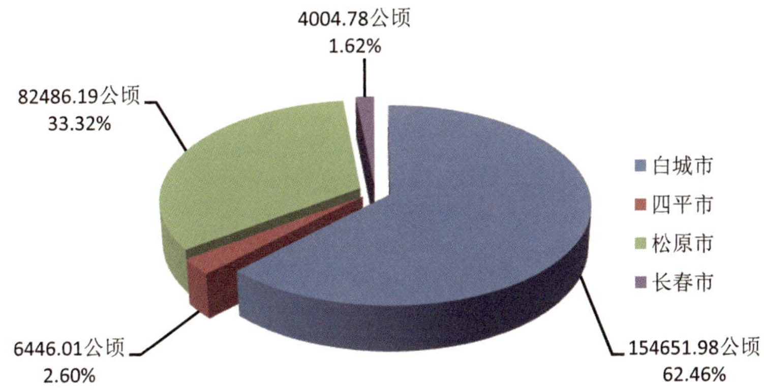


图 **2-35**　吉林省各行政区季节性咸水沼泽面积与比例构成

### 4.4.6　沼泽化草甸分布

吉林省 8 公顷(含 8 公顷)以上的沼泽化草甸共 476 块，4.24 万公顷。其中，延边州沼泽化草甸面积 3.98 万公顷，主要分布在敦化市牡丹江流域，此外延吉朝阳河、梨树河、黄草沟，汪清县嘎呀河、绥芬河流域，安图县古洞河、布尔哈通河一带也有分布，富尔河流域有少量分布；吉林市沼泽化草甸面积 0.13 万公顷，主要分布在舒兰市细鳞河上游小城子一带，蛟河市义气河河口一带；白城市沼泽化草甸面积 0.11 万公顷，主要分布在镇赉县青龙山一带；白山市沼泽化草甸面积 0.02 万公顷，主要分布在临江市石头河西南岔和五道沟红土山一带。

吉林省沼泽化草甸主要分布在东部延边州，面积占全省沼泽化草甸总面积的 93.89%。其中，以敦化市最多，面积占全省沼泽化草甸总面积的 53.85%；其次是安图县、汪清县，面积分别占全省沼泽化草甸总面积的 35.45%、4.36%；吉林市、白城市和白山市有少量分布(图 2-36)。

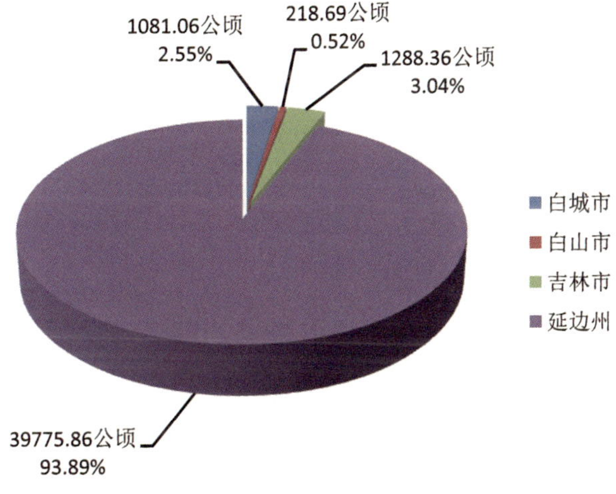


图 **2-36**　吉林省各行政区沼泽化草甸面积与比例构成

# 5 人工湿地

## 5.1 人工湿地各湿地型及面积

吉林省8公顷(含8公顷)以上的人工湿地共869个斑块，人工湿地总面积134662.37公顷(不包括稻田)。包括库塘804个、输水河46条、水产养殖场19个，面积分别为129049.32公顷、4044.78公顷、1568.27公顷，面积比例为96:3:1(图2-37、图2-38)。

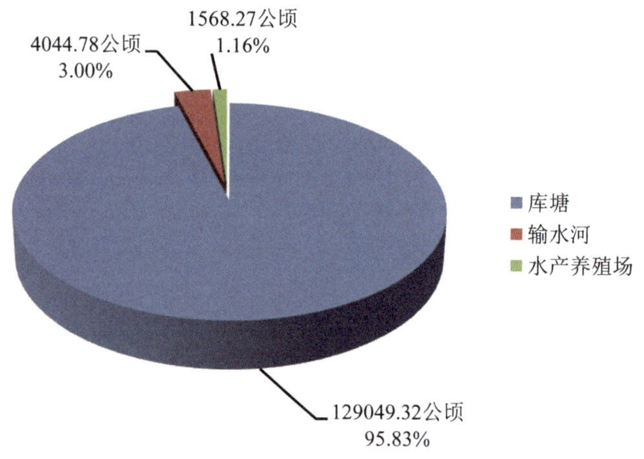


图2-37 吉林省人工湿地各湿地型面积与比例构成

## 5.2 各流域人工湿地型及面积

### 5.2.1 一级流域人工湿地型及面积

吉林省2个一级流域中，松花江区人工湿地面积11.00万公顷，占全省人工湿地总面积的81.71%；辽河区人工湿地面积2.46万公顷，占全省人工湿地总面积的18.29%(图2-39)。

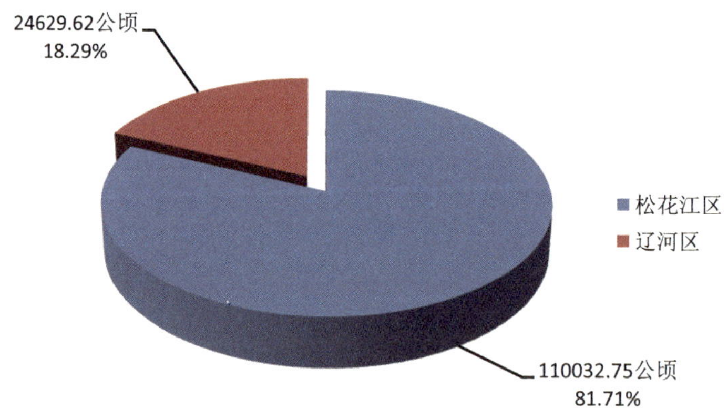


图2-39 吉林省一级流域人工湿地面积与比例构成

吉林省一级流域人工湿地各湿地型面积，见表2-24。

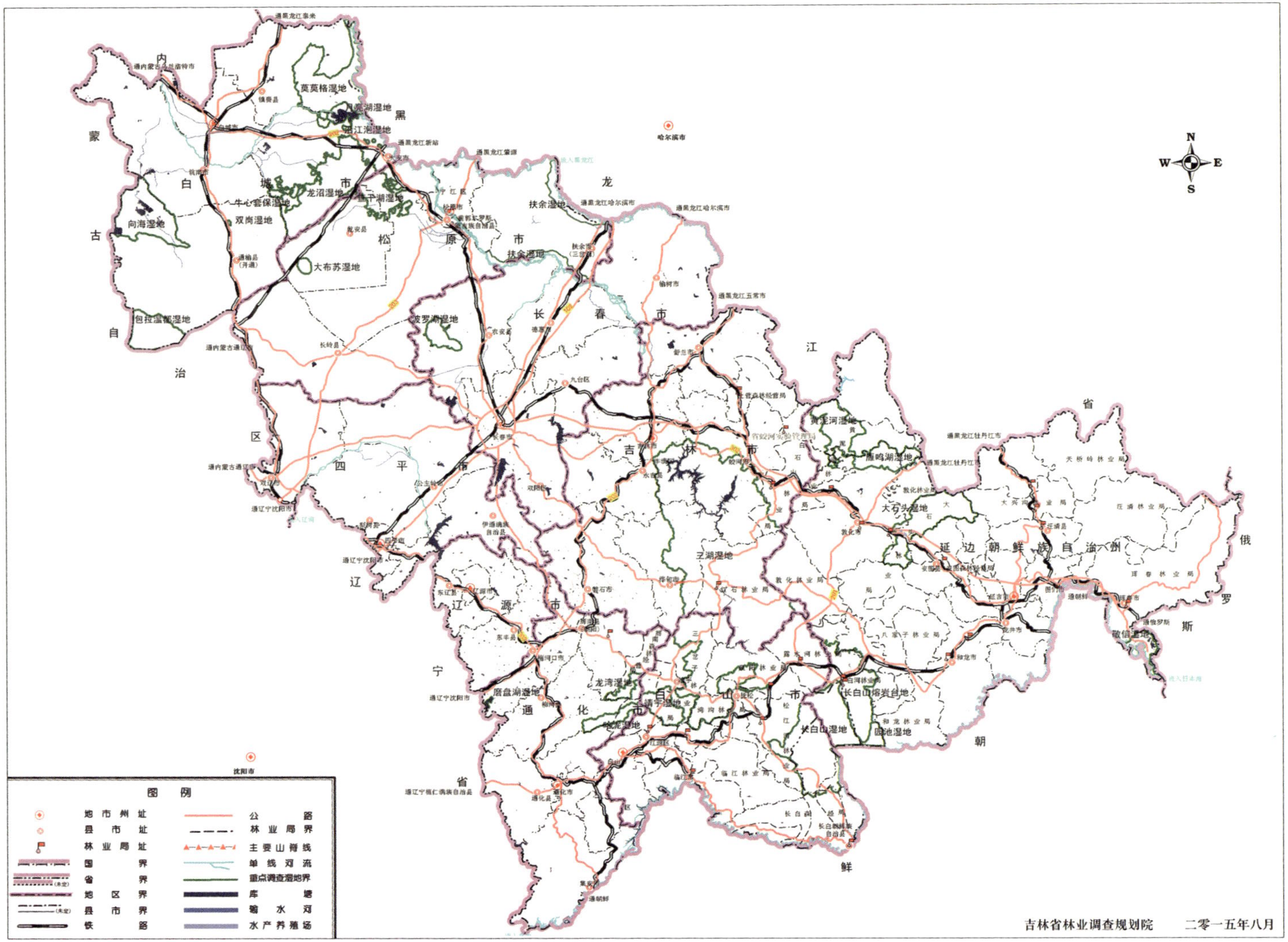

图 2-38 吉林省人工湿地分布

**表 2-24 吉林省一级流域人工湿地各湿地型面积统计(公顷)**

| 湿地类 | 湿地型 | 松花江区 | 辽河区 | 合 计 |
|---|---|---|---|---|
| 人工湿地 | 库塘 | 104907.88 | 24141.44 | 129049.32 |
| | 输水河 | 3556.60 | 488.18 | 4044.78 |
| | 水产养殖场 | 1568.27 | | 1568.27 |
| 总 计 | | 110032.75 | 24629.62 | 134662.37 |

从湿地型来看，人工湿地各湿地型在一级流域中主要分布在松花江区，库塘、输水河、水产养殖场面积分别占全省各湿地型总面积的 81.29%、87.93%、100.00%。

### 5.2.2 二级流域人工湿地型及面积

吉林省 9 个二级流域中，人工湿地面积较大的有第二松花江、嫩江、东辽河流域，其人工湿地面积分别占全省人工湿地总面积的 55.91%、16.34%、12.21%(图 2-40)。

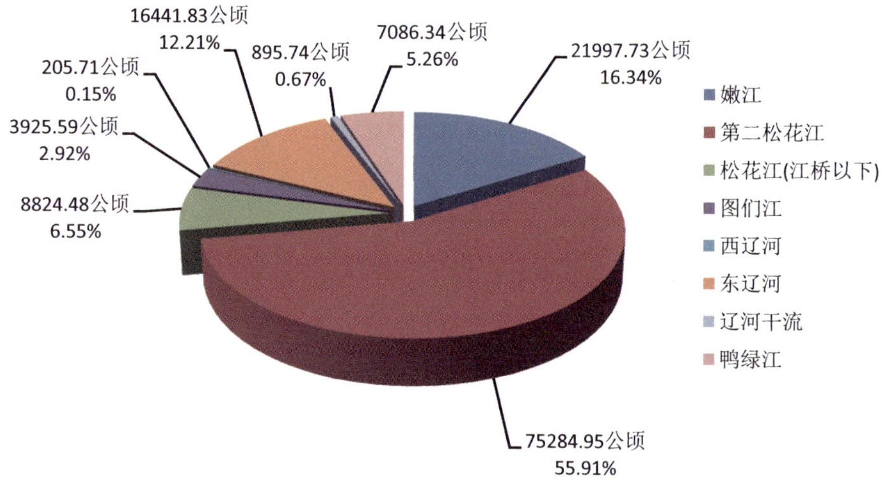


图 2-40 吉林省各行政区二级流域人工湿地面积与比例构成

吉林省二级流域人工湿地各湿地型面积，见表 2-25。

**表 2-25 吉林省二级流域人工湿地各湿地型面积统计(公顷)**

| 湿地类 | 湿地型 | 嫩 江 | 第二松花江 | 松花江(江桥以下) | 绥芬河 | 图们江 | 西辽河 | 东辽河 | 辽河干流 | 鸭绿江 | 合 计 |
|---|---|---|---|---|---|---|---|---|---|---|---|
| 人工湿地 | 库塘 | 19058.48 | 74327.88 | 7609.17 | | 3912.35 | 205.71 | 15953.65 | 895.74 | 7086.34 | 129049.32 |
| | 输水河 | 2393.87 | 838.75 | 323.98 | | | | 488.18 | | | 4044.78 |
| | 水产养殖场 | 545.38 | 118.32 | 891.33 | | 13.24 | | | | | 1568.27 |
| 总 计 | | 21997.73 | 75284.95 | 8824.48 | | 3925.59 | 205.71 | 16441.83 | 895.74 | 7086.34 | 134662.37 |

从湿地型来看，库塘面积较大的二级流域有第二松花江、嫩江、东辽河流域，其库塘面积分别占全省库塘总面积的 57.60%、14.77%、12.36%。输水河面积较大的二级流域有嫩江、第二松

花江、东辽河流域，其输水河面积分别占全省输水河总面积的59.18%、20.74%、12.07%。水产养殖场面积较大的二级流域有松花江(江桥以下)、嫩江、第二松花江流域，其水产养殖场面积分别占全省水产养殖场总面积的56.84%、34.78%、7.54%。

### 5.2.3 三级流域人工湿地型及面积

吉林省三级流域人工湿地各湿地型面积，详见表2-26。嫩江、绥芬河、图们江、东辽河、辽河干流、鸭绿江三级流域与相应二级流域一一对应，湿地分布情况一致，表中不再重复列出。

吉林省12个三级流域中，人工湿地以丰满以上、丰满以下、嫩江分布面积较大，分别占全省人工湿地总面积的33.64%、22.27%、16.34%(表2-26)。

**表2-26 吉林省部分三级流域人工湿地各湿地型面积统计(公顷)**

| 湿地类 | 湿地型 | 嫩江 | 第二松花江 | | 松花江 | | 西辽河 | |
|---|---|---|---|---|---|---|---|---|
| | | 江桥以下 | 丰满以下 | 丰满以上 | 牡丹江 | 三岔口至哈尔滨 | 乌力吉木仁河 | 西辽河下游 |
| 人工湿地 | 库塘 | 19058.48 | 29048.08 | 45279.80 | 2706.95 | 4902.22 | 136.41 | 69.30 |
| | 输水河 | 2393.87 | 838.75 | | | 323.98 | | |
| | 水产养殖场 | 545.38 | 99.92 | 18.40 | 741.62 | 149.71 | | |
| 总计 | | 21997.73 | 29986.75 | 45298.20 | 3448.57 | 5375.91 | 136.41 | 69.30 |

从湿地型来看，库塘在三级流域中丰满以上、丰满以下、嫩江江桥以下流域分布面积较大，分别占库塘总面积的35.09%、22.51%、14.77%。输水河在三级流域中嫩江江桥以下、丰满以下流域分布面积较大，分别占输水河总面积的59.18%、20.74%。水产养殖场在三级流域中牡丹江、嫩江江桥以下、三岔口至哈尔滨流域分布面积较大，分别占水产养殖场总面积的47.29%、34.78%、9.55%。

## 5.3 各湿地区人工湿地型及面积

吉林省各湿地区中，三湖湿地、长春市市辖区零星湿地区、伊通满族自治县零星湿地区分布的人工湿地面积较大，分别占全省人工湿地总面积的24.25%、9.84%、5.31%。

吉林省各湿地区人工湿地各湿地型面积，见表2-27。

**表2-27 吉林省各湿地区人工湿地各湿地型面积统计(公顷)**

| 湿地区名称 | 库塘 | 输水河 | 水产养殖场 | 合计 |
|---|---|---|---|---|
| 包拉温都湿地 | | | | |
| 波罗湖湿地 | 380.57 | | | 380.57 |
| 查干湖湿地 | | 23.76 | | 23.76 |
| 大布苏湿地 | | | | |
| 扶余湿地 | | 323.98 | | 323.98 |
| 哈泥湿地 | | | | |
| 黄泥河湿地 | | | | |

（续）

| 湿地区名称 | 库　塘 | 输水河 | 水产养殖场 | 合计 |
|---|---|---|---|---|
| 敬信湿地 | 1369.16 | | | 1369.16 |
| 靖宇湿地 | | | | |
| 龙湾湿地 | | | | |
| 龙沼湿地 | | 15.78 | | 15.78 |
| 磨盘湖湿地 | 1421.22 | | | 1421.22 |
| 莫莫格湿地 | 3727.43 | | | 3727.43 |
| 牛心套保湿地 | | | | |
| 三湖湿地 | 32661.94 | | | 32661.94 |
| 沙河庄湿地 | | | 472.08 | 472.08 |
| 双岗湿地 | | | | |
| 向海湿地 | 5730.08 | 145.05 | | 5875.13 |
| 沿江泡湿地 | | | | |
| 雁鸣湖湿地 | 1023.35 | | 137.74 | 1161.09 |
| 园池湿地 | | | | |
| 月亮湖湿地 | 5069.18 | | | 5069.18 |
| 长白山熔岩台地沼泽区 | 85.77 | | | 85.77 |
| 长白山湿地 | | | | |
| 安图县零星湿地区 | 748.01 | | | 748.01 |
| 白城市市辖区零星湿地区 | 811.21 | 964.24 | 57.22 | 1832.67 |
| 白山市市辖区零星湿地区 | 1424.34 | | | 1424.34 |
| 大安市零星湿地区 | | 302.60 | | 302.60 |
| 德惠市零星湿地区 | 74.99 | 243.23 | | 318.22 |
| 东丰县零星湿地区 | 2054.69 | | | 2054.69 |
| 东辽县零星湿地区 | 3392.54 | | | 3392.54 |
| 敦化市零星湿地区 | 1673.29 | | 131.80 | 1805.09 |
| 扶余县零星湿地区 | | | 149.71 | 149.71 |
| 抚松县零星湿地区 | 734.56 | | | 734.56 |
| 公主岭市零星湿地区 | 4411.05 | 7.65 | | 4418.70 |
| 和龙市零星湿地区 | 310.04 | | | 310.04 |
| 桦甸市零星湿地区 | 562.85 | | | 562.85 |
| 珲春市零星湿地区 | 109.46 | | | 109.46 |
| 辉南县零星湿地区 | 827.94 | | | 827.94 |
| 吉林市市辖区零星湿地区 | 1641.03 | 20.53 | | 1661.56 |
| 集安市零星湿地区 | 2839.69 | | | 2839.69 |
| 蛟河市零星湿地区 | 692.54 | | | 692.54 |
| 靖宇县零星湿地区 | 72.47 | | | 72.47 |
| 九台市零星湿地区 | 2490.17 | 10.85 | | 2501.02 |
| 梨树县零星湿地区 | 301.72 | 441.46 | | 743.18 |
| 辽源市市辖区零星湿地区 | 372.56 | | | 372.56 |
| 临江市零星湿地区 | 1249.76 | | | 1249.76 |
| 柳河县零星湿地区 | 1485.73 | | | 1485.73 |

（续）

| 湿地区名称 | 库 塘 | 输水河 | 水产养殖场 | 合计 |
|---|---|---|---|---|
| 龙井市零星湿地区 | 229.72 | | 13.24 | 242.96 |
| 梅河口市零星湿地区 | 2818.35 | | | 2818.35 |
| 农安县零星湿地区 | 3843.73 | 307.51 | 52.70 | 4203.94 |
| 磐石市零星湿地区 | 3211.82 | | 47.22 | 3259.04 |
| 前郭尔罗斯蒙古族自治县零星湿地区 | 90.27 | 614.24 | 424.53 | 1129.04 |
| 乾安县零星湿地区 | | 110.76 | | 110.76 |
| 舒兰市零星湿地区 | 3370.87 | 110.16 | | 3481.03 |
| 双辽市零星湿地区 | 1204.28 | 46.72 | | 1251.00 |
| 四平市市辖区零星湿地区 | 1879.47 | | | 1879.47 |
| 松原市市辖区零星湿地区 | 27.10 | 40.95 | | 68.05 |
| 洮南市零星湿地区 | 2292.99 | 279.09 | 63.63 | 2635.71 |
| 通化市市辖区零星湿地区 | 8.08 | | | 8.08 |
| 通化市零星湿地区 | 1369.97 | | | 1369.97 |
| 通榆县零星湿地区 | | 36.22 | | 36.22 |
| 图们市零星湿地区 | 111.78 | | | 111.78 |
| 汪清县零星湿地区 | 1076.77 | | | 1076.77 |
| 延吉市零星湿地区 | 376.66 | | | 376.66 |
| 伊通满族自治县零星湿地区 | 7079.34 | | | 7079.34 |
| 永吉县零星湿地区 | 3875.96 | | 18.40 | 3894.36 |
| 榆树市零星湿地区 | 1650.22 | | | 1650.22 |
| 长白朝鲜族自治县零星湿地区 | 204.73 | | | 204.73 |
| 长春市市辖区零星湿地区 | 13120.42 | | | 13120.42 |
| 长岭县零星湿地区 | 1457.45 | | | 1457.45 |
| 镇赉县零星湿地区 | | | | |
| 总 计 | 129049.32 | 4044.78 | 1568.27 | 134662.37 |

说明：表中各县（市、区）的零星湿地区面积不包含前面24个重要湿地的湿地面积。

从湿地型来看，库塘在三湖湿地、长春市市辖区零星湿地区、伊通满族自治县零星湿地区分布面积较大，其库塘面积分别占全省库塘总面积的25.31%、10.17%、5.45%。输水河在白城市市辖区零星湿地区、前郭尔罗斯蒙古族自治县零星湿地区、梨树县零星湿地区分布面积较大，其输水河面积分别占全省输水河总面积的23.84%、15.19%、10.91%。水产养殖场在沙河庄湿地、前郭尔罗斯蒙古族自治县零星湿地区、扶余县零星湿地区分布面积较大，其面积分别占全省水产养殖场总面积的30.10%、27.07%、9.55%。

## 5.4 各行政区人工湿地型及面积

吉林省8公顷（含8公顷）以上的人工湿地共869个斑块，总面积13.47万公顷。主要分布在吉林市、长春市、白城市，人工湿地面积分别占全省人工湿地总面积的33.45%、16.47%、14.48%；其次是四平市、通化市、延边州，人工湿地面积分别占全省人工湿地总面积的11.41%、8.00%、5.84%；再次是辽源市、白山市、松原市，人工湿地面积分别占全省人工湿地总面积的

4.32%、3.61%、2.42%(图2-41)。

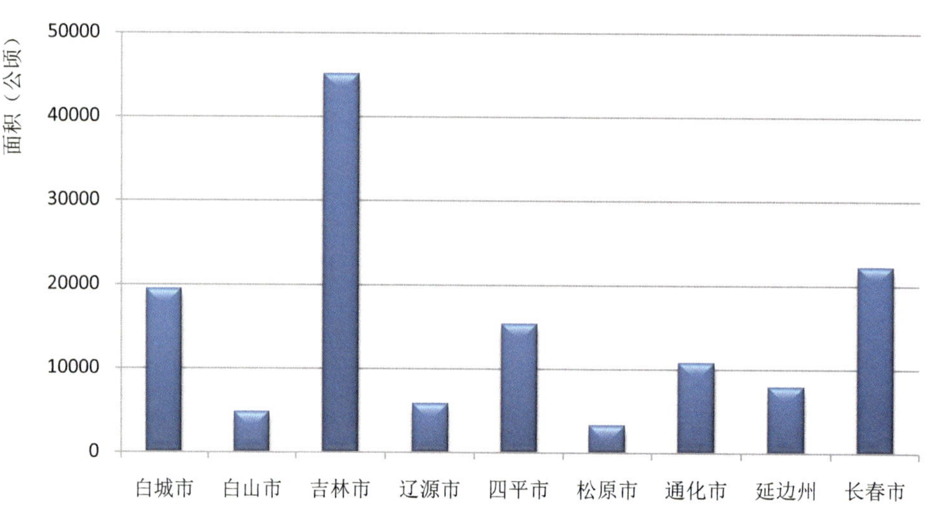


图 **2-41** 吉林省各行政区人工湿地面积

吉林省各行政区人工湿地各湿地型面积，见表2-28。

**表2-28 吉林省各行政区人工湿地各湿地型面积统计**(公顷)

| 行政区 | 库 塘 | 输水河 | 水产养殖场 | 合 计 |
|---|---|---|---|---|
| 白城市 | 17630.89 | 1742.98 | 120.85 | 19494.72 |
| 白山市 | 4855.28 | | | 4855.28 |
| 吉林市 | 44847.59 | 130.69 | 65.62 | 45043.9 |
| 辽源市 | 5819.79 | | | 5819.79 |
| 四平市 | 14875.86 | 495.83 | | 15371.69 |
| 松原市 | 1574.82 | 1113.69 | 574.24 | 3262.75 |
| 通化市 | 10770.98 | | | 10770.98 |
| 延边州 | 7114.01 | | 754.86 | 7868.87 |
| 长春市 | 21560.1 | 561.59 | 52.7 | 22174.39 |
| 总 计 | 129049.32 | 4044.78 | 1568.27 | 134662.37 |

### 5.4.1 库塘分布

吉林省8公顷(含8公顷)以上的库塘共804个，总面积12.90万公顷。其中，吉林市有库塘228个，面积4.48万公顷，主要包括吉林市的松花湖、桦甸市的红石湖、靖宇县的白山湖部分、与长春地区交界处的石头口门水库部分、舒兰市亮甲山水库、永吉县星星哨水库等；长春市有库塘90个，面积2.16万公顷，主要包括与吉林市交界处的石头口门水库部分及长春市南关区新立城水库、双阳区双阳水库、农安县太平池水库等；白城市有库塘21个，面积1.76万公顷，主要包括大安市的月亮湖、通榆县的向海水库、洮南市创业水库、白城市团结水库等；四平市有库塘54个，面积1.49万公顷，主要包括与辽源市交界处的二龙山水库部分、公主岭市卡伦水库、咸锅水库、双辽市小山水库等；通化市有库塘204个，面积1.08万公顷，主要包括与辽宁省交界处的桓仁水库部分、集安市与朝鲜交界的鸭绿江上的云峰水库部分和渭原水库部分、梅河口市磨盘湖水库等；延边州有库塘67个，面积0.71万公顷，主要包括汪清县满天星水库、珲春市六道泡、安图水库、敦化市大山水库等；辽源市有库塘94个，面积0.58万公顷，主要包括与四平市交界处的二龙山水库部分、辽源市杨木水库、东辽县聚龙潭水库、东丰县仁合水库等；白山市有库塘37个，面积0.49万公顷，主要包括与朝鲜交界的鸭绿江上的云峰水库部分、靖宇县的白山湖部分、抚松县小山电站等；松原市有库塘9个，面积0.16万公顷，主要包括长岭县龙凤山水库、太平山水库等。

吉林省库塘在全省广泛分布。从面积上看，吉林市库塘面积最大，占全省库塘总面积的34.75%；其次是长春市、白城市和四平市，库塘面积分别占全省库塘总面积的16.71%、13.66%和11.53%。从数量上看，吉林市库塘数量最多，占全省库塘总数的28.36%，排第一位，但小型水库居多，库塘总面积排在第五位；其次是通化市，库塘数量占全省库塘总数的25.37%，排在第二位。松原市无论库塘面积还是数量都最少(图2-42、图2-43)。

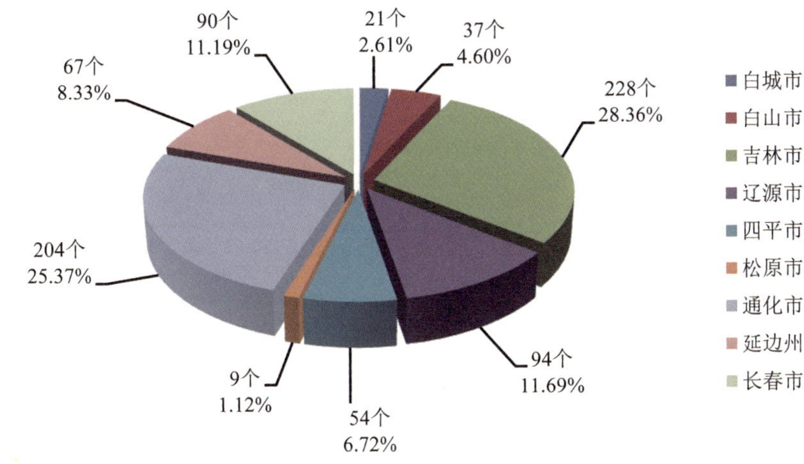


图2-42　吉林省各行政区库塘数量与比例构成

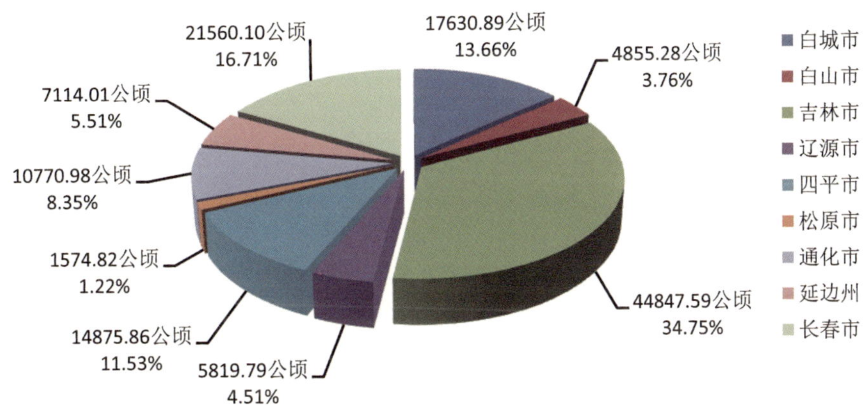


图2-43　吉林省各行政区库塘面积与比例构成

### 5.4.2 输水河分布

吉林省共有输水河 46 个斑块，面积 4044.78 公顷。其中，白城市输水河面积 1742.98 公顷，主要分布在白城市市辖区、大安市、通榆县和洮南市；松原市输水河面积 1113.69 公顷，主要分布在前郭县、乾安县和扶余县；四平市输水河面积 495.83 公顷，主要分布在梨树县和双辽市；长春市输水河面积 561.59 公顷，主要分布在农安县、德惠市和九台市；吉林市输水河面积 130.69 公顷，主要是舒兰灌渠。

吉林省输水河分布在西部松嫩平原上，白城市、松原市、长春市、吉林市，输水河面积分别占全省输水河总面积的 43.09%、27.53%、13.88%、3.23%；辽河流域的四平市也有分布，面积占 12.26%（图 2-44）。

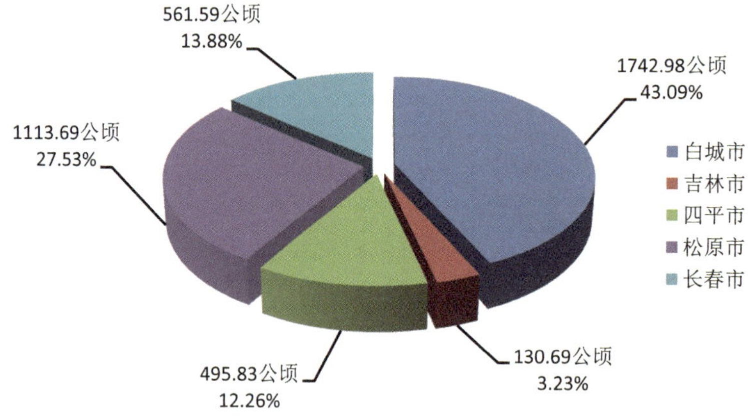


图 **2-44** 吉林省各行政区输水河面积与比例构成

### 5.4.3 水产养殖场分布

水产养殖场主要是平地开挖的鱼池及山地主要用于养鱼和渔业经营强度较大的水库。吉林省 8 公顷（含 8 公顷）以上的水产养殖场共 19 个，面积 1568.27 公顷。其中，延边州和松原市较多，水产养殖场面积分别占全省水产养殖场总面积的 48.13% 和 36.62%，长春市、吉林市和白城市较少，水产养殖场面积分别占全省水产养殖场总面积的 3.36%、4.18% 和 7.71%（图 2-45）。

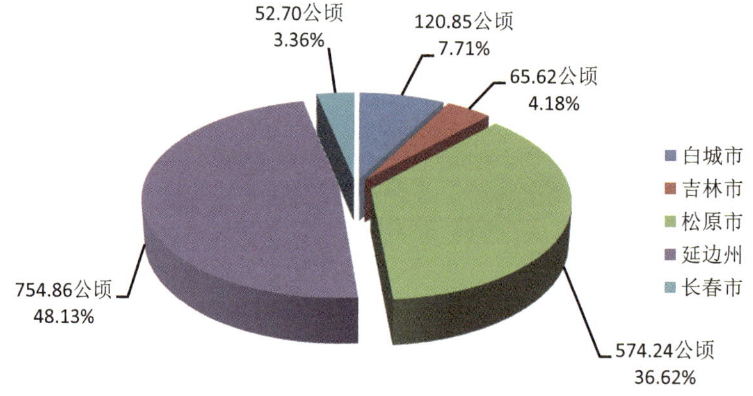


图 **2-45** 吉林省各行政区水产养殖场面积与比例构成

在吉林省，自然环境和水体质量较适宜的水库和湖泊一般都进行一定程度的渔业经营，如石头口门水库、松花湖、查干湖等。本次调查仅把开发建设目的为水产养殖的水域和防洪、灌溉利用率低，且渔业养殖程度高的小型水库和泡塘划为水产养殖场。

# 第二节 湿地分布规律

吉林省本次现地调查湿地总面积99.76万公顷，占全省土地总面积的5.32%，在全省范围内广泛分布。由于地形地势、气象、水文及社会经济活动等因素的综合作用，促进了吉林省湿地的大面积形成，也形成了全省湿地分布广、面积大的特点和东部长白山区河流密集、中部丘陵台地区库塘遍布、西部松嫩平原沼泽与湖泊众多的湿地分布规律。

## 1 河流湿地分布规律

吉林省河流湿地分布广泛。但由于地形地势和地貌的差异，各湿地型的分布存在区域性特征。永久性河流主要分布在东部图们江、牡丹江及第二松花江河源区及汇水区；中部和西部则以松花江、第二松花江、嫩江、拉林河等松花江干流和大型支流为主；东南部鸭绿江及辽河流域河流面积较小。季节性河流主要分布在西部，以白城市的洮儿河流域干、支流为主，包括第二松花江、拉林河下游流水呈季节性特征的小型支流；东辽河、西辽河流域有少量季节性或间歇性河流分布。洪泛平原湿地也主要集中在西部平原，以嫩江下游沿岸为主，其次为松花江、第二松花江及拉林河下游沿岸。

全省不同地貌区的河网密度，见表2-29。

**表2-29 吉林省不同地貌区河网密度**

| 项目 \ 分区 | | 东部<br>中山低山区 | 中东部<br>低山丘陵区 | 中西部<br>台地平原区 | 西部<br>冲积平原区 |
|---|---|---|---|---|---|
| 不同流域面积级的河网密度（公里/平方公里） | 5000平方公里以上 | 0.039 | 0.021 | 0.034 | 0.025 |
| | 1000平方公里以上 | 0.058 | 0.051 | 0.058 | 0.026 |
| | 200平方公里以上 | 0.118 | 0.088 | 0.125 | 0.028 |
| | 20平方公里以上 | 0.267 | 0.240 | 0.196 | 0.029 |

从表中可以看出，吉林省东部中山低山区河网密度大，小流域密集；中部和西部地区小流域河网密度降低明显，河流以大型干支流为主。

从地域分布来看，白城市、延边州和吉林市分布的河流湿地面积较大，分别占全省河流湿地总面积的19.29%、18.78%和14.69%。其中，延边州、吉林市以永久性河流为主，分别占全省永久性河流总面积的23.90%、19.09%，分列第一位和第二位；白城市以洪泛平原湿地为主，占全省洪泛平原湿地总面积的71.74%，为全省最多。

## 2 湖泊湿地分布规律

吉林省湖泊湿地类型分布特征明显，全省 8 公顷(含 8 公顷)以上湖泊 566 个，其中 96.29% 分布在中西部地区，包括以松原市查干湖为代表的大部分永久性淡水湖和全部永久性咸水湖、季节性咸水湖，共有湖泊 545 个；东部长白山区有湖泊 21 个，以长白山天池为代表，全部是永久性淡水湖，约占全省湖泊总数的 3.71%。

从地域分布来看，白城市和松原市分布的湖泊湿地最多，合计数量和面积都占全省湖泊湿地的 90.00% 以上。

## 3 沼泽湿地分布规律

沼泽湿地的分布从类型来看，各沼泽湿地型在全省广泛分布，但因东、西部地形和植被差异，分布呈现区域性特征。灌丛沼泽、森林沼泽和沼泽化草甸全部分布在东部长白山区，以牡丹江流域、松花江流域丰满以上三级流域较多，其中尤以牡丹江流域最多，分别占灌丛沼泽、森林沼泽和沼泽化草甸总面积的 76.33%、24.72% 和 55.28%。内陆盐沼和季节性咸水沼泽全部分布在西部松嫩平原，以嫩江江桥以下三级流域最多，分别占内陆盐沼和季节性咸水沼泽总面积的 100.00% 和 91.86%。草本沼泽在全省都有分布，但以西部松嫩平原分布面积最大，西部与东部草本沼泽面积比例为 8:2。

从地域分布来看，白城市、松原市和延边州分布的沼泽湿地面积较大，分别占沼泽湿地总面积的 50.21%、26.62% 和 17.38%。其中，白城市和松原市都是以季节性咸水沼泽为主，其次是内陆盐沼、草本沼泽，面积比例都是 6:3:1；延边州以沼泽化草甸为主，其次是灌丛沼泽、森林沼泽、草本沼泽，面积比例为 4:2:2:2。

## 4 人工湿地分布规律

人工湿地在全省范围内广泛分布。湿地型除稻田外以库塘为主，占人工湿地总面积的 95.83%，尤以中部低山丘陵区分布较多。其中，第二松花江流域库塘面积占全省库塘总面积的 56.22%；中部通化市、吉林市、辽源市、长春市库塘数量合计占吉林省库塘总数的 72.27%。输水河主要分布在西部松嫩平原。水产养殖场零星分布。

从地域分布来看，吉林市、长春市、白城市人工湿地最多，面积分别占全省人工湿地总面积的 33.45%、16.47%、14.48%。

# 第三章
# 湿地生物资源

## 第一节
## 湿地植物和植被

### 1 湿地植物

#### 1.1 湿地植物区系

吉林省属于泛北极植物区系，在中国的植被区划中，吉林省位于小兴安岭—完达山地红松针阔叶混交林区，长白山地红松、沙冷杉针阔叶混交林区，松辽平原外围栎林草原区和松辽平原坨甸地草甸草原区。在世界生物地理省分类中，分别属于东北(满洲)—日本混交林省、蒙古—东北(满洲)干草原省及东方落叶林省。全省湿地植物分属世界分布种、泛北极区系、古北极植物种、东古北极植物区系成分、达乌里—蒙古成分、东亚成分和东北成分 7 个植物区系。

#### 1.2 湿地植物区系地理成分

##### 1.2.1 世界分布种

世界分布种是指分布几乎遍及世界各大洲而没有特殊中心的种，或虽然有一个或数个分布中心但包含世界分布种的属为世界和近世界分布。这些世界性分布的属或种具有以下特点：首先，这些属多分属于世界性大科中，如菊科、禾本科、莎草科等；其次，它们多集中在温带科中，如豆科、唇形科、玄参科、百合科、十字花科、蔷薇科、桔梗科等；第三，水生和沼生植物多为世界性分布。世界分布种在吉林省湿地生态系统中占有较高比例，常构成湿地植被的优势种。如芦苇、狭叶香蒲是挺水植物沼泽的建群种；而穿叶眼子菜、小眼子菜、千屈菜、金鱼藻是在沼泽湿地中常见的世界分布种。浮萍、狐尾藻等是浅水湿地中常见的世界分布种。

##### 1.2.2 泛北极区系成分

泛北极区系成分一般是指北半球温带、寒带大陆广泛分布的科、属，虽然也有一些成分沿山脉向南扩及到热带山区，甚至分布到南半球温带，但其分布中心仍在北温带。吉林省生境类型多样，泛北极植物种分布的数量相对较多，在沼泽湿地、草甸、森林中都有其分布。湿地中常见的泛北极植物主要有：水生植物中的浮叶眼子菜、杉叶藻、狸藻等；沼泽湿地中经常出现的驴蹄草、沼委陵菜、水湿柳叶菜、睡菜等；在森林沼泽中常出现的越橘、七瓣莲等；在洪泛平原地带上生长的一些禾本科的植物，常成为沼泽化草甸的优势种或建群种，如草地早熟禾等；此外，广布野豌豆、缬草等也在草甸中常见。

在长白山区的沼泽湿地中还有一些环北极种，如圆叶茅膏菜、狭叶杜香、甸杜等。

#### 1.2.3 古北极植物种

这是在欧亚大陆的温带、寒带广泛分布的植物种类。吉林省湿地类型中，沼泽化草甸具有较多的古北极植物种。如拂子茅、欧亚旋覆花、鼠掌老鹳草、北黄花菜等。

#### 1.2.4 东古北极成分

这是在古北极植物区内的乌拉尔山脉以东，亚洲温带湿润区与半干旱区广泛分布的植物种属。这些种多见于吉林省境内的森林沼泽、灌丛沼泽以及部分沼泽化草甸植被中。森林沼泽中常见代表种有偃松、稠李、球果堇菜、返顾马先蒿等；而在林缘沼泽化草甸中的东古北极成分主要有大叶章、并头黄芩、山野豌豆、紫苞鸢尾等。

#### 1.2.5 达乌里—蒙古成分

这是以蒙古高原、松辽平原及大兴安岭山地为基本分布区的植物种类，它们构成了欧亚草原区亚洲中部亚区的基本成分。吉林省湿地中，该成分的植物种类较少。在吉林省西部的广阔草甸中，羊草一般是优势种和建群种；在盐碱化湿地中，羊草也常成为优势种。

#### 1.2.6 东亚成分

东亚成分是分布在亚洲东南部阔叶林区的区系成分，在吉林省植物区系中占有重要地位。乔木有白桦；灌丛有接骨木。在草甸中，也有少部分的东亚成分存在，如委陵菜、泽泻等。

#### 1.2.7 东北成分

东北成分是以东北植物区为分布中心的分布型，是东北区具有代表性的地理成分。如绣线菊为灌丛建群成分；草本植物有小叶章等。

### 1.3 湿地植物种类组成

吉林省湿地植物丰富，仅高等植物就有 112 科 253 属 613 种，其中以被子植物最多，有 530 种；苔藓植物次之，有 49 种；蕨类植物 26 种；裸子植物 8 种。被子植物以莎草科最多。乔木如黄花落叶松、白桦等；草本植物如菰、毛薹草、漂筏薹草、臌囊薹草、香蒲、小白花地榆、毒芹、问荆、毛叶沼泽蕨等；苔藓植物如湿原藓、尖叶泥炭藓、中位泥炭藓、大金发藓等。在吉林省西部地区常见的湿地植物有芦苇、香蒲、羊草等。在东部地区常见的湿地植物有：灌木植物如油桦、笃斯越橘、狭叶杜香、细叶沼柳等。

## 2 湿地植被

### 2.1 湿地植被类型和分布

#### 2.1.1 寒温性针叶林湿地植被型

(1)黄花落叶松—笃斯越橘—沼薹草群系：该群系主要分布在长白山区常年积水的熔岩洼地、

台地上。土壤为泥炭沼泽土。地表常年积水，有机质分解缓慢，泥炭积聚较快。

由于土壤过湿，乔木层除耐水湿的黄花落叶松能生存外，间或混有少量的白桦、水曲柳等树种，其他树种较难存活。林木生产力低下；灌木层稀疏，盖度10%左右。有笃斯越橘、越橘、狭叶杜香、蓝靛果忍冬、绣线菊、珍珠梅等；草本层以疣囊薹草、滑茎薹草、乌拉薹草、沼薹草为主，常形成塔头墩子，生长旺盛。在林冠疏开处则有小叶章等。在泥炭积累丰富的草丘地段，常有小灯芯草、圆叶茅膏菜等。

苔藓植物种类繁多，以细叶泥炭藓、尖叶泥炭藓、白齿泥炭藓、粗叶泥炭藓、中位泥炭藓为主；其次为塔藓和拟垂枝藓。苔藓几乎覆盖整个地面形成毡状垫层，长期积水，极度潮湿，致使林内空气湿度很大，树枝上常附生大量的小白齿藓和松萝。泥炭积累较旺盛，泥炭藓的成分多。

(2)黄花落叶松—笃斯越橘—藓类群系：该群系分布于长白山区海拔800米以上的熔岩台地的低洼处，如抚松县的锦北和松江河，靖宇县的三道湖等地(图3-1)。群落处于地形低洼地段，地表过湿，季节性积水。土壤为泥炭土。

图**3-1**　黄花落叶松—笃斯越橘—藓类群系

图**3-2**　黄花落叶松—油桦—臌囊薹草群系

由于该群系位于中营养型沼泽，故植物种类成分多样，有17科21种，包括种子植物和苔藓植物。种子植物中有松科、桦木科、蔷薇科、杜鹃花科、莎草科、报春花科、禾本科、木贼科、毛茛科、茜草科和伞形科等。苔藓植物有泥炭藓科、金发藓科和柳叶藓科。

群落外貌呈疏林景观，树冠不整齐，高低不一，群落结构复杂，可分为乔木层、灌木层、草本层和苔藓类地被层。乔木层以黄花落叶松为建群种，郁闭度0.3~0.5，伴生有白桦；灌木层主要植物为笃斯越橘、细叶沼柳，伴生有少数油桦；草本层较为发达，以臌囊薹草和羊胡子草较多，均形成草丘，盖度为40%，丘上生长有少数的小白花地榆。地表藓类植物种类包括湿原藓、万年藓、粗叶泥炭藓。

(3)黄花落叶松—油桦—臌囊薹草群系：该群系分布在长白山的丘陵山地和熔岩台地的沟谷和河漫滩中，呈带状分布于黄花落叶松—泥炭藓沼泽的外缘(图3-2)。如柳河的哈泥，靖宇的白江河、三道湖，抚松的漫江等地。地表低洼，季节性积水，地下水位较高。土壤为沼泽土和泥炭沼泽土。

植物种类多样，以哈泥湿地为例，有23科35种，包括种子植物、蕨类植物和藓类植物。种子植物有松科、桦木科、蔷薇科、杜鹃花科、忍冬科、杨柳科、睡菜科、虎耳草科、禾本科、鸢尾科、菊科、莎草科、报春花科、百合科、桔梗科、葡萄科、灯芯草科、伞形科。蕨类植物有木贼科、石松科。藓类植物有泥炭藓科、金发藓科和皱蒴藓科。

群系外貌翠绿，林冠整齐，郁闭度0.6～0.8。群系结构分层明显，有乔木层、灌木层、草本层和苔藓层。乔木层以黄花落叶松为建群种，偶尔有白桦；灌木层高为1.5～1.8米，以油桦为优势种，还生长有蓝靛果忍冬和绣线菊；草本层植物种类繁多，以瞰囊薹草为优势种，形成草丘，丘上伴生有杂类草如小白花地榆、问荆、燕子花等；丘边有藓类植物大泥炭藓、中位泥炭藓、大金发藓、皱蒴藓等。

(4)黄花落叶松—油桦—泥炭藓群系：该群系见于长白山区海拔900米左右的熔岩台地，以柳河县哈泥沼泽发育最为典型。

植物种类丰富，有17科29种，包括种子植物、蕨类植物和苔藓植物。种子植物有松科、桦木科、蔷薇科、忍冬科、杜鹃花科、禾本科、莎草科、灯心草科、百合科和鸢尾科等。苔藓植物有泥炭藓科、金发藓科和皱蒴藓科。

群系外貌为疏林景观，林冠郁闭度0.2～0.3，群落结构可分为4个层片：乔木层、灌木层、草本层和泥炭藓地被层。乔木层以单一的黄花落叶松为建群种。树木矮小、稀疏、生长发育不良；灌木层物种较多，以油桦为优势种，其他种有蓝靛果忍冬、小叶杜鹃、狭叶杜香、笃斯越橘和金露梅；草本层无明显优势种，在藓丘上，有少量小白花地榆；在丘间，偶有形成小群落的羊胡子草，在积水处，有少量的水生植物水木贼；苔藓地被层植物种较多，有泥炭藓科植物6种，以中位泥炭藓和尖叶泥炭藓、锈色泥炭藓、大泥炭藓为主，伴生有喙叶泥炭藓、皱蒴藓。

(5)黄花落叶松—杜香—小花薹草群系：该群系主要分布在长白山区海拔900～1400米的沿河两岸的低湿阶地、谷地，坡度一般为2°～5°，排水较差。土壤多为草甸土、潜育化暗棕色针叶林土。谷地排水不良处雨季常出现季节性积水，土壤常有泥炭化发生。

主林层黄花落叶松林多形成纯林，有时混有少量的白桦；第二林冠层为臭冷杉、白桦、色木槭等；林下灌木稀少，盖度在10%～20%，主要有宽叶杜香、越橘、蓝靛果忍冬、狭叶杜香、金银忍冬、绣线菊、北极花等；草本层较为发达，盖度在40%～60%，有小花薹草占优势，常形成塔头墩子，林下草本植物有小叶章、毛叶沼泽蕨、七瓣莲等，林冠疏开处有芦苇；藓类层发育有树藓、泥炭藓、拟垂枝藓、赤茎藓，以及附挂于树上的小白齿藓等。

(6)黄花落叶松—狭叶杜香—泥炭藓群系：该群系分布于海拔800～1100米之间的熔岩台地的平坦低洼处，如抚松县的漫江和锦北(图3-3)。松江河林业局懒汉窝河漫滩上的此类沼泽，常与黄花落叶松—油桦—瞰囊薹草群系形成复合沼泽体。沼泽地表微微突起，高于周围地面1米左右，水文呈放射状，水从沼泽体的中心流向四周。土壤为泥炭土。

图3-3　黄花落叶松—狭叶杜香—泥炭藓群系

群落的植物种类少，有12科18种，包括

种子植物、苔藓植物和地衣类。种子植物有松科、桦木科、茅膏菜科、杜鹃花科、莎草科、灯心草科和百合科等。藓类植物有泥炭藓科、金发藓科和皱蒴藓科等。地衣只有1种。

植物生活型复杂，有高位芽植物、地上芽植物、地面芽植物、苔藓植物和地衣。群落外貌呈荒凉的疏林景观，林木郁闭度小于0.1。群落结构分乔木层、灌木层和泥炭藓地被层。乔木层由单一的黄花落叶松组成，为群落的建群种。由于土壤过湿，肥力低下，树木生长不良，发育成矮小、弯曲、瘦弱的"小老树"，或成为枯死的"站杆"。树干上附生有大量的小白齿藓、长枝松萝和破茎松萝等。中灌木很少，偶有少量油桦；小灌木层发达，植物种类多样，盖度较大，为50%～60%，主要植物种有狭叶杜香、甸杜、笃斯越橘和越橘。其中，以狭叶杜香为优势种，集中分布于泥炭藓丘之上。草本层植物少，只有羊胡子草和玉簪、薹草，形成孤立的草丘，大部分草丘已被泥炭藓覆盖。泥炭藓地被层十分发达，盖度达100%，并形成泥炭藓丘，种类丰富，包括泥炭藓、偏叶泥炭藓、桧叶金发藓和皱蒴藓，丘上还有少数的鹿角地衣和圆叶茅膏菜。

(7)黄花落叶松—小叶杜鹃—泥炭藓群系：该群系见于长白山区海拔1270米的圆池周围和三岔子林业局白江河林场的三道老爷府沼泽。圆池为火山偃塞湖，水深40～120厘米。沼泽地表过湿，无明显水层，土壤为泥炭沼泽土。

群落的植物种有13科19种，包括种子植物和苔藓植物。种子植物有松科、桦木科、杨柳科、蔷薇科、杜鹃花科、茅膏菜科、菊科、禾本科和莎草科等。苔藓植物有泥炭藓科和金发藓科。

群落外貌呈疏林景观。结构层次明显，有乔木层、中灌木层、小灌木层和苔藓地被层。乔木层以单一的黄花落叶松为建群种，郁闭度为0.1～0.2，发育不良，呈"小老树"状，树高1～2米。中灌木层盖度50%左右，以小叶杜鹃为优势种，偶有少数油桦；小灌木层发达，高度约40厘米，以狭叶杜香为优势种，伴生有贫营养植物甸杜、笃斯越橘以及富营养植物金露梅和越橘柳，分布于泥炭藓丘上。苔藓植物种类较多，以尖叶泥炭藓、中位泥炭藓为主，形成细密的地被物和藓丘。丘高为30～50厘米，直径为1～2米，丘顶有少数石蕊。丘间植物以偏叶泥炭藓为多，还有少量的圆叶茅膏菜。

(8)臭冷杉—卷柏群系：该群系主要分布在长白山区海拔1100～1500米的小块平坦地形上。林下土壤为在花岗岩大石块上发育的泥炭土，土壤呈明显潜育现象。土层很薄，上部为10厘米厚的泥炭层，下为腐殖质层，厚约8厘米，疏松、重湿、有密集的植物根系和半分解的有机物。

该立地区条件严酷，适生植物种类极少，群落组成结构简单。上层林木组成以臭冷杉占绝对优势，有时几乎成纯林。在土层较厚的立地条件下，林分的幼龄和中龄时期以臭冷杉占比重较大，而在成熟林龄期鱼鳞云杉比重较大。林下灌木比较稀疏，种类少且发育不良，盖度在5%左右，主要有刺玫蔷薇等，小灌木主要以卷柏占优势，还有杉蔓石松、北极花等。草本层也不发达，盖度在15%～20%。裸露的大石块上常有数厘米厚的苔藓类地被物，苔藓种类主要有万年藓、塔藓。

(9)臭冷杉—蓝靛果忍冬—红花鹿蹄草群系：该群系主要分布在长白山区500～800米的河谷、河岸洼地和溪旁。立地区地势平缓，土壤湿润，排水不良，雨季时常见积水，林下土壤为腐殖质沼泽土或泥炭腐殖质沼泽土。

林分组成相对较为复杂。乔木层主要以臭冷杉占优势，混生有少量的红皮云杉、红松、黄花落叶松、白桦等。群落一般为中小径级的臭冷杉密林，林内阴湿，通风不良；林下灌木种类相对较多，盖度在10%~20%，以蓝靛果忍冬占优势，此外还有绣线菊、东北茶藨子等；草本层发育较好，种类较多，盖度较大，为20%~40%，种类主要有红花鹿蹄草、二叶舞鹤草、七瓣莲、唢呐草、单侧花、粗茎鳞毛蕨、猴腿蹄盖蕨等，薹草较多，常形成塔头墩子；苔藓植物较发达，常见的有万年藓、塔藓、拟垂枝藓。

(10)偃松—牛皮杜鹃—泥炭藓群系：该植被类型主要分布在敦化市黄泥河镇老白山(图3-4)。立地地表营养贫瘠，常年积水，土壤为泥炭土。

植物种类多样，有18科21种，有松科、杜鹃花科、禾本科、莎草科、桦木科、金星蕨科、泥炭藓科、金发藓科、皱蒴藓科、垂枝藓科、塔藓科、提灯藓科、曲尾藓科等。

图3-4 偃松—牛皮杜鹃—泥炭藓群系

群系结构较复杂，分为灌木层、草本层、苔藓层3个层次。灌木层以偃松、牛皮杜鹃为优势种。偃松高度0.5~0.6米，冠幅0.8米；牛皮杜鹃高度0.4~0.5米，冠幅0.3米。此外，还有越橘、灰毛柳为伴生种。草本层植物种类较少，主要有薹草、地榆、小叶章等。苔藓层植物种类丰富，有中位泥炭藓、尖叶泥炭藓、大金发藓、塔藓、皱蒴藓、喙叶泥炭藓、梳藓、曲尾藓、湿原藓等，其中中位泥炭藓、尖叶泥炭藓和大金发藓盖度较高，分别为5%、15%、10%。

### 2.1.2 落叶阔叶林湿地植被型

(1)香杨—珍珠梅—小叶章群系：该群系分布于开阔的沟谷、河漫滩或河流两岸。主林层以香杨为优势种，伴生树种有钻天柳、粉枝柳、毛赤杨，边缘有水曲柳、胡桃楸、春榆、紫椴、山杨、白桦等，郁闭度0.7~0.9。灌木层发育不良，有珍珠梅、绣线菊、灌木状暴马丁香、灌木状稠李等，有时有蓝靛果忍冬、东北茶藨子等，盖度10%~20%。草本层以小叶章为主，其他有宽叶薹草、藨草、羽叶风毛菊、水金凤、蚊子草等。藤本植物缺乏，有时有五味子、山葡萄等。

(2)白桦—五蕊柳—小白花地榆群系：该群系主要分布于低山漫岗间的沼泽湿地，土壤为沼泽土，常形成塔头。以蛟河、桦甸等低山丘陵区分布较多。土壤积水时间较长，树种组成单一。乔木层以白桦为主，生长不良，植株常矮小，主林层高不过15米，个别地段呈小老树状，郁闭度在0.2~0.3，一般不超过0.5，主要伴生树种有稠李；灌木层有五蕊柳、绣线菊和珍珠梅等，常以小群落状态生于草地之中，一般盖度可达20%；草本层较为丰富，以耐湿、喜光者居多，主要有乌拉薹草、尖嘴薹草、灰脉薹草、小白花地榆、狭叶泽芹、东北龙胆、紫苞鸢尾等，盖度达80%。

(3)白桦—蓝靛果忍冬—褐叶鞘薹草群系：该群系主要分布于长白山地中低山的山间沟谷之中，谷底宽浅，土壤为沼泽土，形成塔头。土壤积水时间较短，有常年或季节性的小水流。通化、延边和吉林地区分布较多。

白桦为乔木层优势种，伴生种有春榆、粉枝柳等，偶见有水曲柳、胡桃楸等，郁闭度在0.6~0.8；林下灌木有蓝靛果忍冬、鸡树条荚蒾、绣线菊、珍珠梅、紫枝忍冬等，其余种类多生长于开阔之处，盖度15%左右；草本层以耐湿、耐阴种为主，有褐叶鞘薹草、灰脉薹草、毛缘薹草、落新妇、水金凤等，在林隙间或林中小路旁的略开阔之处生有尖嘴薹草、紫苞鸢尾等，草本总盖度35%左右。

(4)白桦—长白忍冬—大穗薹草群系：主要分布于宽阔河谷的一级阶地或山谷谷底，嵌布于针阔混交林或阔叶混交林中(图3-5)。土壤为白浆土或沼泽土，较湿润或季节性积水，部分地区形成塔头。

白桦为优势树种，伴生树种有槭槐、春榆，偶见山杨、紫椴，郁闭度0.6~0.8；灌木层主要有珍珠梅、长白忍冬、东北山梅花、刺五加等，总盖度15%~20%；草本层以林下草本为主，主要以大穗薹草、本氏繁缕占优势，此外还有宽叶蚊子草、猴腿蹄盖蕨、落新妇、山酢浆草等，总盖度80%~90%；木质藤本植物有五味子、狗枣猕猴桃等。

图**3-5**　白桦—长白忍冬—大穗薹草群系

(5)白桦—臌囊薹草群系：该群系主要分布于东部山区宽浅的沟谷低洼地带与河漫滩上，例如黄泥河、额穆、大石头等地。季节性积水，最大积水深度20~30厘米。土壤为沼泽土或泥炭土，发育有密度较小的塔头。

主林层为白桦，是臌囊薹草沼泽水位下降发生退化后白桦侵入的结果。白桦为单优势种，密度较小；草本层以臌囊薹草为优势，伴生种有小叶章、小白花地榆、毛薹草、圆苞紫菀、拉拉藤、毛叶沼泽蕨、莓叶委陵菜等。

(6)水曲柳、胡桃楸—珍珠梅—薄叶驴蹄草群系：该群系主要分布于低海拔沟谷或平谷湿地的暗棕壤上，通常小浅水沟或季节性小水沟星罗棋布，薄叶驴蹄草在沿水沟边生长。在较窄的低谷内，常沿阴坡面的河旁或河两侧顺沟谷方向呈带状分布。在宽阔的漫谷地带，常常面积较大，向下与水曲柳、白桦林接壤，向上过渡的色木紫椴林。主林层除水曲柳、胡桃楸以外，常伴生有白桦等，郁闭度0.8~0.9，无次林层；下木层不十分发育，常见有零星分布的珍珠梅、东北溲疏、北悬钩子、刺五加及灌木状的暴马丁香等，盖度不足30%；草本植物以薄叶驴蹄草为标志种，其他尚有常成丛状分布的小花风毛菊及蚊子草、毛假繁缕、落新妇等，盖度40%~70%。

(7)水曲柳、白桦—毛脉卫矛—毛缘薹草群系：该群系分布于海拔300~600米的沟谷台地，土壤为沼泽土，局部形成塔头。乔木层水曲柳、白桦为共优势种，伴生种主要有紫椴、胡桃楸、春榆等；灌木层有东北山梅花及生长略差的珍珠梅和绣线菊等，灌木状态的暴马丁香、鼠李、山荆子等常与林下灌木共同构成灌木层，总盖度40%；草本层以毛缘薹草占绝对优势，常形成塔头，还有落新妇、白花碎米荠、东北羊角芹等，总盖度60%~80%。

(8)水曲柳、白桦—珍珠梅—塔头薹草群系：该群系分布于海拔300~500米的低洼地形上，土壤为泥炭沼泽土，常形成塔头。水曲柳、白桦为乔木层优势种，伴生种主要有山杨、大黄柳、春榆、槭槐等，郁闭度0.4~0.6；灌木层盖度60%，主要有珍珠梅、绣线菊等；草本层有塔头薹草、蚊子草、黄花菜、沼繁缕、翅果唐松草等，盖度70%。

### 2.1.3 落叶阔叶灌丛湿地植被型

该群系分布于长白山地的敦化、蛟河、舒兰、靖宇、柳河、辉南、桦甸等地的河漫滩和沟谷中。地表过湿或季节性积水，地下水位较高，距地表30～50厘米，土壤为沼泽土、泥炭沼泽土或泥炭土。

（1）油桦—臌囊薹草群系：植物种类较多，有18科23种。以被子植物为主，蕨类植物和苔藓植物少(图3-6)。被子植物有杨柳科、桦木科、蓼科、毛茛科、虎耳草科、蔷薇科、豆科、牻牛儿苗科、堇菜科、伞形科、唇形科、茜草科、禾本科、莎草科和鸢尾科；蕨类植物有木贼科、金星蕨科；苔藓植物有曲尾藓科。

图3-6 油桦—臌囊薹草群系

植物群落结构简单，分灌木层和草本层。灌木层以油桦为优势种，高度为0.5～1.5米，盖度40%左右，伴生有极少数的沼柳，高度为20～30厘米。草本层植物种类较多，以密丛型臌囊薹草为优势种，形成点状草丘。丘上长有沼生植物小白花地榆、异叶地瓜苗、箭叶蓼、薄叶黄芩，中生植物金星蕨、梅花草、玉婵花、小叶拉拉藤、广布野豌豆、草乌和小叶章。丘间湿洼处生长有水木贼、驴蹄草、细杆羊胡子草等。

（2）绣线菊—臌囊薹草群系：该群系广泛分布于东北部山地，如敦化沙河庄、黄泥河等地的阶地、河漫滩和沟谷中，地表过湿、有季节性积水的地段，雨季积水5～10厘米。土壤为泥炭土或泥炭沼泽土。

植物种类较多，以沙河庄沼泽为例，有15科19种，主要为被子植物、蕨类植物和苔藓植物。被子植物中有杨柳科、桦木科、蓼科、蔷薇科、伞形科、龙胆科、茜草科、荨麻科、禾本科、莎草科、松科、天南星科、金星蕨科、木贼科、石竹科等。

植物群落结构简单，主要分为灌木层和草本层，有少量黄花落叶松幼树，但是大多已经枯死。灌木层盖度为40%，绣线菊为优势种，高度为1.7米。草本层分两个亚层：第一亚层为高草层，高度0.6米，以臌囊薹草、漂筏薹草、小叶章为主，盖度85%左右；第二亚层为矮草层，高度5～30厘米，盖度4%左右，主要是水芋、兴安拉拉藤、毛叶沼泽蕨、毛叶耳蓼和问荆；苔藓层有湿原藓，盖度5%左右。

（3）狭叶杜香—中位泥炭藓群系：该群系主要分布在长白山熔岩台地的部分低洼平坦地形上，沼泽地表比周围林地微微突起，地表过湿、无积水，踏在地被物上，水自然流出，没过脚面。水文网呈放射状流向周围低地。pH为3.4～4.2，呈酸性，是典型的贫营养沼泽的水文特征。土壤为泥炭土，泥炭层的厚度为1.2～1.7米。

群落的外貌宛如红色地毡铺在林间空地上，周围偶有枯萎凋落的落叶松“小老树”。植物种类少，有7科13种，有被子植物和藓类植物。以藓类植物为主，尤其泥炭藓种类为多。

群落结构简单整齐，只有小灌木层和泥炭藓地被层。小灌木层的高度为30～50厘米，盖度30%左右，以狭叶杜香为优势种，伴生有甸杜、笃斯越橘；没有草本层，仅有少量米典薹草零散地伏生在泥炭藓丘表面，地面残留有少数羊胡子草的草丘，草丘大部分被泥炭藓掩埋；泥炭藓地被层十分发达，盖度 100%，并形成高 40～60 厘米的藓丘，呈不规则的冢状。泥炭藓植物中，以中位泥炭藓为优势种，伴生有白齿泥炭藓、沼泥炭藓。各种泥炭藓由于水文状况的影响，在藓丘上，呈有规律的分布：藓丘顶部相对干燥，分布着中位泥炭藓；丘间洼地过湿，常有积水，以白齿泥炭藓为优势，伴生有极少数沼泥炭藓，中位泥炭藓已消失。

(4)油桦—尖叶泥炭藓群系：该群系以长白山西麓哈泥河源头的沼泽区发育得最为典型。哈泥盆地是由火山喷出物形成的堰塞河谷，盆地低洼、积水，谷底全部形成沼泽。该群落位于哈泥盆地的中部，沼泽地表常年积水，水深为 5～10 厘米，雨季可达 20 厘米左右。土壤为厚层泥炭土，泥炭层的厚度 1～3 米，最厚可达 9 米多。

群落的植物种类有 14 科 16 种。有被子植物和苔藓植物。被子植物种类多，有桦木科、蔷薇科、茅膏菜科、忍冬科、杜鹃花科、禾本科、莎草科、灯心草科、鸢尾科和百合科等。

群落外貌为稀疏矮灌丛景观。群落的结构有三层：灌木层、草本层和苔藓地被层。灌木层仅分布于泥炭藓丘上，盖度 10% 左右，以油桦为优势种，伴生有金露梅和少量的蓝靛果忍冬与小叶杜鹃，还有少量的小灌木笃斯越橘。草本层主要分布于藓丘间湿洼地上，盖度约 20%，狭叶羊胡子草较多，伴生红毛羊胡子草和极少数灯心草、芦苇和燕子花等；藓丘上部有少数草本植物，如小白花地榆、后藤薹草，盖度仅 3% 左右；藓丘下半部的坡面上，有许多小草本植物，如圆叶茅膏菜。泥炭藓地被层十分发达，盖度 100%，并形成高大的泥炭藓丘。藓丘的高度为 50～60 厘米。形成不规则的冢形。藓丘上藓类植物众多，以尖叶泥炭藓为优势种，伴生有白齿泥炭藓、毛壁泥炭藓、桧叶金发藓、沼泽皱蒴藓和赤茎藓。藓丘间湿洼地的为白齿泥炭藓和偏叶泥炭藓。

(5)蒿柳—小叶章群系：蒿柳为耐阴树种，极耐水湿，在过湿地段生长仍很旺盛，由于萌蘖而多形成丛状。多分布于中东部的低山丘陵地区河流两岸、河漫滩及林地沼泽中。土壤为层状冲击性草甸土或潜育化草甸土。

群落结构简单，植物种类成分单纯，群落高达 2～4 米，盖度 90% 以上。灌木层以蒿柳为优势种，另外常伴生有细叶蒿柳、细柱柳、卷边柳、三蕊柳、司氏柳、日本三蕊柳、伪蒿柳，还混生有少量的光果江界柳、蒙古柳等，多形成柳丛；有时混生有个别乔木状的朝鲜柳和粉枝柳；在某些排水良好的谷底，还有一些高大的乔木树种如白桦、水曲柳、大青杨和香杨等，以及一些亚乔木如稠李和暴马丁香等，成点状分布；在有季节性积水的地方，偶有毛赤杨混生。草本层稀疏，盖度为 10%～20%，但在柳丛之间的旷地或边缘地带常有较密集的草本层，这些草本层多由湿生或中生的草本地面芽植物组成，以小叶章为标志种；其他常见的有异叶地瓜苗、光叶蚊子草、水蒿、兴安薄荷、日本旋覆花、单穗升麻、驴蹄草、扯根菜、小白花地榆、风花菜、点地梅、毛水苏、黄连花、白山乌头、报春花、小叶独活、小花鬼针草、箭叶蓼等，并有草甸杂草类物种侵入此群落内；在长期积水地有毒芹、蛇床和独叶泽芹等水生植物。

(6)蒙古柳群系：该群系分布于吉林省西部较低湿的草甸及沙丘边缘低湿处，面积不大，常与羊草杂类草群落、牛鞭草群落、拂子茅群落及薹草草甸群落等交替出现，形成群落生态复合体。生境湿润，水分和营养状况良好。土壤通常为草甸土或苏打盐化草甸土，较肥沃，为丰富的杂类草的生长创造了条件。

群落盖度 50%～70%，可分为两层：第一层盖度 40%～60%，高度 40～55 厘米，除建群种蒙古柳外，以牛鞭草居多，并伴生有拂子茅、羊草、五脉山黧豆、山野豌豆、柳、细叶地榆、水苏、异叶地瓜苗、千屈菜等；第二层植物稀疏，盖度10%～15%，主要有蔓委陵菜、苣荬菜、芦苇、马蔺、万年蒿等。

### 2.1.4 莎草型湿地植被型

(1)臌囊薹草群系：臌囊薹草也称修氏薹草，为密丛型薹草，形成草丘，俗称"塔头"。该群系分布于长白山地，如敦化、蛟河、桦甸、柳河、辉南等地的沟谷和河漫滩(图3-7)。

群落的植物种较多，以龙湾为例，有31科49种，包括被子植物和蕨类植物。被子植物有桦木科、蔷薇科、毛茛科、豆科、千屈菜科、伞形科、牻牛儿苗科、龙胆科、唇形科、茜草科、报春花科、菊科、禾本科、莎草科、百合科、鸢尾科、灯芯草科、凤仙花科、兰科、忍冬科、睡菜科、金丝桃科、茅膏菜科等；蕨类植物有木贼科和金星蕨科。

图3-7 臌囊薹草群系

群落外貌的季节变化明显，总盖度为85%，结构简单，有灌木层和草本层。灌木层以油桦、沼柳为优势种，伴生种有圆叶茅膏菜、绣线菊等。草本层按高度可分两个亚层：第一层为高草层，高度为60～70厘米，盖度50%～60%，以莎草科臌囊薹草为优势种；第二层为矮草层，高度为10～50厘米，以杂类草为主，但盖度小，多度少，有地耳草、梅花草、十字兰和黄连花等。

(2)塔头薹草群系：该群系以莫莫格湿地及嫩江和松花江两岸河滩上发育最为典型(图3-8)。该地带地表季节性积水，土壤为草甸沼泽土，泥炭层不明显。

植物种类较少，有4科8种，均为被子植物，包括莎草科、禾本科、蓼科和菊科。

群落外貌一片油绿色，只有单一草层，高度80～100厘米，以塔头薹草为单优势种，盖度90%以上，形成斑点状草丘，丘高5～10厘米，直径18～20厘米，伴生有少数小叶章和极少数的水蓼、狐尾蓼和三肋果。

图3-8 塔头薹草群系

(3)黄颖莎草—薹草群系：该群系主要分布在松嫩平原草原区的湖滩洼地，以乾安县大布苏湖、狼牙坝西部坝下的此类沼泽湿地发育最为典型。地表常年过湿，雨季积水，有的地段常年积水，形成泥炭沼泽。土壤为泥炭沼泽土。

群落的植物种有11科17种。都是被子植物，有毛茛科、蔷薇科、伞形科、千屈菜科、柳叶菜科、菊科、禾本科、莎草科、唇形科、水冬麦科和浮萍科等。

群落外貌一片黄绿色，7月份杂类草开花时，群落外貌较为华丽。总盖度80%左右，结构只有草本层。按草的高度可分2层：第一层的高度为50～120厘米，盖度10%左右，由杂类草类组成，有少数小白花地榆、地榆、圆苞紫菀、水葱和芦苇；第二层高度20～50厘米，盖度70%左右，以黄颖莎草为优势种，薹草为亚优势种，伴生植物有沼生植物，如毛水苏、沼柳叶菜、细叶毒芹和中湿生植物千屈菜等，多度皆为少或个别，尚有耐盐植物海韭菜等。局部积水坑中，有水生植物扇叶水毛茛和紫萍。

(4)羊胡子草—臌囊薹草群系：该群系分布于长白山地丘陵区的沟谷或河滩上，面积较小，以敦化市哈尔巴岭沟谷中的此类沼泽为代表。在沟谷中沿谷底与芦苇—臌囊薹草群落、臌囊薹草—杂类草群落呈带状有规律的分布。雨季地表积水 5 ~ 10 厘米。土壤为泥炭沼泽土，泥炭层薄。

植物种类较多，有 14 科 17 种，有被子植物、蕨类植物和苔藓植物。被子植物有蓼科、石竹科、杨柳科、毛茛科、罂粟科、蔷薇科、牻牛儿苗科、豆科、禾本科、莎草科、百合科和鸢尾科；蕨类植物有木贼科；苔藓植物有真藓科。植物生活型谱复杂，有高位芽植物、地上芽植物、地面芽植物、地下芽植物和一年生植物。

群落总盖度 75%，群落结构简单，只有草本层。根据草的高度可分为 2 层：第一层的高度为 50 ~ 120 厘米，以羊胡子草为优势种，臌囊薹草为亚优势种，形成斑点状草丘，草丘高度 15 ~ 30 厘米，直径 20 ~ 30 厘米，盖度 40% 左右，伴生有大叶章、小叶章、玉婵花、小白花地榆、黄花菜、广布野豌豆等；第二层的高度为 10 ~ 50 厘米，有牻牛儿苗、毛缘剪秋萝、长瓣金莲花等。草丘间洼地有驴蹄草、狭叶泽芹和水木贼。草丘边缘有真藓等。偶见小灌木沼柳。

(5)漂筏薹草群系：该群系在敦化雁鸣湖湿地、沙河庄湿地发育较为典型(图 3-9)。

图 3-9 漂筏薹草群系

群落植物种类较少，有 11 科 13 种，包括莎草科、鸢尾科、茜草科、菊科、蓼科、千屈菜科、金丝桃科等。

植物以漂筏薹草为单一优势种，盖度达 95%，高度有 30 ~ 65 厘米，伴生种有地耳草、繁缕、拉拉藤、玉婵花等。苔藓层有湿原藓。

(6)毛薹草群系：该群系在敦化雁鸣湖湿地发育较为典型。

群落植物种类较少，有 10 科 11 种，包括莎草科、鸢尾科、茜草科、菊科、蓼科、石竹科、堇菜科、唇形科、毛茛科、金丝桃科。

植物以毛薹草为单一优势种，盖度达 95%，高度有 30 ~ 65 厘米，伴生种有异叶地瓜苗、黄芩、穿叶蓼、地耳草、繁缕、拉拉藤、玉婵花等。苔藓层有湿原藓。

(7)沼薹草群系：该群系在安图园池湿地发育较为典型。

群落植物种类较少，有 13 科 16 种，群落结构简单，有草本层和苔藓层。草本层包括莎草科、桔梗科、禾本科、谷精草科、狸藻科、兰科和灯芯草科等。苔藓层有泥炭藓科。

植物以沼薹草为单一优势种，盖度达 65%，高度 20 ~ 30 厘米。伴生种有芦苇、羊胡子草、山梗菜、中狸藻、谷精草、小灯芯草和绶草。苔藓层有大泥炭藓和喙叶泥炭藓。

(8)高针蔺群系：该群系主要分布于河谷滩地地下水位高的积水地段。在吉林省中部的台地区较多，双阳区鹿乡水库上游发育典型。

群落地表常年过湿，雨季积水 3 ~ 10 厘米。土壤为泥炭土。群落植物种类稀少，均为被子植物，有毛茛科、蓼科、伞形科、泽泻科、紫草科和莎草科等。

群落以高针蔺为优势种，伴生种有小灯芯草、水毛花、毛茛、驴蹄草、泽芹、小叶独活、箭叶蓼、泽泻、湿地勿忘草等。

### 2.1.5 禾草型湿地植被型

(1)芦苇群系：该群系是吉林省分布面积最大的湿地植被类型之一，在西部平原区的湖泊沿岸、过水通道和河滩地带广泛分布，如向海、莫莫格、波罗湖、查干湖、牛心套保等地(图3-10)。

图 **3-10** 芦苇群系

群落总盖度达90%，高度1.3～2.3米，不同的自然单元中芦苇群落组成有所不同，分为单建群种群落和共建群种群落。单建群种群落的结构较为单一，上层以芦苇为单优势种，下层为水生植物，有浮萍、小狐尾藻和杉叶藻等。共建群种群落上层以芦苇、香蒲为优势种，下层有水葱、节蓼、灰绿藜、扁秆藨草和圆叶碱毛茛等。

(2)芦苇—臌囊薹草群系：该群系主要分布于长白山地低山丘陵区，如蛟河、舒兰、桦甸、安图、敦化、辉南、磐石、柳河等地，常年积水的沟谷、河滩和堰塞湖。以辉南县的板庙子和桦甸县的红旗村，发育典型。以板庙子为例，群落沼泽地表常年积水，水的深度一般为5～10厘米，水面有彩色薄膜，为腐殖酸类物质。土壤为泥炭土，泥炭层的厚度1～2米不等，最厚可达5米。

该沼泽形成初期是以芦苇为主的浅水湿地，随着沼泽发展，逐渐有薹草侵入，并随着泥炭的积累，酸性加强，薹草逐渐代替芦苇，成为目前以薹草为主的芦苇—薹草沼泽。植物种类较少，有12科14种。以被子植物为主，伴生有蕨类植物和苔藓植物。被子植物中有蓼科、毛茛科、蔷薇科、牻牛儿苗科、伞形科、茜草科、唇形科、禾本科、莎草科和鸢尾科等；蕨类植物为木贼科；苔藓植物为柳叶藓科。

群落以臌囊薹草为优势种，芦苇为亚优势种。群落的总盖度60%～70%，按高度分为两层：第一层高度60厘米以上，有芦苇、小白花地榆和玉婵花等，以芦苇为优势种；第二层高度50厘米左右，以臌囊薹草为优势种。臌囊薹草形成点状草丘，草丘的高度为25～30厘米，直径20～30厘米，盖度40%左右，草丘上尚伴生有牻牛儿苗、兴安拉拉藤、异叶地瓜苗、箭叶蓼。草丘间积水，分布有驴蹄草、狭叶泽芹和水木贼等。

(3)菰群系：该群系分布广泛，如敬信湿地、雁鸣湖湿地以及莫莫格湿地及嫩江沿岸等地。

以敬信湿地为例，群落的植物种类较少，仅有4科4种，包括禾本科、天南星科、槐叶苹科、狸藻科。群落外貌呈黄绿色，盖度为90%。群落结构分两层：上层以菰为单优势种，高度为1.90米，伴生有菖蒲；下层有槐叶苹、狸藻等。

(4)小叶章群系：小叶章群系主要在扶余湿地和沙河庄湿地发育比较典型。

群落植物种类组成存在东西部的差异。在西部松嫩平原的低湿地上，如莫莫格湿地的嫩江沿岸地带，有大面积小叶章草甸，在嫩江洪水的润泽下，群落总盖度超过80%，高度可达80～130厘米。群落可分为两个亚层：第一层优势种为小叶章，伴生种有蚊子草、小白花地榆和五脉山黧豆等；第二层有臌囊薹草、水苏、毒芹等。东部小叶章群落中，小叶章盖度为90%左右，主要伴生种有毛叶沼泽蕨、湿原藓、问荆、绣线菊、兴安拉拉藤、蓼等。

(5)羊草—拂子茅群系：该群系主要分布在开阔平原的低平地上，是松嫩平原分布较广、面积较大的植被类型之一，常与羊草—牛鞭草群落交替出现，局部地段也与羊草群落形成复合植被。土壤多为苏打草甸土，土层较厚，含盐量低，含水量较高，并有短期积水。拂子茅和假苇拂子茅都是多年生根茎禾草，中生草甸种。前者有轻度耐盐性，生于森林草原带、草原带和荒漠带的河滩、沟谷、低地草甸和沙地上，也散生在山地草甸和草甸化草原中。假苇拂子茅在河滩、沟谷、低地和沙地上都有分布，成为群落建群种。

群落的种类组成不丰富。羊草、拂子茅和假苇拂子茅为共建群种，有的地段拂子茅或假苇拂子茅占优势。常见的伴生种有欧亚旋覆花、山野豌豆等，局部地段还出现黄连花、毛茛和鹅绒委陵菜，反映了水分条件的变化。群落中也有一年生的盐生植物，但多不能正常发育。草群生长十分繁茂，盖度80%~90%，植物分布均匀。垂直结构可分为2层：第一层高60～80厘米，拂子茅和假苇拂子茅最多，羊草和芦苇也占一定比重；第二层高25～40厘米，主要的种类有欧亚旋覆花、五脉山黧豆、鹅绒委陵菜等。

(6)羊草—牛鞭草群系：群系分布在松嫩平原，生境条件与羊草—拂子茅群系近似，但微地形更为低洼，生长季积水。所占有的面积远比羊草—拂子茅群系要小，并与其相间或构成植被复合体。牛鞭草为多年生根茎禾草，中生草甸种，与羊草共同成为群落的建群种。此外，一些喜生于低湿或有季节性积水立地的植物，如蒙古柳、水苏等占有一定数量，而且主要伴生种几乎都是拂子茅生态种组的成分，如地榆、细叶地榆、薄叶黄芩、线叶旋覆花等。草群较稀疏，总盖度50%~55%，可分为两层：第一层盖度40%~50%；第二层常见的植物主要有寸草苔、蔓委陵菜等。

(7)羊草—星星草群系：羊草—星星草草甸是羊草群丛组中盐渍化特征更为显著的类型，常小面积出现在碱化草地植被复合体中，碱湖周围低湿的生境也有分布，可以由羊草群落碱化演替形成。群落种类成分单纯，都是一些盐碱植物，羊草占优势，并与星星草组成共建群种。

(8)拂子茅群系：群落分为3个亚层：第一层主要有拂子茅、芦苇、假苇拂子茅、羊草和五脉山黧豆等；第二层有水苏、日本旋覆花、蒙古蒿、箭头唐松草等；第三层有西伯利亚蓼、寸草。因拂子茅根茎繁殖能力强，其他物种不易入侵，常形成单优势种的拂子茅群落。

(9)星星草群系：在松嫩平原，星星草群落主要出现于盐沼周围的盐碱土和草地退化的碱斑上，生境较低湿，有短期积水，分布较为广泛。草群一般都较稀疏，但不同地段也有差别。群落盖度30%~40%，局部达70%。群落的种类成分单纯，分布不均匀。星星草和碱茅占优势，其次为野大麦和碱蒿。伴生种主要有羊草、芦苇、虎尾草等。

### 2.1.6　杂类草湿地植被型

(1)香蒲群系：该群系在吉林省分布较广，松嫩平原较多，主要建群于湖泊、水库的浅水滩地，地表常年积水，水深15～25厘米(图3-11)。土壤为腐殖质沼泽土，无泥炭积累。

群落植物种类少，以新荒泡为例，该群落有5科5种，包括香蒲科、睡菜科、禾本科、莎草科和金鱼藻科。群落外貌绿色，盖度为95%。群落结构简单，包括挺水植物层、沉水植物层和浮水植物层：挺水植物层以香蒲为优势种，盖度95%，伴生有少数菰；沉水植物层有金鱼藻，盖度10%左右；浮水植物层有荇菜，盖度小于5%。水边生长有水葱及一些禾本科植物。在敬信湿地也发育有典型的香蒲沼泽。群落结构复杂，植物种类多样。高层以香蒲为主，香蒲高度1.5米，盖度15%；中层以藨草、鬼针草为主，高度分别为0.45米、0.2米，盖度10%~40%，还有泽泻、蓼、针蔺以及禾本科植物；低层以谷精草、杉叶藻为优势种，高度分别为0.08米、0.06米，盖度为20%，还有其他一些藻类植物。

图3-11 香蒲群系

图3-12 菖蒲群系

(2)菖蒲群系：该群系在吉林省东、西部均有分布，如松嫩平原湖滩洼地、松花江河滩洼地和中小河流旧河道中(图3-12)。地表有薄层积水，水深不到10厘米，雨季可达30厘米。土壤为淤泥沼泽土。

植物种类较少，被子植物有天南星科、蓼科、莎草科、伞形科、豆科和龙胆科等。植物生活型简单，有地上芽植物、地下芽植物和一年生植物。群落外貌翠绿，总盖度为95%，高度1~2米。群落结构简单，以菖蒲为优势种，伴生有马氏蓼、两栖蓼、节蓼、箭叶蓼、水蓼、臌囊薹草、泽芹、异叶地瓜苗等。

(3)碱蓬—星星草群系：星星草草甸的盐碱度进一步加重，土壤碱化程度增强，耐碱植物成分加大；一年生的耐碱植物，如碱蒿、碱蓬、角碱蓬便在群落中占较大比重，与星星草一起构成群落的共建群种。群落常分为2个亚层：第一层以星星草为主；第二层碱蓬或角碱蓬占优势，多呈小片生长。有的地段，星星草和碱蒿各成小片分布。

(4)碱毛茛群系：碱毛茛草甸包括长叶碱毛茛和圆叶碱毛茛两种群系，多分布在碱湖周围。分布范围较小，一般都局限于低湿生境。植物种类组成简单，长叶碱毛茛和圆叶碱毛茛在群落中起建群作用，西伯利亚蓼是恒有种，其他除一些盐生植物外，芦苇也较常见，但只零散分布。

### 2.1.7 苔藓湿地植被型

(1)钝叶泥炭藓—毛薹草群系：该群系以钝叶泥炭藓为优势种，盖度95%以上。毛薹草为亚优势种，是由湖泊沼泽化形成的。辉南县三角龙湾西侧的旱龙湾，即有分布，是浮毯型植物沿着湖面生长形成的沼泽。群落地表积水深30余厘米。土壤为泥炭土。

植物组成简单，有5科7种。被子植物有蔷薇科、龙胆科、莎草科、鸢尾科。藓类植物有泥炭藓科。群落以斑块形式镶嵌于蒙古栎林中。群落结构有2层：草本层和苔藓地被层。草本层的高度为 30 ~40 厘米，盖度 30% 左右，以毛薹草为优势种，伴生有少量薹草和狭叶羊胡子草，杂类草皆为根状茎植物，有睡菜、沼委陵菜和燕子花等；泥炭藓层发达，以钝叶泥炭藓为单优势种，盖度 100%，但未形成藓丘，处于中营养沼泽阶段。

(2)中位泥炭藓群系：该群系在柳河哈泥湿地发育较为典型(图 3-13)。群落植物种类较少，有 14 科 18 种。苔藓植物以中位泥炭藓为单一优势种，盖度达 85%，伴生种有皱蒴藓和金发藓、喙叶泥炭藓和锈色泥炭藓。偶有黄花落叶松，长势较差，形成“小老树”，或成“站杆”，草本植物稀疏，有毛薹草、沼薹草、地榆、毒芹、圆叶茅膏菜和东北石松等，盖度都很小，在 1% 左右。

图 3-13　中位泥炭藓群系

(3)尖叶泥炭藓群系：该群系在柳河哈泥湿地发育较为典型。群落植物种类较少，有 14 科 18 种。苔藓植物以尖叶泥炭藓为单一优势种，盖度达 85%，伴生种有皱蒴藓和中位泥炭藓。有少量油桦、笃斯越橘和杜香等灌木。草本植物毛薹草、鹿药和小叶章，盖度都很小，在 1% 左右。

此外，在哈泥湿地还分布有金发藓群落、大泥炭藓群落、锈色泥炭藓群落和喙叶泥炭藓群落。群落结构及植物种类组成与上述 2 种泥炭藓群落有很多共同之处，这里不再详述。

**2.1.8　漂浮植物型**

(1)槐叶苹—浮萍群系：该群系喜富营养水体，对水的化学性质有较强的适应能力，能在 pH 为 5.5 ~8.5 的水中正常发育。在池塘等小型水体中，由于水温较高，营养充足，漂浮植物盖度较大，进入水中的光照较少，因此沉水植物生长较差，种类稀少。同时，水面漂浮植物占优势，浮叶植物在竞争中居劣势，种类很少。伴生植物主要有：紫萍、稀脉浮萍、品萍、叉钱苔等。一些大型缓岸湖泊滨岸带的靠近陆地的部分，特别是水深 60 厘米以上的地带，发育有大型挺水植物，环绕在漂浮植物群落的周围。

(2)紫萍—稀脉浮萍群系：紫萍是世界广布种，在吉林省主要与稀脉浮萍成共优势种，形成紫萍—稀脉浮萍群系。

该群系主要发育在平原和长白山区的小型湖泊或池塘中，水化学性质为中性或弱碱性。基底为淤泥或粉细沙，水温较高，光照条件好。由于周围较高地势或挺水植物的屏障作用，很少风干扰，为典型的静水环境。群落结构比较简单，虽有 4 层结构，但浮叶植物层片不发达，原因在于高盖度的漂浮植物的遮光作用，抑制了浮叶植物幼叶的发育。同时沉水植物发育不良。紫萍个体较大，喜强光，高营养。在水质较好的生境中以出芽生殖为主。外围常有明显的挺水植物带，如芦苇、菰等，成为紫萍生长环境的良好的屏障。伴生植物主要有满江红、丘角菱、苹等。

**2.1.9　浮叶植物型**

(1)莲群系：吉林省的野生莲主要分布在东部山间盆地的湖泊中，特别是珲春市敬信四道泡最为典型。该群系植被种类贫乏，莲为单一优势种。伴生植物中浮叶和沉水植物较多，挺水植物稀少。主要伴生种有眼子菜、荇菜、轮叶狐尾藻、金鱼藻、浮萍等。外围有菰、芦苇、鬼针草、水稗草、蓼等草本植物。

（2）荇菜—菱群系：该群系主要分布于东部山区和松嫩平原的一些中小型湖泡的近岸地带。荇菜为世界广布种，以匍匐茎横走水底，节上生长不定根用来固着植物体。叶片漂浮水面，排列紧密。伴生植物主要有东北菱、格菱、冠菱。沉水植物主要有马来眼子菜、小眼子菜、茨藻。向陆地方向，随水深变浅，逐渐过渡为挺水植物群落，主要有牛毛毡针蔺、小慈姑、雨久花等。在磨盘湖湿地，荇菜局部盖度达85%，群落外貌鲜绿色。

（3）菱群系：该群系在珲春敬信湿地发育较为典型。群落植物种类较少，有3科3种，以东北菱为单优势种，盖度达60%以上，有沉水植物狸藻、浮水植物槐叶苹。群落结构简单。

（4）芡实群系：该群系主要分布于西部松嫩平原弱碱性的湖泡中，水深1～2.5米，水质较肥。松嫩平原湖泡中的芡实为人工引种后逸为野生所形成。植物群落结构较为简单，可分为浮叶层和沉水层。浮叶层芡实为单优势种，伴生种有荇菜和东北菱。沉水植物主要有金鱼藻、穗状狐尾藻。

（5）小掌叶毛茛群系：该群系主要分布于长白山区的小型池塘、沟塘和水坑中，有时分布于沼泽间的积水洼地中。小掌叶毛茛在低温贫营养的水体中生活，pH为6.0～7.5，叶面积小，耐低温，常密集丛生，花为黄色，花期花序伸出水面，果期果实沉入水中，茎可以在冰下越冬。

（6）浮叶眼子菜群系：该群系主要分布于西部松嫩平原的湖泡和长白山区的旧河道与牛轭湖中，对水质要求不严。在松嫩平原向海湿地的部分浅水湖泊中，浮叶眼子菜成为浮叶层的单优势种，穗状花序，花期伸出水面，果实成熟后沉入水中，形成冬芽越冬。沉水层为两栖蓼和穗状狐尾藻。

（7）睡莲群系：睡莲在松嫩平原上常分布于芦苇或菰等挺水植物群落的内侧。在东部山区多分布在小型的静水池塘中。湖泊水深1～1.5米，湖水清澈透明，往往有周期性的水更新。植物群落有浮叶层和沉水层。浮水植物层以睡莲为优势种，夏季盛开白花，浮于水面，常伴生荇菜；沉水层有两栖蓼和马来眼子菜。

### 2.1.10 沉水植物型

（1）菹草群系：该群系主要分布于西部大型湖泡中，如月亮湖、新庙泡、哈尔挠水库等，近年来在长春市南湖大面积出现（图3-14）。菹草为优势种，主要伴生种有金鱼藻、马来眼子菜、小茨藻、穗状狐尾藻等。菹草是良好的草食性鱼类的饵料，也是猪和家禽的良好饲料。

图 **3-14** 菹草群系

（2）东北金鱼藻群系：该群系分布于松嫩平原的湖泊和静水池塘中，东北金鱼藻适宜于低温环境。植物体纤细，多分枝，叶无柄，密集而生，花梗不挺出水面。东北金鱼藻为单优势种，喜生于富营养的水体中，常伴生有小狸藻、五刺金鱼藻和小茨藻。

（3）金鱼藻群系：月亮湖局部地方有金鱼藻群落的分布，伴生种主要有柳叶眼子菜和浮叶植物耳菱、荇菜等。

(4)穗状狐尾藻群系：该群系主要分布于松嫩平原宽浅的湖泊。月亮湖水深不及2米的地段，在7月初形成纯群落，喜中营养水体，在弱酸性至碱性的水体中均能正常生长。在pH为9.5以上碱性湖泡中，穗状狐尾藻与龙须眼子菜同为建群种，基底为淤泥。

(5)轮叶狐尾藻群系：轮叶狐尾藻为多年生沉水植物，叶4片轮生，羽状分裂，挺出水面的叶片较少，长1~1.5厘米。该群系主要分布于松嫩平原和长白山地的一些静水小型湖泊中，水质清澈透明，伴生种主要有龙须眼子菜。水面有浮水植物紫萍。

(6)川蔓藻群系：该群系主要分布于积水较浅的盐碱湖泊中，水深为30~100厘米。典型群落分布在太平川的十二号泡。川蔓藻植物体纤弱、叶纤细、线形，常形成群落。

### 2.2 湿地植被的分布规律

吉林省湿地植被类型及其空间分布受复杂的自然环境的影响，表现出明显的地域分布规律。地貌和气候条件是湿地形成和发展的宏观控制因素，水文过程直接影响湿地的植被类型。东部山区湿地以森林湿地为主，泥炭积累旺盛。西部平原区以草本沼泽、内陆盐碱和湖泊湿地为主。降水量的多寡对于湿地水的酸碱度有显著的影响，随着降水量的减少，湿地水的酸性减弱，碱性增加。pH值最低的是年降水量大于800毫米的抚松县漫江藓类沼泽，最高的是年降水量为400毫米左右的向海碱地泡。水的酸碱性对于湿地植被类型的影响更为直接，由于从东部到西部碱性逐渐增强，适合于酸性或中性环境的植物不能生长，便让位于能够适应碱性环境的芦苇群落。全省植被总的分布格局是，东部山区分布适应中性和酸性环境的植被，湿地植被类型随海拔高度而变化；中部台地区分布适应于中性和碱性环境的植被；而西部平原地区，以碱性水质为主，发育有大面积的芦苇群落。

# 第二节 湿地野生动物资源

## 1 湿地野生动物种类和特点

湿地野生动物主要指栖息和繁殖活动与湿地环境密切相关，生态上依赖于湿地的野生动物。包括脊椎动物中的鱼类、两栖类、爬行类、鸟类和哺乳类等。

吉林省湿地野生动物种类繁多，计5纲29目59科295种(表3-1)。其中，鱼类11目19科107种；两栖类2目6科14种；爬行类2目4科15种；鸟类9目22科135种；哺乳类5目8科24种。在295种湿地野生动物中，鱼类为107种，占36.27%；两栖类14种，占4.75%；爬行类15种，占5.08%；鸟类为135种，占45.76%；哺乳类24种，占8.14%。

表 3-1 吉林省湿地野生动物种类统计

| 种 类 | 目 | 科 | 种 |
|---|---|---|---|
| 鱼 类 | 11 | 19 | 107 |
| 两栖类 | 2 | 6 | 14 |
| 爬行类 | 2 | 4 | 15 |
| 鸟 类 | 9 | 22 | 135 |
| 哺乳类 | 5 | 8 | 24 |
| 合 计 | 29 | 59 | 295 |

此外，吉林省野生动物资源还具有以下特点：

(1)资源丰富：吉林省湿地野生动物资源丰富。据初步统计，全省鱼类最高年产量达 10 万余吨；中国林蛙年产商品蛙数量 1 亿余只；雁鸭类等湿地经济鸟类数量有近百万只，湿地野生动物成为吉林省经济发展不可缺少的可再生资源。

(2)季节分布明显：吉林省四季气候变化明显，湿地野生动物的分布，尤其是湿地鸟类，亦呈现出周期性变化。湿地鸟类有候鸟、旅鸟和留鸟之分，呈现出春、秋季迁徙季节湿地鸟种类与数量最多，夏季繁殖期湿地鸟类数量较稳定，而冬季只有少量集中分布在松花江、鸭绿江局部不冻水域的周期性规律。

(3)生态类型复杂：吉林省湿地景观类型多样，既分布有森林湿地、河流湖泊、沼泽草甸，又有东部珲春一带的近海三角洲，使得湿地野生动物类群比较复杂。吉林省西部是湖泊、草甸沼泽的主要分布区，这里是国家重点保护水禽丹顶鹤、白枕鹤、蓑羽鹤等的重要繁殖地、雁鸭类的主要栖息地。吉林省东部山区的长白山区域水系发达、森林原始，是鸳鸯和中华秋沙鸭在吉林省的繁殖区。同时，还分布有和湿地环境相关的极北小鲵、东北小鲵、水鼩鼱、麝鼠、水獭等动物。由于吉林省临近海洋的地理位置，一些近海岸带种类如大马哈鱼、灰翅鸥、三趾鸥、斑海豹等在近海湿地中亦有分布。

## 2 重点保护与常见的湿地野生动物

吉林省 295 种湿地野生动物中，国家 I 级保护野生动物有 7 种，为东方白鹳、黑鹳、中华秋沙鸭、丹顶鹤、白鹤、白头鹤、遗鸥。国家 II 级保护野生动物有 18 种，为赤颈鸊鷉、角鸊鷉、白鹮、白琵鹭、黑脸琵鹭、鸳鸯、大天鹅、小天鹅、白额雁、黄嘴白鹭、鹗、灰鹤、白枕鹤、蓑羽鹤、花田鸡、小杓鹬、水獭、斑海豹。

湿地鸟类的分布，西部主要有丹顶鹤、白鹤、白枕鹤、蓑羽鹤、东方白鹳等鹤鹳类及雁鸭类；东部主要为雁鸭类，包括中华秋沙鸭和鸳鸯等。同时，各地还分布有极北小鲵、水鼩鼱、麝鼠、水獭等动物。在图们江下游还分布有大马哈鱼、灰翅鸥、三趾鸥、斑海豹等。

# 3　湿地鸟类

## 3.1　湿地鸟类的种类和分布

### 3.1.1　湿地鸟类的种类

吉林省湿地鸟类计有9目22科135种，占吉林省鸟类种数的39.13%。其中属国家Ⅰ级保护的鸟类有7种，占吉林省湿地鸟种类的5.18%。属国家Ⅱ级保护的有赤颈䴙䴘、角䴙䴘、黄嘴白鹭、白琵鹭、白额雁、大天鹅、鸳鸯、鹗、灰鹤、白枕鹤、蓑羽鹤、小杓鹬等16种，占湿地鸟类的11.85%。其余全部为吉林省省级重点保护野生动物。

吉林省的湿地鸟类中，绝大多数为候鸟。其中夏候鸟107种，旅鸟57种，留鸟2种。此外冬季还有少数湿地鸟类见于松花江等不封冻水域之中。

### 3.1.2　湿地鸟类的分布

#### 3.1.2.1　生态分布

吉林省湿地鸟类主要分布于全省的河流、湖泊、沼泽及沼泽化草甸和近海湿地等水域环境中。

(1)河流湿地：包括永久及季节性河流及洪泛平原湿地，这一环境为夏季湿地鸟类繁殖及春秋季候鸟迁徙提供了良好的停歇场所。同时，松花江、嫩江、鸭绿江等江河干流，也是候鸟在我国东北迁徙的主要通道。

(2)湖泊湿地：包括湖泊及大小型水库。这一环境是湿地水禽良好的繁殖栖息场所和食物基地，也是迁徙鸟类的停歇集群地。

(3)沼泽及沼泽化草甸：这一环境为湿地鸟类提供了良好的隐蔽场所和繁殖地。一些珍稀涉禽如丹顶鹤、白枕鹤及其他雁鸭类等均在此类环境中繁衍。

(4)近海湿地：特指图们江下游，中、俄、朝三国交界地带的近日本海低冲积平原湿地。这里分布有丹顶鹤、大天鹅、鸳鸯等珍稀水鸟，还分布有数量众多的雁鸭类等湿地鸟类。

#### 3.1.2.2　季节分布

吉林省湿地鸟类几乎全部为候鸟，有着明显的季节性分布特点。

春季，迁徙候鸟类的首见期为3月上旬，虽然吉林省此时仍冰封雪冻，但已见凤头麦鸡、鹤鹬、红嘴鸥、豆雁等少数水鸟在冰面融化的水域取食。随后，苍鹭、鸿雁、银鸥、灰鹤、丹顶鹤等陆续迁到。至3月下旬4月初，江河开冻，迁到种类不断增多，可达20～30种。吉林省江河湖泊在4月上旬完全融化，而每年的4月中下旬，为吉林省湿地鸟类迁到的高峰，鹤鹳类、雁鸭类、鸻鹬类、鸥类等湿地鸟全部迁到，且有少数鹤、鹳类和雁鸭类继续北迁。自5月上旬，北迁湿地鸟类几乎全部离境，少部分湿地鸟类在吉林省繁殖，种类与数量相对稳定。

9月上旬，部分繁殖的湿地鸟类南迁。9月下旬至10月初，可见少数鹤、鹳、鸭、鹬类自北方迁到吉林省，并在10月中旬达到高峰。旅鸟与繁殖鸟多在吉林省境内湖泊及水库等宽阔的水面集结成成千上万只的群体。10月中下旬，大部分湿地鸟陆续南迁。至11月上旬，吉林省江河开始结冰，但仍可见白鹳、丹顶鹤、灰雁、豆雁、斑头雁、普通秋沙鸭、白翅浮鸥等10余种湿地鸟滞留在吉林省境内，成为秋季南迁较晚的种类。而迁离最晚的当属红嘴鸥，直到11月中旬尚可在境内局部未封冻水面见到。11 月下旬，吉林省江河进入稳定封冻期，湿地鸟类基本迁离。

近 10 余年来，随着全球气候变暖，某些水鸟的居留型也发生了变化。在吉林市第二松花江及鸭绿江不冻水域，部分湿地鸟类居留越冬。其种类与数量近年渐呈上升的趋势。调查表明，在吉林省越冬的湿地鸟类主要是小䴙䴘、斑嘴鸭、绿头鸭、赤麻鸭、普通秋沙鸭、鹊鸭等 10 余种，仅松花江丰满电站下不冻水域越冬的湿地鸟类数量就达近万只。个别年份尚可见到中华秋沙鸭、白尾海雕等濒危水鸟在吉林省越冬。

#### 3.1.2.3 空间分布

国家重点保护湿地鸟类丹顶鹤、白鹤、白头鹤、东方白鹳及其他鹤鹳类主要分布在吉林省中、西部的湖泊、沼泽等湿地，行政区域包括四平、长春、松原和白城。

雁鸭类在全省各地均有分布，但西部明显多于东部，主要分布在湖泊、沼泽等湿地区域。中华秋沙鸭和鸳鸯则主要分布在东部长白山区，行政区域包括白山、延边、通化和吉林等地。

## 3.2 湿地鸟类的数量状况

吉林省国家Ⅰ级、Ⅱ级保护湿地鸟类繁殖种群数量约 3500 余只。

### 3.2.1 国家Ⅰ级保护湿地鸟类数量状况

(1)东方白鹳：东方白鹳主要分布在吉林省的西部通榆县向海自然保护区、镇赉县莫莫格自然保护区。此外，在中部的双辽市、农安县、长春市和东部的梅河口市、吉林市、江源县、敦化市也有分布(图 3-15)。

图 3-15 东方白鹳

近年，东方白鹳迁徙数量信息为：2004 年在包拉温都自然保护区见到 19 只、洮南创业水库 1 只；2005 年春在前郭库里泡见到 110 只；2005 年秋在包拉温都自然保护区见到 230 只，莫莫格自然保护区哈尔挠见到 378 只；2006 年在向海和莫莫格自然保护区共记录到 13 只，其中向海福泰泡 1 只、大肚泡 6 只、莫莫格哈尔挠 6 只；2009 年调查在九台卡伦水库记录到 3 只东方白鹳；2013 年在长春、向海、莫莫格分别记录到繁殖个体。

(2)黑鹳：黑鹳主要分布在吉林省东部的延边州，此外，在西部的通榆县、镇赉县也有分布。

2004 年在向海保护区记录到 11 只黑鹳。

2007 年和 2008 年秋，分别在雁鸣湖自然保护区记录到 1 只黑鹳。

2009 年调查没有记录到黑鹳。

(3)中华秋沙鸭：中华秋沙鸭主要分布在吉林省东部长白山区的安图县、敦化市、抚松县和吉林市；此外，在西部的通榆县也有分布。目前中华秋沙鸭主要在吉林省的东部山区繁殖，根据近年监测调查结果，中华秋沙鸭繁殖种群数量有所增加，繁殖数量为 200 只左右。

(4)丹顶鹤：丹顶鹤主要分布于西部的通榆、镇赉、双辽、洮南；此外，中部的农安、长岭、长春、大安、前郭和东部的珲春、敦化、安图、吉林等地也有少量分布(图 3-16)。

图 **3-16** 丹顶鹤

图 **3-17** 白鹤

在向海、莫莫格有繁殖个体。

2007 年春季观测到吉林省中西部迁徙种群数量 23 只，其中莫莫格 14 只，波罗湖 3 只，向海 6 只。

2009 年调查只在向海自然保护区记录到丹顶鹤繁殖，种群数量 4 只。

如将吉林东部可能的迁徙数量估算在内，吉林省春季迁徙种群数量不会超过 50 只。

(5)白鹤：白鹤主要分布在吉林省西部的镇赉县莫莫格自然保护区，此外通榆县、双辽市、农安县也有分布(图 3-17)。

2007 年，在莫莫格自然保护区记录到 2300 余只秋季迁徙、停歇的白鹤。

2009 年调查，在莫莫格自然保护区记录到白鹤 2800 余只(2009 年 5 月 1 日)。

2011 年春季，莫莫格自然保护区记录到的迁徙、停歇白鹤数量为 3412 只。

2012 年春季，莫莫格自然保护区记录到的迁徙、停歇白鹤数量为 3809 只。

2013 年春季，莫莫格自然保护区记录到的迁徙、停歇白鹤数量为 2789 只。

(6)白头鹤：白头鹤主要分布在西部的镇赉县、前郭县、松原市，此外，在东部的吉林市、集安市也有分布(图 3-18)。

图 **3-18** 白头鹤

图 **3-19** 赤颈䴙䴘

通常是在春季迁徙季节记录到白头鹤。

2006 年在松原、四平 4 处湿地，监测记录到迁徙种群 93 只，其中以前郭奈吉泡 39 只为最多，其次为宁江辖心湖 27 只，前郭三江口及公主岭市杨大城子水库分别为 12 只和 15 只。

2009 年调查，在莫莫格自然保护区记录到 7 只。

2011 年在集安市救护 1 只白头鹤。

(7)遗鸥：只在迁徙季节途经吉林省西部，2009 年调查没有记录到个体。

在白城市偶见。

### 3.2.2 国家 II 级保护湿地鸟类数量状况

(1)赤颈䴙䴘：赤颈䴙䴘主要分布于镇赉县(图 3-19)。

2006 年春在莫莫格自然保护区记录到 2 只个体。

2009 年调查没有记录到个体。

(2)角䴙䴘：角䴙䴘主要分布于西部白城市，在东部通化市有少量分布(图 3-20)。

图 **3-20** 角䴙䴘

图 **3-21** 鸳鸯

2009 年在莫莫格自然保护区记录到 1 只个体，繁殖数量至少为 2 只。

(3)黄嘴白鹭：黄嘴白鹭主要分布于吉林省西部和中部。

2009 年调查未记录到个体。

2013 年在东辽鸯鹭湖记录到 5 只。

资料记载种群数量 60 只左右。

(4)白鹮：白鹮历史上在吉林省西部有分布，记载主要分布于通榆县和镇赉县。已多年未见。

(5)白琵鹭：白琵鹭主要分布在通榆县和镇赉县。

2009 年调查在镇赉洋沙泡记录到 13 只；在农安波罗湖记录到 6 只。

2014 年 3 月在向海保护区记录到 23 只个体。

在吉林省西部繁殖的种群数量约 30 只左右。

(6)黑脸琵鹭：黑脸琵鹭主要分布在吉林省西部的通榆县、镇赉县和前郭县，2009 年调查没有记录到。

(7)鸳鸯：鸳鸯主要分布在东部长白山区的各县、市，在中西部的农安县、通榆县、镇赉县也有分布(图 3-21)。

近年来在吉林省东部山区繁殖数量有所增加，较为常见，约为 800 只。

(8)大天鹅：大天鹅主要分布在西部白城市、松原市，在中部的长春市、农安县及东部的吉林市、敦化市和珲春市也有分布(图 3-22)。

春秋迁徙季节种群数量2009年记录到135只。

(9)小天鹅：小天鹅主要分布在西部白城市、松原市，在中部的长春市、农安县及东部的吉林市、敦化市和珲春市也有分布(图3-23)。

春秋迁徙季节途经吉林省，2009年记录到迁徙种群数量52只。

图**3-22**　大天鹅

图**3-23**　小天鹅

(10)白额雁：白额雁春、秋迁徙季节途经吉林省，东、西部均有分布，迁徙种群数量约5000只左右。

(11)鹗：鹗主要分布在东部江河湿地，在西部为偶见物种。

2009年调查未记录到个体；2010年在敦化雁鸣湖记录到1只；2014年在双辽市记录到1只。

(12)灰鹤：灰鹤主要分布在西部白城市、松原市。

据2006年调查，在前郭奈及泡、扶余伊家店各记录到4只群体，总计8只。

2009年调查没有记录到个体。

(13)白枕鹤：白枕鹤春秋迁徙季节途经吉林省，主要分布在西部(图3-24)。

图**3-24**　白枕鹤

2006年春季，在通榆包拉温都自然保护区记录到11只，镇赉苏克玛9只。

2006年夏季，向海、莫莫格自然保护区繁殖水鸟调查，在向海碱底泡有1巢2只繁殖，另在镇赉白音套海记录到33只游荡种群。

(14)蓑羽鹤：蓑羽鹤主要分布于吉林省西部各县、市的湿地环境中。

2004~2005年春季监测记录，向海保护区春、秋迁徙季节见到3~5只，有时可见10只左右的迁徙种群；2006年春季，仅在镇赉西部万宝山见到蓑羽鹤46只；2009年调查没有记录到个体。

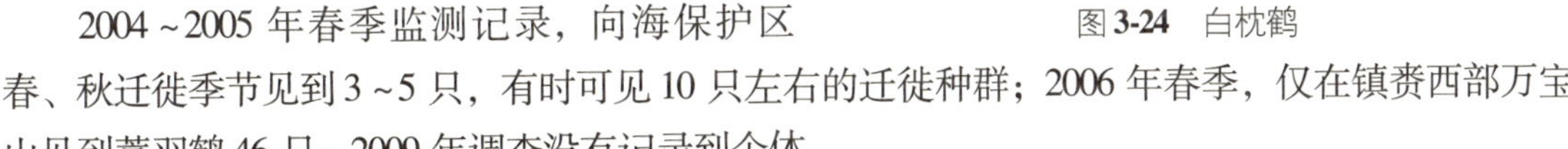

(15)花田鸡：花田鸡资料记载迁徙季节偶见于西部水域。2009年调查未记录到个体。

(16)小杓鹬：小杓鹬在春秋迁徙季节途径吉林省，种群数量稀少。2006年春季，在莫莫格保护区记录到7只；2009年调查未记录到。

# 4 哺乳类、两栖类、爬行类

## 4.1 哺乳类

吉林省湿地哺乳类动物共有5目8科24种。其中国家Ⅱ级保护动物有水獭、斑海豹2种。广泛分布在吉林省湿地的种类有大麝鼩、大缺齿鼹、大仓鼠、东方田鼠、黑线姬鼠、貉、黄鼬等，这些种类比较常见，数量占有一定的优势。仅分布于东部湿地的种类有大鼩鼱、普通鼩鼱、狭颅田鼠、麝鼠、莫氏田鼠、白鼬、狗獾等，它们在各自适栖区域内是比较常见的种类。水獭介于两者之间，分布在东部的江河湿地中。斑海豹只分布在珲春图们江下游近入海口一带，且数量十分稀少。

(1)水獭：国家Ⅱ级保护野生动物，皮毛质量上乘，种群数量稀少，主要分布在东部延边、白山等地。

(2)斑海豹：国家Ⅱ级保护野生动物，观赏价值较高，省内仅分布于珲春图们江下游(图3-25)。

图**3-25** 斑海豹

(3)大麝鼩：大麝鼩栖息于山林、森林草甸和平原较潮湿的环境中，捕食昆虫、蠕虫。主要分布在通化市、延边州和白山市的各县(市)。

(4)大缺齿鼹：大缺齿鼹栖息于山林、森林草甸和平原较潮湿的环境中，数量较少，主要分布于安图县等地。

(5)狭颅田鼠：狭颅田鼠栖息在各类环境中。啃食植物，数量众多，分布在省内延边州的各县(市)。

(6)麝鼠：麝鼠毛皮可用于制作服装，并可提取香料。主食草类植物。省内主要分布在敦化、汪清、珲春、东辽等地。

其他种类调查资料较少。

## 4.2 两栖类

吉林省湿地两栖类动物计有2目6科14种。包括中华蟾蜍、花背蟾蜍、无斑雨蛙、黑斑侧褶蛙、金线侧褶蛙、黑龙江林蛙、中国林蛙、北方狭口蛙、东方铃蟾、东北雨蛙、极北小鲵、东北小鲵、爪鲵、吉林爪鲵。

(1)中国林蛙：中国林蛙为典型的林栖类动物，主要食用无脊椎动物，由于其重要的经济和药用价值，吉林省对东部山区所有林蛙分布区均实行封沟养殖(图3-26)。目前吉林省林蛙养殖户超过5000户。

图 3-26 中国林蛙

图 3-27 吉林爪鲵

(2)黑斑侧褶蛙：黑斑侧褶蛙重要的捕食昆虫动物，在省内各地均有分布。主要生活于水田和沼泽地中。由于农药的施用，种群数量呈下降趋势。

(3)黑龙江林蛙：黑龙江林蛙栖息于阔叶林、混交林、林间草丛、灌丛地带，主食昆虫，有一定的药用价值，主要分布在省内东部山区的延边、白山、通化、吉林等地。

(4)中华蟾蜍：中华蟾蜍穴居在泥土中，或栖于石下及草间，黄昏爬出捕食。省内各地均有分布。从它身上刮下的蟾酥和蜕下的蟾衣是我国紧缺的药材。

(5)吉林爪鲵：2007 年，中国科学院昆明动物研究所与吉林黄泥河国家级自然保护区联合开展小鲵物种研究与调查时，在吉林省临江市黑松沟发现 1 种奇异的小鲵。经过实验室遗传学分子实验，2013 年确定为新物种，并命名为吉林爪鲵(图 3-27)。

其他蛙类资源调查工作甚少。

### 4.3 爬行类

吉林省爬行类动物计有 2 目 4 科 15 种。广布于省内的有白条锦蛇、红纹滞卵蛇、虎斑颈槽蛇及蝮蛇等。主要分布于省内中西部地区的种类有黄脊游蛇、赤链蛇、团花锦蛇等。它们数量不多，但通常可以见到。主要分布于东部山区湿地的种类有棕黑锦蛇、东亚腹链蛇、极北蝰等。前者一般可见，后二者比较稀少。此外，鳖的数量非常稀少，仅在松花江、嫩江、图们江入海口附近偶见。

(1)棕黑锦蛇：棕黑锦蛇主要分布在省内东部山区的延边、白山、通化、吉林等地。

(2)蝮蛇：蝮蛇主要分布在省内东部山区和半山区的延边、白山、通化、吉林、辽源等地。

## 5 鱼 类

### 5.1 种类和主要分布

吉林省鱼类分布有 11 目 19 科 107 种。其中鲤科种类最多，有 60 种，占种数的 56.07%；其次为鲑科和鳅科，前者有 8 种，占种类的 7.48%，后者 5 种，占 4.67%。其余的 16 科总计 34 种，占 31.78%。

属溯河产卵洄游性鱼类 3 种，大马哈鱼、马苏大马哈鱼、驼背大马哈鱼；降河产卵的洄游鱼类 1 种，日本鳗鲡；河口性鱼类 9 种，亚洲胡瓜鱼、勃氏雅罗鱼、珠星雅罗鱼、细身宽突鳕、三刺鱼、鲻、鲮、尾纹长颌虾虎鱼和黄带长颌虾虎鱼；纯淡水鱼 91 种。吉林省鱼类组成中，有 101 种为土著种，占 94.39%。其他几种如团头鲂、逆鱼、青梢红鲌、鳙为人工投放或引入种。

吉林省鱼类区系可划分为北极淡水、北方山区、北方平原、中国江河平原、古代第三级和南方热带 6 个区系，它们分别分布于吉林省松花江、图们江、鸭绿江等各大水系中。

(1)松花江水系：与其他水系相比较，黑龙江茴鱼、狗鱼、鳡鱼、六须鲶及鲴亚科鱼类和红鲌属鱼类等 25 种鱼类为该水系独具种类。

(2)图们江水系：在该水系鲤科鱼类相对较少，仅占种数的 40% 左右，其中鲤并无自然分布；另外，从未发现我国广布的鲶形目鱼类。

(3)鸭绿江上游：石川氏哲罗鱼、黑龙江茴鱼、宽鳍鱲、扁吻鮈、长吻鲶、斑鳜等鱼类为该水系所独具。

(4)东辽河：日本鳗鲡由辽河上溯至二龙山水库坝下，构成该水系特有种类。

(5)图们江和绥芬河上游：大马哈鱼属种类，勃氏雅罗鱼、珠星雅罗鱼为该水系特有种类。

吉林省鱼类分布在几十年来发生了一系列变化。第二松花江下游和嫩江下游的大马哈鱼、乌苏里白鲑、哲罗鱼、江鳕、鳡鱼已基本绝迹。团头鲂、逆鱼、青梢红鲌等鱼类，由于放养或带入，已成为第二松花江流域能自然繁殖的定居性鱼类。

### 5.2 经济种类的利用情况

吉林省鱼类中经济价值较大的有鲢、鳙、草鱼、鲤、鲫、银鲴、翘嘴红鲌、蒙古红鲌、红鳍鲌、鲶、鳜、鳘、雅罗鱼、日本七鳃鳗、细鳞鱼、花羔红点鲑、勃氏雅罗鱼、大马哈鱼属等 20 余种。

## 6 栖息地及其保护状况

吉林省非常重视野生动物的保护管理，并在《中华人民共和国野生动物保护法》《中华人民共和国陆生野生动物保护条例》基础上，又通过地方立法形式颁布实施了《禁止猎捕陆生野生动物的决定》《禁止猎捕陆生野生动物实施办法》《吉林省重点保护陆生野生动物造成人身财产损害补偿办法》《〈吉林省重点保护陆生野生动物造成人身财产损害补偿办法〉实施细则》，从法律上为保护野生动物提供了保障。为了加强湿地保护管理，在全国率先成立了湿地保护管理办公室，各市、县也成立了相应管理机构，从组织、机构上为湿地保护奠定了基础。为了更好地保护湿地野生动物及其栖息地，正在制定《吉林省湿地保护管理条例》。

为更有效地保护湿地及野生动植物，吉林省先后在向海、莫莫格、松花江三湖、雁鸣湖、包拉温都、龙湾、波罗湖、查干湖、大布苏、扶余、长岭、和龙、安图、双辽等地建立了自然保护区。为促进退化湿地的恢复，分别在向海、莫莫格、三湖、包拉温都等自然保护区进行了湿地保护与恢复工程建设，使湿地野生动物的栖息地得到了有效保护。事实证明，建立自然保护区是保护湿地及野生动物栖息地最直接、有效的方法。

# 第四章
# 湿地资源利用

## 第一节
## 湿地资源利用方式及其利用现状

湿地资源利用是湿地可持续发展的基础。湿地通过资源利用直观地展示其功能、体现其价值，在生态、社会、经济等方面诠释其存在的重要性和保护的重要意义。湿地的利用模式因其资源、功能的多样而具有丰富的内容。在保护优先和可持续发展的原则指引下，经过探索和实践，湿地生态旅游、湿地养殖、湿地种植、综合利用等是比较成功的利用模式。

### 1　湿地生态旅游

湿地生态旅游是指以湿地资源为基础的旅游活动。具有自然保护、环境教育和社区经济效益等一系列的功能。是生态旅游中的一种旅游模式，诸如“海滨游”“湖泊游”“水乡游”“休闲垂钓”等等。湿地生态旅游开发的宗旨是让游客在认识湿地、享受湿地的同时提高湿地生态环保意识。湿地生态旅游是以生态旅游为目标，使湿地生态旅游延伸为绿色旅游。湿地生态旅游的基本原则，是人类与湿地乃是一种伙伴关系，应该共存共荣，协调发展。

湿地生态旅游作为一种新兴的旅游形式，它的发展历史只有约 20 年的时间，但已成为各国湿地自然保护区提高自身可持续能力、宣传生态环境知识和为旅游市场提供产品的首选手段。

吉林省湿地生态旅游主要有中东部龙湾湿地生态旅游模式和西部莫莫格湿地生态旅游模式。

#### 1.1　中东部龙湾湿地生态旅游模式

龙湾湿地位于吉林省长白山北麓龙岗山脉中段，通化市辉南县境内。区内有因多期火山喷发的旧火山口积水而成的 7 个火山口湖，当地人称之为“龙湾”。其数量之多，分布之集中，特征之显著，保存之完好，堪称国内之最，被誉为“中国最大的火山口湖群”。独特的火山风光与千里林海、险峰峻石、流泉飞瀑一起，构成了吉林龙湾湿地的秀丽景色。

龙湾湿地有“七湾、一瀑、两顶”十大景区，浓郁的森林气息、清丽的自然山水、神奇的生态奇观吸引着越来越多的科学家、摄影家、艺术家和热爱自然的中外游客来这里探求和领略大自然的神奇造化，感受美不胜收的自然风光和淳朴的地域风情(图 4-1)。

图 **4-1**　龙湾湿地

## 1.2　西部莫莫格湿地生态旅游模式

莫莫格湿地位于松嫩平原腹地嫩江西岸，白城市镇赉县境内。区内原始的自然环境、多样的生态景观、丰富的野生动植物资源，成就了其“鸟类天堂”的美誉。保护区管理局本着保护第一、适度开发的原则，将发展旅游事业纳入日常工作的重要组成部分之一，先后在局址岛内开发了一些旅游景点。国家林业局和省林业厅对保护区基础设施建设的不断投入和保护与科研成果的积累，给旅游观光创造了良好的条件。保护区旅游开发建设总体理念是以“浩瀚湿地、鸟类天堂”为主线，观看自然景色，体现人鸟和谐；游九曲嫩江，体验莫莫格水乡风情；涉足原始草原，品味民族文化。着力打造“百公里生态长廊”和“五点”旅游特色景区(图4-2)。

图 **4-2**　莫莫格湿地

## 2　湿地养殖

吉林省湿地野生动物种类丰富，但适合养殖且技术成熟的项目并不多。湿地鸟类的驯化繁殖一直是湿地科研的重点内容，主要为拯救濒危物种，增加种群数量，少量用于观赏。湿地哺乳类和爬行类动物养殖则更少。相比较而言，林蛙养殖在吉林省的特色养殖中占有比较优势的地位。淡水渔业更是历史悠久的养殖模式。

### 2.1　封沟养蛙模式

林蛙是湿地动物，它以河流为中心，在潮湿的森林环境中栖息，在水中繁殖、冬眠。吉林省的林蛙养殖已有几十年的历史，从20世纪90年代开始迅速发展，几乎遍及中东部所有山区，个体养蛙户达5000多户，年产林蛙10亿只。林蛙养殖分两种模式，一种是人工养殖模式，完全以人工方式模仿林蛙自然生长环境，全封闭养殖。另一种是封沟养殖模式，依靠自然环境，封围一定区域，辅以人工措施，促进林蛙繁殖、生长。吉林省自然资源丰富，有得天独厚的养殖条件，封沟养蛙为主要养殖模式(图4-3)。

图**4-3**　封沟养蛙

### 2.2　水产养殖

我国的渔业养殖历史悠久、技术精湛，是一个发展充分、前景良好的农业项目。因地理条件不同可选择不同的养殖模式，有小型人工池塘，也有大型水库、湖泊。吉林省的淡水渔业不论规模大小，养殖模式均以池塘、水库养殖为主，围网养殖较少。

#### 2.2.1　库塘养殖模式

库塘养殖品种选择以鲤、草、鲢、鳙为主，兼有鲢、鲫、鲶等。养殖条件适合的地区可以养殖一些特色品种，如虹鳟鱼、嘎牙鱼等。混养和密养是我国渔业养殖的特有方式，在我国有悠久的历史。在池塘中进行多种鱼类、多种规格的高密度混养，可以充分发挥池塘水体和鱼种的生产潜力，合理地利用饵料，提高产量。一般可以养七八种鱼，其中1~3种是主体鱼，其他是配养鱼。

混养成本低，收益大，增产效果好，是我国库塘养殖的主要模式。在东北地区主要有以下3

种类型：

(1)以草食性鱼类为主体鱼的类型：主要对草食性鱼类投喂草类饵料，利用草鱼、团头鲂的粪便肥水，饲养鲢、鳙等鱼类。由于饵料来源较广、容易分解，产量和经济效益较高，养殖模式具有普遍性。

(2)以滤食性鱼类为主体鱼的类型：以鲢鱼、鳙鱼为主体鱼，适当混养其他养殖鱼类，并特别重视混养杂食性鱼类(如鲫鱼)。主要采用肥水方法，养殖地点靠近居民区较好。

(3)以杂食性鱼类为主体鱼的类型：以鲤鱼为主体鱼，混养鲢鱼、鳙鱼等，是东北地区的主要养殖模式。

### 2.2.2 围网养殖模式

围网养殖是在面积较大的湖泊、水库等水域通过围、圈、拦、隔等工程措施，围圈一定面积的水域，在其中从事集约化的鱼类养殖。围网养殖的优点在于可以利用大水体优良的生态环境，水体不断更新，高溶氧保持相对稳定；鱼类得到保护的同时降低觅食消耗，成活率高，生长快，投饵集中，降低成本，经济效益好。

(1)围网养鱼：围网养鱼的鱼种选择和养殖模式与库塘养鱼基本一致，以鲤、草、鲢、鳙、鲫等为主，根据水域理化条件和水生生物种类组成特点确定养殖对象。在"草型湖"中，以草、鲤、鲫等混养为好，搭配鲢、鳙。在"藻型湖"中，以鲢、鳙为主，草、鲤为辅。如果主要依靠商品饲料养鱼，则以鲤鱼为主，搭配少量草、鲫、鲢、鳙。

(2)围网养蟹：围网养蟹由围网养鱼发展而来，一般多实行鱼蟹混养。选择无污染、溶氧丰富、有一定水草和底栖动物的水域，水位比较稳定，水深1～1.5米，区域内底部平坦。注意除杂清野，围网设置完成后认真清除网围区内的危险生物，如鳜鱼、鲤鱼等，投放鱼种时要仔细挑选，剔除有害鱼种。人工投喂的动、植物饲料搭配比例为2:1。河蟹攀爬能力强，需加盖网或塑料薄膜，日常管理要注意防逃。水产养殖的区域还可以依岸线围网，或筑坝封闭湖汊、库湾建养殖场。在水位变化较大的湖泊、水库，可以"低坝高拦"形式建设养殖区，枯水季节蓄水养鱼，汛期以高拦网控制鱼外逃。

总之，水产养殖是湿地合理利用的模式之一，而且具有成熟的技术和较好的经济效益。但是，养殖业对湿地环境具有一定的负面影响，残饵和鱼的代谢物能造成水体的富营养化，达到一定程度就会造成污染，尤其在开放的水域影响范围更广。采捕鱼饵和鱼类摄食会造成饵料动植物的减少，其他植物滋生蔓延，改变水域生态系统的结构。因此，在选择养殖场地、养殖对象、规模、数量、饵料结构等方面，应考虑注意与湿地资源和环境状况相适应，降低养殖业对湿地生态系统的影响。

## 3 湿地种植

湿地植物在国民经济发展中具有重要作用，它能提供人类所需的多种资料，如粮食、蔬菜、药材、饲料、纤维、肥料、工业原料等，是湿地资源合理利用的重要内容，能够提高湿地生态系统的生产力，是湿地可持续发展的重要基础。

湿地种植要根据湿地的地理位置、气候条件、水热资源状况，按照水生经济植物的生态习性与湿地生态环境相一致的原则来确定种植品种。食品、蔬菜类有水稻、莲、慈姑、菰(茭白)、芡实、睡莲等。药品类有泽泻、芡实、水苏、灯心草、水蓼、莲、睡莲、香蒲、菖蒲等。轻工业类有芦苇、芡实等。手工业类有香蒲、水葱、灯心草等。花卉类有莲、睡莲、千屈菜、鸢尾等。饲料类有凤眼莲、眼子菜、菰、芦苇等。

湿地种植模式立足于湿地资源和功能的多样特性，因地制宜，分层次种植，高效开发。湿地外围种植沼生、湿生植物，如慈姑、鸢尾、薹草、莎草等；浅水区种植芦苇、香蒲、菰、泽泻、灯心草、水蓼等挺水植物；第三层种植浮叶植物，如莲、菱、眼子菜等；最里层种植漂浮植物和沉水植物，如凤眼莲、槐叶苹、菹草等。各类植物形成了梯度植被带，地势由高到低，水位由浅入深，充分利用了湿地空间，既恢复了湿地生态系统，又获得了经济利益，一举多得。各地自然条件不同，水位落差有异，可因地制宜，合理配置梯度组合。

# 4 湿地综合利用

## 4.1 湿地综合利用的概念和特点

湿地综合利用，即建立复合系统，把林、农、渔、牧、副等功能单元进行时空上的合理组装，调整生物与生物、生物与环境之间的多维关系，在能量流动和物质循环中，有效地利用各级生产者的副产物投入系统的再循环，从而取得自然再生产和经济再生产的最大效益。

湿地综合利用是把湿地所在区域内的各类土地整合在一起进行系统开发，其特点主要表现在以下几个方面：一是由林、农、渔及畜、禽等几个部分组成一个完整的系统，使系统的稳定性增强，反馈能力相应提高。二是采用空间上多层次、时间上多序列的复合经营方式，在空间结构上分上、中、下层。上层为挺水植物以上，包括乔灌木和陆地畜、禽；中层为水面层，包括浮游植物、漂浮植物和水禽；下层为水面以下，包括沉水植物、鱼、虾、蟹以及小型底栖动物。充分利用土地、光能资源和产品生长特性不同，在不同季节都有所收获。三是按照能量转换和物质循环原理，在系统内形成物质多级利用。部分种植物的副产品可以作为畜、禽或水产养殖的饲料；畜、禽的排泄物可作为水产养殖的饵料；还能增加浮游生物，提高土壤肥力，促进水生植物生长，形成良性循环。

## 4.2 湿地综合利用模式

### 4.2.1 芦—林—鱼生态模式

以芦苇种植为主，并植树造林，建立防护林网络，其主产品是芦苇，林网起到生态调控作用。据测定，如果芦苇场没有与之配套的防护林，芦苇每年因风吹倒伏损失达 10% ~20% ，且芦苇品质受到影响，而配套有林网的苇场则能大大减少这种损失。同时，林网能招引鸟类和其他动物来场栖息，增加芦苇害虫的天敌，减少病虫害的发生，为生物防治奠定基础。在与苇塘邻近的湖泊发展渔业，可兼收养鱼、蟹之利。

### 4.2.2 林—草—禽—鱼生态模式

在湖间沙地或盐碱地栽植乔灌木，林下种草，或规划林网，网间植灌、草，养殖禽、畜，湖中养鱼。其主产品是木材、牧草，其次是肉、蛋、水产。各元素间相互支持，构成物质与能量循环，经济效益、生态效益和社会效益全面显现。

### 4.2.3 草—禽—畜牧生态模式

以草为基础，首先恢复和发展湿地草场，培养优质牧草，使水、草充足，昆虫、湖螺、小鱼、小虾等资源丰富起来后，养殖牲畜、鸭、鹅等。种植与养殖相结合，禽、畜有充足的蛋白质饲料，其排泄物又可滋养牧草和昆虫，逐渐形成良性循环(图4-3)。注意控制好养殖规模，避免草场退化，资源质量下降。

图 **4-3** 草—禽—畜牧生态模式

湿地综合利用还可以结合农业生态旅游、湿地生态旅游，向更多元化方向发展，扩大湿地综合利用的广度和深度，使湿地的发展更具活力。

2013 年，中国科学院东北地理与农业生态研究所与吉林省林业厅在吉林大安牛心套保国家湿地公园建立了“湿地恢复与合理利用研究示范基地”。从 2003 年开始，对严重退化的牛心套保芦苇湿地进行了生态恢复与合理利用研究与示范，并应用生态学的生物共生与物质循环原理，建立了苇—鱼(蟹)—稻复合生态工程模式。恢复后的芦苇湿地和重度盐碱地改造后的水稻田可以为鱼、蟹提供饵料资源；鱼、蟹可摄食与芦苇争肥争空间的杂草和危害芦苇的害虫；鱼、蟹的粪便可增加肥源，其摄食活动又可疏松土壤，促进芦苇地下茎发育繁殖，从而提高芦苇的质量与产量。而且苇田中大量的沉水植物还为鱼、蟹提供了良好的繁殖、避敌场所。在项目的示范过程中，已取得了良好的经济和社会效益。芦苇湿地利用面积达 4000 公顷，鱼、蟹年销售收入超过 500 万元，提高了苇场职工和农民的收入和生活质量。

吉林东辽鴜鹭湖国家湿地公园是企业投资管理的公园。近年来，他们探索走出了一条湿地保护与生态农业和谐发展的新路子。2012 年，建园初期实施退耕还湿工程，将水库上游的耕地通过生态补偿的办法，退出生产经营活动，并从河北白洋淀引种芦苇，恢复湿地面积 40 余公顷，河道清淤综合治理 500 延长米，湿地水质已达到历史最好水平。为了使湿地与农业高度融合，湿地公园以每亩 1100 元的价格租赁了周边农民 4100 亩水稻田的使用权，用于有机稻种植，并开发了湿地农业观光、蟹田米、龙虾米等生态产品，年产值达 1500 万元。公园还在湿地湖区开展了绿色渔业养殖，现已被批准为省级健康水产品养殖场。这些项目共安置农民就业 150 人，年增加农民收入 450 万元，再加上流转土地增加的收入，仅湿地保护建设一项，就增加农民收入 1065 万元，人均收入达 7.1 万元。鴜鹭湖国家湿地公园已累计投资 3300 万元，湿地保护与农业循环经济发展的道路，越走越宽广。

## 第二节 湿地资源可持续利用前景分析

由于吉林省具有十分丰富的湿地资源，尽管在保护与管理方面存在一些问题，但按可持续发展战略与生态文明建设的需求，吉林省各类湿地资源具有多样的生态服务功能，可持续利用的潜力与优势相当大。

吉林省湿地面积大、分布广、类型多样，具备发展湿地经济的潜力和优势。根据全省湿地保护规划和湿地经济发展的总体设想，大体可规划成东、中、西3个区域。

# 1 湿地经济可持续利用总体设想

## 1.1 东部山区的山野菜、浆果、林蛙及食用菌产区

吉林省东部山区分布着大量的森林和沼泽湿地，是山野菜、浆果、食用菌、林蛙、人参及灵芝等产品的特产区，每年春季都生长大量的水芹菜、刺嫩芽、蕨菜、穿心莲、刺五加等。这些山野菜产自深山老林，没有工业和居民区的污染，属绿色或有机食品，深得消费者的青睐。一些加工企业将其精心挑选真空包装后远销到日本、韩国等地。有些山野菜还具有食药同源的特性，如穿心莲就有清热、止咳、祛痰等功效；刺五加具有补气、生血、抗疲劳、强身、双向调节血压的作用。同时，东部山区又是吉林省人参、灵芝等名贵中药材的主产区。还有东部山区湿地所产的蓝靛果忍冬等，部分已开发出系列产品。但目前吉林省东部山区的山野菜及浆果等资源的开发还都处于初级阶段，没有形成规模，更没有形成产业化经营，其丰富的资源和潜在优势亟待开发和利用。

大力发展林蛙产业。东部特有的林地、湿地及气候条件为吉林省林蛙产业的发展奠定了良好的基础。林蛙不仅是餐桌上的美味佳肴，林蛙油更是上等的补品和保健品。据介绍林蛙油具有补肾益精、润肺养阴等功效。可以说，吉林省的东部山区不但是个大的物种基因库，更是极具发掘潜力的湿地经济宝库和主战场。

## 1.2 中部的湿地虾蟹养殖、有机稻米生产区

地处黄金玉米带的吉林省中部地区，既是国家的玉米主产区，又是水稻的主产区。借助库塘和水田这些湿地优势，小龙虾和河蟹养殖(图4-4)的规模在不断扩大，并逐步向稻田养殖方面发展。由于稻田养殖龙虾、河蟹等都要采用有机和无公害的生产技术，绝对不能施用化肥和农药，所产出的虾蟹及稻米也都是绿色、有机和无公害的，深受消费者的信赖。同时也实现了虾、蟹、稻共生，相互促进的良性循环。

图**4-4** 河蟹养殖

## 1.3 西部的稻、苇、鱼、蟹及雁鸭养殖区

吉林省西部地域辽阔，江河纵横，泡沼星罗棋布，既是半农半牧区，也是湿地的重点分布区。全省近一半的湿地分布在这里，其中最为典型的是芦苇湿地。芦苇不但可以净化水质、防风固沙，是天然的生态屏障，更是生产高档的新闻纸、打印纸等的重要原料。这里每年可生产上万吨的优质芦苇，具备产业化经营的潜力和规模。如果正在实施的“河湖连通”工程正式运行，几年内吉林省西部还可以恢复近百万公顷的湿地，芦苇产量还将大幅度增加。由于目前西部还没有投

产的造纸厂，不能实现芦苇原料就地加工、转化和增值，外销又增加了运输成本，因此，芦苇的就地加工就成为制约芦苇产业发展的瓶颈。这一问题已经引起当地党委和政府的重视，正在考虑如何通过引资、解决造纸厂的排污、环保等相关问题，以破解芦苇产业发展的难题。

近几年来，以刘兴土院士为首的中国科学院东北地理与农业生态研究所在大安牛心套保国家湿地公园进行芦苇湿地开展稻、苇、鱼、蟹及雁鸭养殖等项目，已经作出了成功的探索。即水中养苇、水下养鱼蟹、水上养雁鸭；部分盐碱地块种稻，以稻治碱，实现了生态保护与产业发展的良性循环。该模式正在西部湿地区逐步推广，为西部湿地经济的发展开辟了广阔的前景。

### 1.4 因地制宜地开展湿地旅游业

湿地丰富的生物物种多样性、秀丽怡人的自然环境为旅游开发提供了优越的条件。湿地的保护绝非是全盘的封闭和禁止旅游等行业的开发或利用，这样的保护无疑是浪费了宝贵的资源，结果是有限的保护经费使湿地保护事业难以长期为继。只有在保护的前提下，合理地开发和利用好湿地资源，创造可观的经济效益，增强自身的"造血功能"，形成湿地保护与合理利用的良性循环。不但是湿地旅游业，还有湿地特色种植、特色养殖、水生饲料的开发和生产等都是如此。由此可见，湿地经济的开发是一篇大文章，要引起各级党委、政府和全社会高度重视，纳入日程，创新思维，精心组织，科学规划，把这一新兴的经济模式做为当地国民经济的支柱产业抓好、抓实、抓出成效来。

## 2 发展湿地经济应注意的几个问题

第一，保护扰先，科学修复，合理利用，持续发展。这是湿地保护管理与利用的基本原则(图4-5、图4-6)。发展湿地经济更要注重保护优先，只有在有效保护前提下，合理地利用，才能实现可持续发展。湿地资源的闲置无疑是一种浪费，"竭泽而渔"的利用方式更不可取，这就要求掌握好一个"度"的问题。在不破坏湿地生态环境和功能的前提下适度地开发利用，实现人与自然的和谐发展，生态、经济和社会3个效益的同步提高。

第二，因地制宜，科学发展。发展湿地经济一定要在摸清当地湿地资源本底的前提下，因地制宜，科学评估和论证，合理地选择发展项目，坚决防止和克服一哄而上、一哄而散的盲目和不

图 **4-5** 湿地恢复

图 **4-6** 湿地围栏保护

负责任的行为。

第三，慎重选择引入外来物种。在发展湿地经济中，对引入外来物种一定要慎之又慎。要充分考虑外来物种在当地的适应性和性能的发挥程度，更重要的是要防止盲目引入外来物种可能对当地物种生存造成负面影响以至造成威胁。前些年，我国南方曾盲目引进水葫芦(水生饲料)，由于水葫芦的疯长，一度在引进的水域泛滥成灾，严重时不但侵害了当地物种，导致水体和水质发生不良变化，还使部分河道的航运受到严重影响，最后不得不动用大量的人力进行清除。我们一定要吸取这方面的教训。

第四，发展湿地经济要与当地湿地保护规划及国民经济发展总体规划紧密结合。各地湿地主管部门要协调当地政府和相关部门，在制订发展湿地经济规划的同时，要紧密结合当地的湿地保护规划和国民经济发展总体规划，把湿地经济做为当地国民经济发展的补充和支柱产业纳入当地国民经济发展的总体战略。

## 3 湿地资源可持续利用策略

### 3.1 在保护湿地生态系统的同时，强化全省生物多样性保护网络

由于吉林省从东到西自然环境差异较大，因此与其他省份相比，生物多样性相对较为丰富，具有包括森林、湿地、草地、水域等大量不同类型的生物多样性中心，这从全省已建立或拟建立的各类自然保护区就可充分反映出来。各类不同的生态系统，包括大量珍稀濒危和具有经济价值的动、植物物种资源，不仅是吉林省的财富，也是我国和世界的重要自然遗产。

而全省大量的和不同类型的湿地生态系统和各类生物物种资源，更是这种生物多样性资源的重要组成部分。因此，保护好各类湿地生物多样性，也是保护全省生物多样性资源的重要领域，对强化全省生物多样性保护网络具有重要意义。

### 3.2 在保护湿地生态系统的前提下，可发展相应的湿地产业

湿地生态系统具有的直接经济效益，如芦苇可作为工业原料(造纸等)，某些湿地可作为养殖基地(如养鱼、养蟹等)。吉林省西部许多芦苇湿地过去与现在都在养殖方面进行了产业化的发展，取得了许多有益的经验。利用湿地特殊的生态景观资源，可大力发展湿地生态旅游产业，如

在已建立或将要建立的湿地公园，就可在保护与维持湿地生态系统健康的基础上，发展各类生态旅游业，成为向公众展示湿地生态与景观的科普教育基地。

## 3.3　利用湿地蓄水功能作为控制洪水的蓄滞洪区，以减少洪水危害

吉林省西部许多大型洪泛湿地具有极强的蓄滞洪水的生态功能，如月亮泡、莫莫格湿地、向海湿地以及大量的盐沼等，在遇到洪水、特别是特大洪水期间，可通过蓄滞大量河流洪水而减少洪峰流量，以减少洪水的危害。近年来，国家已把月亮泡、莫莫格湿地、向海湿地(图4-7)以及花敖泡等许多大型湿地设置为百年或更高水平的洪水蓄滞洪区。同样，在中、西部地区利用大量的河流源头的湿地蓄水功能，可与森林生态系统一起构成河流源头区的水源涵养区，以保护大河、大江的河流水环境生态健康。

图 **4-7**　进水的向海湿地

## 3.4　在城市区域或附近，建立半自然或人工湿地生态系统处理生活污水减少污染

近年来，由于城镇化的发展，生活污水对江河湖海的污染日益严重。各类自然和人工湿地具有明显的污水净化功能，因此，国内许多大中城市和大型乡镇都建设了大量的人工湿地和半自然湿地。这样规划，一是可以低成本处理生活污水，二是可形成城区的湿地景观，已成为许多城镇总体规划的重要组成部分。吉林省许多城市和乡镇都具有建设人工湿地的条件，可利用这一优势促进城镇生活污水的处理。

# 第五章
# 湿地资源评价

## 第一节
## 湿地生态状况

### 1 湿地水文状况

#### 1.1 湿地的水源补给状况

吉林省湿地的水源补给类型多以地表径流和大气降水补给为主。地下水补给比较复杂，在东部长白山区的火山口湖和熔岩堰塞湖都有地下水补给，如长白山天池、三角龙湾、四海龙湾等。另外，西部嫩江平原乾安县道字泡、大布苏湖等湖泡地下承压含水层水头较高，有自流水。西部干旱地区个别湿地有人工补给情况，如2004年国家水利部从洮儿河上游的察尔森水库给向海水库调水8500万立方米，解决向海湿地缺水问题。莫莫格湿地也多次引嫩江水缓解旱情。虽然各重点调查湿地斑块一般都有各自主要水源补给类型，但个别湿地斑块水源补给特征不明显或水源补给类型多样，同时鉴于大气降水的普遍性，因此把这部分湿地斑块的水源补给类型认定为综合补给。

第二次全省湿地资源调查中，各重点调查湿地的湿地斑块水源补给情况，见表5-1。

表5-1　吉林省重点调查湿地不同水源补给类型斑块数量统计

| 重点调查湿地 | 地表径流补给 | 大气降水补给 | 地下水补给 | 人工补给 | 综合补给 | 合　计 |
| --- | --- | --- | --- | --- | --- | --- |
| 包拉温都湿地 | | | | | 6 | 6 |
| 波罗湖湿地 | 1 | 3 | | | 3 | 7 |
| 查干湖湿地 | | 3 | | 1 | 39 | 43 |
| 大布苏湿地 | 1 | 1 | | | | 2 |
| 扶余湿地 | 1 | | | 2 | 70 | 73 |
| 哈泥湿地 | | | | | 12 | 12 |
| 黄泥河湿地 | 50 | | | | | 50 |
| 敬信湿地 | 5 | | | | 26 | 31 |

（续）

| 重点调查湿地 | 地表径流补给 | 大气降水补给 | 地下水补给 | 人工补给 | 综合补给 | 合 计 |
|---|---|---|---|---|---|---|
| 靖宇湿地 | 3 | | 1 | | 5 | 9 |
| 龙湾湿地 | 4 | | 5 | | 3 | 12 |
| 龙沼湿地 | | | | 1 | 88 | 89 |
| 磨盘湖湿地 | 1 | | | | | 1 |
| 莫莫格湿地 | 20 | 32 | | | 12 | 64 |
| 牛心套保湿地 | | 1 | | | 3 | 4 |
| 三湖湿地 | 228 | | | | 15 | 243 |
| 沙河庄湿地 | 27 | | | | | 27 |
| 双岗湿地 | 1 | | | | | 1 |
| 向海湿地 | 4 | 22 | | 2 | 37 | 65 |
| 沿江泡湿地 | | | | | 7 | 7 |
| 雁鸣湖湿地 | 69 | | | | | 69 |
| 园池湿地 | 7 | | 1 | | 7 | 15 |
| 月亮湖湿地 | | | | | 2 | 2 |
| 长白山熔岩台地沼泽区 | 36 | | | | 12 | 48 |
| 长白山湿地 | 29 | | 2 | | 1 | 32 |
| 合 计 | 485 | 64 | 9 | 6 | 348 | 912 |

## 1.2 湿地积水状况

第二次吉林省湿地资源调查结果显示，重点调查湿地中除了龙沼湿地外，全部为永久性积水。龙沼湿地地处吉林省西部，由盐碱草地、咸水沼泽和众多小型季节湖泊组成，地势平坦，起伏不大，蓄存过境洪水能力较差。因此，龙沼湿地雨季积水较浅，雨季过后，干旱的气候很快使水分蒸发，季节性积水特征非常明显，在干旱年份往往整年无水或连续多年无水，小型湖泊也常常干涸。

## 1.3 湿地水流出状况

第二次吉林省湿地资源调查结果显示，重点调查湿地中查干湖湿地、哈泥湿地、黄泥河湿地、敬信湿地、靖宇湿地、三湖湿地、沙河庄湿地、磨盘湖湿地、雁鸣湖湿地、月亮湖湿地、长白山湿地水流出状况为永久性流出。这些湿地中有一部分以库塘湿地为主，其水体流出受人为因素影响，在剔除人为因素后或在人为干预之前是永久性流出的。

包拉温都湿地、波罗湖湿地、大布苏湿地、扶余湿地、龙沼湿地、莫莫格湿地、牛心套保湿地、双岗湿地、向海湿地、沿江泡湿地、长白山熔岩台地沼泽区水流出状况为季节性流出。其中长白山熔岩台地沼泽区母岩是玄武岩，母质是火山灰，土壤透水能力强，季节性积水多深入地下。其他重点调查湿地分布在吉林省西部，季节性流出状况决定于其积水状况。

龙湾湿地、园池湿地情况比较特殊，属于火山口湖，由于没有像天池那样的出口，水体无法流出，但由于水体与地下水相连通使水体保持不变。

## 2　湿地水质状况

### 2.1　地表水酸碱度

根据第二次湿地资源调查结果，吉林省重点调查湿地地表水酸碱度，见表5-2。

**表5-2　吉林省重点调查湿地地表水酸碱度**

| 重点调查湿地 | pH | pH分级 | 重点调查湿地 | pH | pH分级 |
|---|---|---|---|---|---|
| 包拉温都湿地 | 8.2 | 弱碱性 | 莫莫格湿地 | 8.0 | 弱碱性 |
| 波罗湖湿地 | 8.5 | 碱性 | 牛心套保湿地 | 8.6 | 碱性 |
| 查干湖湿地 | 8.6 | 碱性 | 三湖湿地 | 7.0 | 中性 |
| 大布苏湿地 | 11.0 | 强碱性 | 沙河庄湿地 | 6.4 | 微酸性 |
| 扶余湿地 | 7.8 | 弱碱性 | 双岗湿地 | 8.4 | 弱碱性 |
| 哈泥湿地 | 6.0 | 微酸性 | 向海湿地 | 8.0 | 弱碱性 |
| 黄泥河湿地 | 7.0 | 中性 | 沿江泡湿地 | 8.3 | 弱碱性 |
| 敬信湿地 | 6.8 | 中性 | 雁鸣湖湿地 | 7.1 | 中性 |
| 靖宇湿地 | 6.6 | 中性 | 园池湿地 | 6.7 | 中性 |
| 龙湾湿地 | 7.0 | 中性 | 月亮湖湿地 | 7.8 | 弱碱性 |
| 龙沼湿地 | 8.8 | 碱性 | 长白山熔岩台地沼泽区 | 6.7 | 中性 |
| 磨盘湖湿地 | 7.2 | 中性 | 长白山湿地 | 7.0 | 中性 |

由表5-2可以看出，吉林省西部地区的湿地地表水多呈弱碱性、碱性，中、东部地区的湿地地表水多呈中性、微酸性。

### 2.2　地表水矿化度

根据第二次湿地资源调查结果，吉林省重点调查湿地地表水矿化度，见表5-3。

**表5-3　吉林省重点调查湿地地表水矿化度**

| 重点调查湿地 | 矿化度 | 矿化度分级 | 重点调查湿地 | 矿化度 | 矿化度分级 |
|---|---|---|---|---|---|
| 包拉温都湿地 | 9.0 | 咸水 | 莫莫格湿地 | 13.0 | 盐水 |
| 波罗湖湿地 | 8.0 | 咸水 | 牛心套保湿地 | 13.0 | 盐水 |
| 查干湖湿地 | 0.5 | 淡水 | 三湖湿地 | 0.5 | 淡水 |
| 大布苏湿地 | 15.0 | 盐水 | 沙河庄湿地 | 0.6 | 淡水 |
| 扶余湿地 | 0.8 | 淡水 | 双岗湿地 | 5.0 | 咸水 |
| 哈泥湿地 | 0.6 | 淡水 | 向海湿地 | 12.0 | 盐水 |
| 黄泥河湿地 | 0.6 | 淡水 | 沿江泡湿地 | 6.0 | 咸水 |
| 敬信湿地 | 0.7 | 淡水 | 雁鸣湖湿地 | 0.5 | 淡水 |
| 靖宇湿地 | 0.3 | 淡水 | 园池湿地 | 0.3 | 淡水 |
| 龙湾湿地 | 0.3 | 淡水 | 月亮湖湿地 | 13.0 | 盐水 |
| 龙沼湿地 | 16.0 | 盐水 | 长白山熔岩台地沼泽区 | 0.4 | 淡水 |
| 磨盘湖湿地 | 0.6 | 淡水 | 长白山湿地 | 0.2 | 淡水 |

从表5-3可以看出，吉林省西部地区湿地的地表水多为咸水、盐水；中东部地区湿地的地表水都为淡水。

## 2.3 地表水透明度

根据第二次湿地资源调查结果，吉林省重点调查湿地地表水透明度，见表5-4。

**表5-4 吉林省重点调查湿地地表水透明度**

| 重点调查湿地 | 透明度 | 透明度分级 | 重点调查湿地 | 透明度 | 透明度分级 |
|---|---|---|---|---|---|
| 包拉温都湿地 | 0.40 | 浑浊 | 莫莫格湿地 | 0.30 | 浑浊 |
| 波罗湖湿地 | 0.50 | 浑浊 | 牛心套保湿地 | 0.40 | 浑浊 |
| 查干湖湿地 | 0.40 | 浑浊 | 三湖湿地 | 0.70 | 浑浊 |
| 大布苏湿地 | 0.20 | 很浑浊 | 沙河庄湿地 | 1.00 | 浑浊 |
| 扶余湿地 | 0.70 | 浑浊 | 双岗湿地 | 0.50 | 浑浊 |
| 哈泥湿地 | 1.50 | 浑浊 | 向海湿地 | 0.30 | 浑浊 |
| 黄泥河湿地 | 1.40 | 浑浊 | 沿江泡湿地 | 0.60 | 浑浊 |
| 敬信湿地 | 0.80 | 浑浊 | 雁鸣湖湿地 | 0.61 | 浑浊 |
| 靖宇湿地 | 2.00 | 浑浊 | 园池湿地 | 4.00 | 清 |
| 龙湾湿地 | 4.00 | 清 | 月亮湖湿地 | 0.40 | 浑浊 |
| 龙沼湿地 | 0.20 | 很浑浊 | 长白山熔岩台地沼泽区 | 3.00 | 清 |
| 磨盘湖湿地 | 1.12 | 浑浊 | 长白山湿地 | 5.20 | 清 |

从表5-4可以看出，吉林省湿地地表水多为浑浊；西部地区个别湿地地表水很浑浊；只有长白山地区的湿地和龙湾湿地水质清澈。

## 2.4 地表水富营养状况

根据吉林省第二次湿地资源调查结果，以总磷、总氮、透明度3项指标分级评价湿地水体的营养状况，评价结果见表5-5。

**表5-5 重点调查湿地地表水富营养状况**

| 重点调查湿地 | 营养状况分级 | 重点调查湿地 | 营养状况分级 |
|---|---|---|---|
| 包拉温都湿地 | 富营养 | 莫莫格湿地 | 中营养 |
| 波罗湖湿地 | 中营养 | 牛心套保湿地 | 富营养 |
| 查干湖湿地 | 富营养 | 三湖湿地 | 中营养 |
| 大布苏湿地 | 富营养 | 沙河庄湿地 | 富营养 |
| 扶余湿地 | 中营养 | 双岗湿地 | 富营养 |
| 哈泥湿地 | 中营养 | 向海湿地 | 中营养 |
| 黄泥河湿地 | 中营养 | 沿江泡湿地 | 中营养 |
| 敬信湿地 | 中营养 | 雁鸣湖湿地 | 贫营养 |
| 靖宇湿地 | 贫营养 | 园池湿地 | 贫营养 |
| 龙湾湿地 | 贫营养 | 月亮湖湿地 | 中营养 |
| 龙沼湿地 | 中营养 | 长白山熔岩台地沼泽区 | 贫营养 |
| 磨盘湖湿地 | 贫营养 | 长白山湿地 | 贫营养 |

可以看出，吉林省中西部地区的湿地地表水多为中营养、富营养，东部地区的湿地地表水多为贫营养。

# 3　湿地生态状况评价

## 3.1　湿地生态状况评价方法

### 3.1.1　湿地生态状况评价指标体系

湿地生态状况直接反映湿地生态系统的健康水平，也是评价湿地生态功能是否正常发挥和满足人类需要的重要依据。湿地生态状况采用自然状况和人为干扰两大指标进行综合评价(表5-6)。

表5-6　指标体系一览

| 一级 | 二级 | 三级 | 因子 |
|---|---|---|---|
| 自然指标 | 景观指标 | 自然湿地率 | 自然湿地面积/湿地总面积 |
| | | 湿地密度 | 平均斑块面积/湿地总面积 |
| | | 湿地斑块密度 | 湿地斑块数/湿地总面积 |
| | 生物多样性指标 | 单位面积物种多度 | 物种数量/湿地面积 |
| | | 植物覆盖度 | 植被面积/湿地面积 |
| | | 外来物种入侵 | 有、无 |
| | 水环境指标 | 污染物 | 有、无 |
| | | 富营养 | 贫、中、富三级 |
| | | 水质级别 | Ⅰ、Ⅱ、Ⅲ、Ⅳ、Ⅴ五级 |
| 人为干扰指标 | 社会指标 | 人口密度 | 人口数量/重点调查面积 |
| | | 利用情况 | 工(旅游)、农、水、未四级 |
| | 威胁指标 | 威胁因子数量 | 数量 |
| | | 威胁程度 | 安全、轻、重三级 |

### 3.1.2　湿地生态状况评价指标量化

对评价指标采用层次分析方法(AHP)和德尔菲法进行分级和赋值，并确定指标权重。各指标标准值计算：

①自然湿地率、湿地密度、湿地斑块密度、单位面积物种多度、植被覆盖度、人口密度6个指标根据大小分为五级，分别赋值1、3、5、7、9，指标值越高反映的生态状况越好；

②外来物种入侵、污染物两个指标，分两个等级，“有”赋值2，“无”赋值8；

③营养状况分三级，贫营养赋值8，中营养赋值5，富营养赋值2；

④水质级别分五级，分别赋值9、7、5、3、1；

⑤利用情况分四级，工业(旅游)赋值3，农业(种植、牧业、林业)赋值5，水源地赋值7，未利用赋值9；

⑥威胁因子数量，分为十级，采用“10－数量”来赋值；

⑦威胁程度分为三级，安全赋值8，轻度赋值5，重度赋值2。

### 3.1.3 湿地生态状况评价指标权重

湿地生态状况评价各指标权重见表5-7。

**表5-7 指标体系权重**

<table>
<tr><th>一级</th><th>权重</th><th>二级</th><th>权重</th><th>三级</th><th>权重</th></tr>
<tr><td rowspan="9">自然指标</td><td rowspan="9">0.6</td><td rowspan="3">景观指标</td><td rowspan="3">0.1</td><td>自然湿地率</td><td>0.03</td></tr>
<tr><td>湿地密度</td><td>0.012</td></tr>
<tr><td>湿地斑块密度</td><td>0.018</td></tr>
<tr><td rowspan="3">生物多样性指标</td><td rowspan="3">0.45</td><td>单位面积物种多度</td><td>0.108</td></tr>
<tr><td>植物覆盖度</td><td>0.108</td></tr>
<tr><td>外来物种入侵</td><td>0.054</td></tr>
<tr><td rowspan="3">水环境指标</td><td rowspan="3">0.45</td><td>污染物</td><td>0.054</td></tr>
<tr><td>富营养</td><td>0.081</td></tr>
<tr><td>水质级别</td><td>0.135</td></tr>
<tr><td rowspan="4">人为干扰指标</td><td rowspan="4">0.4</td><td rowspan="2">社会指标</td><td rowspan="2">0.4</td><td>人口密度</td><td>0.064</td></tr>
<tr><td>利用情况</td><td>0.096</td></tr>
<tr><td rowspan="2">威胁指标</td><td rowspan="2">0.6</td><td>威胁因子数量</td><td>0.084</td></tr>
<tr><td>威胁程度</td><td>0.156</td></tr>
</table>

### 3.1.4 湿地生态状况评价计算方法

根据统计学累计求和公式，计算每处重点调查湿地生态状况综合得分。

$$综合得分 = \sum 指标因子赋值 \times 指标权重$$

根据综合得分，对重点调查湿地的生态状况进行综合评定，再利用统计学的自然断点法对重点调查湿地的生态状况综合得分进行划分，分为好、中、差3个等级。

## 3.2 湿地生态状况评价

依据第二次湿地资源调查成果数据，综合利用反映湿地生态状况的自然湿地面积、生物多样性、水环境及湿地利用和受威胁状况等方面指标，对吉林省重点调查湿地进行湿地生态状况综合评价，评价结果见表5-8。

**表5-8 重点调查湿地生态状况综合评价**

| 重点调查湿地 | 综合得分 | 评价等级 | 重点调查湿地 | 综合得分 | 评价等级 |
|---|---|---|---|---|---|
| 龙沼湿地 | 3.52 | 差 | 莫莫格湿地 | 5.83 | 中 |
| 双岗湿地 | 3.85 | 差 | 三湖湿地 | 5.83 | 中 |
| 大布苏湿地 | 4.15 | 差 | 磨盘湖湿地 | 5.89 | 中 |

（续）

| 重点调查湿地 | 综合得分 | 评价等级 | 重点调查湿地 | 综合得分 | 评价等级 |
|---|---|---|---|---|---|
| 沿江泡湿地 | 4.54 | 差 | 沙河庄湿地 | 6.05 | 中 |
| 查干湖湿地 | 4.70 | 差 | 黄泥河湿地 | 6.76 | 好 |
| 扶余湿地 | 4.76 | 差 | 雁鸣湖湿地 | 6.95 | 好 |
| 月亮湖湿地 | 4.81 | 差 | 龙湾湿地 | 7.07 | 好 |
| 波罗湖湿地 | 4.83 | 差 | 哈泥湿地 | 7.19 | 好 |
| 牛心套保湿地 | 5.39 | 中 | 靖宇湿地 | 7.23 | 好 |
| 敬信湿地 | 5.56 | 中 | 长白山湿地 | 7.73 | 好 |
| 向海湿地 | 5.60 | 中 | 长白山熔岩台地沼泽区 | 8.04 | 好 |
| 包拉温都湿地 | 5.62 | 中 | 园池湿地 | 8.12 | 好 |

通过湿地生态评价结果可以看出，虽然西部地区湿地面积比较大，但生物多样性偏低，尤其是植物种类和植物多度不如东部长白山林区丰富。污染物、富营养、水质级别、人口密度、利用情况、威胁因子数量等几项指标，西部地区多数湿地都低于东部地区湿地。因此，吉林省重点调查湿地的生态状况，自西向东呈逐渐优化趋势。这与吉林省自西向东的地形地貌、森林分布和气象条件等自然生态环境的变化趋势相吻合。

值得注意的是，虽然东部地区湿地生态状况总体情况较好，但以旅游、矿泉水等工业开发及农业开垦为代表的湿地利用程度有增强趋势，湿地威胁因子的干扰强度在逐渐增加。

# 第二节
# 湿地受威胁状况

吉林省湿地受到各种因子的威胁现象是普遍的，但受威胁的程度各有不同。中西部湿地受威胁相对较重；东部湿地相对安全。全省湿地总体受威胁状况评价等级为轻度。

## 1　威胁因子

吉林省湿地的威胁因子主要有基建、围垦、泥沙淤积、污染、过度捕捞和采集、水利工程和引排水的负面影响、盐碱化、过牧、森林采伐、沙化、气候变化等，其中围垦、污染、过牧、盐碱化、气候变化和沙化对湿地的威胁相对较重。

### 1.1　基　建

吉林省近几年公路、铁路、桥梁等交通基础设施建设和城市扩建工程项目较多，建设规模也比较大，“五纵、五横、三环、四联络”高速公路网和哈大高速铁路建设已结束，吉图珲铁路客运专线设计已经进入施工阶段。这些大型的基本建设项目必将对沿线的河流、沼泽等湿地造成一定破坏，在建成后的运营期间对湿地的生态环境将形成持续的负面效应。另外，各地为开发湿地生态旅游进行旅游基础设施建设，各类开发区在建设过程中亦要消耗和占用一定的湿地资源，对湿地景观也会造成一定影响。因此，在各项基础设施建设中，努力把握经济与生态的平衡，注重人文与自然的有机结合是非常重要的。

### 1.2 围 垦

吉林是农业大省，是全国重点产粮区之一。改革开放30多年来，吉林省粮食产量逐年增加，农业经济发展迅猛。与此同时，大片的林地和沼泽被开垦为农田，如榆树台地、辉发河谷地的沼泽湿地已所剩无几。2008年吉林省农作物播种面积比1978年增加了94.51万公顷。近几年，随着农业税免征、农业补贴政策的激励，以及粮食价格的逐年提高，农民的种植积极性空前高涨，湿地的保护和监管难度加大。从全省来看，湿地的开垦时间中西部早于东部。开垦强度中西部强于东部。权属分布，集体所有湿地开垦多于国有湿地开垦。本次调查全省稻田面积比1996年首次调查增加了8.06万公顷，其中大部分是来源于湿地开垦。

### 1.3 泥沙淤积和沙化

吉林省湿地受泥沙淤积的威胁主要集中在西部平原，为内蒙古科尔沁沙地东部边缘延伸至吉林省西部。由于开垦和过牧使沙地植被盖度下降，加上春季大风吹蚀，沙地逐渐向东扩展，覆盖湿地，阻淤河道。向海湿地、包拉温都湿地、大布苏湿地、月亮湖湿地等受沙化和泥沙淤积影响较大。中部丘陵台地区，如榆树、舒兰、九台、伊通、梅河口、东丰、东辽等地，由于植被破坏严重，水土流失加剧，泥沙淤积河道现象普遍。东部地区大型河流的下游河谷和河口地带有泥沙淤积现象。

### 1.4 污 染

吉林省湿地受污染状况比较普遍，受影响较多的主要是河流和湖泊，但污染程度较轻。在城镇周边，污染源主要来自城镇生活污水、工业废水和生产生活垃圾，对流经河流污染较大。对湖泊和沼泽的污染主要来自农田退水。由于农田施肥结构不合理和农药的大量使用，土壤中残留的大量人工化学成分随雨水流入湖泊和沼泽，使鱼类种群数量下降，湿地植被种类和植被类型发生改变。

### 1.5 过度捕捞和采集

吉林省的江河湖泊众多，鱼类资源比较丰富，各类天然湖泊和人工库塘均有不同程度的养殖活动。河流中的鱼类由于过度捕捞和水体污染，种群数量稀少。西部地区芦苇丰富，芦苇的采收对湿地鸟类的栖息和繁殖造成了一定影响。东部地区的泥炭资源开发、苔藓和越橘等植物的采集等处于无序状态，对湿地资源和湿地环境亦造成了不同程度的破坏。

### 1.6 水利工程

吉林省的水利工程主要包括库塘建设、引排水工程、防洪工程等。在这些工程中，大多数是从开发利用湿地水资源的角度出发，主要用于农业灌溉、水利发电、防洪排涝等。从湿地生态角度来讲，这些工程的建设截流、消耗大量水资源，对湿地的环境和湿地的发展都存在负面影响。而且，随着各项工程的深入和扩展，促进了地表水的循环交替，水体中的污染物也随之扩散。目前，从保护湿地生态角度出发而建设的水利工程正在被逐渐认识，如湿地保护与恢复工程建设的滚水坝，为解决向海湿地、莫莫格湿地缺水问题而建设的引水渠等。

### 1.7 盐碱化

吉林省的湿地盐碱化主要在西部的白城、松原地区。由于该地区地下水位较高，水分循环较慢，无机盐在地表集聚，并随着地表径流汇集于地势低洼的沼泽、湖泊中。沼泽和湖泊中的水体得不到补充和交换，矿化度不断升高，盐碱化不断加剧。吉林省西部地区湿地的盐碱化是自然力长期作用的结果，人力很难改善和转变，采取为湿地引水和促进水交换相结合是缓解盐碱化的唯一途径。

### 1.8 过 牧

吉林省西部草原是省内牧业发展的主要区域，由于牲畜存栏数量逐年增加，草原的载畜量逐渐加大，草场退化严重，牧场逐渐向湿地扩展。低湿草原的植被破坏，对湿地蓄洪减灾、削减洪峰能力的下降作用是显著的。目前，吉林省正积极采取牲畜舍饲、生态草建设等措施加强对草原和季节性沼泽的保护和管理。

### 1.9 森林采伐

吉林省在湿地范围内的森林采伐活动很少，只在部分没有纳入保护范围的湿地周边，如沙河庄湿地、长白山熔岩台地沼泽区局部山地中存在林木择伐作业。从湿地水源涵养和水土保持方面出发，应尽量减少对湿地有负面影响的森林采伐活动，使森林采伐活动与湿地保持一定的安全距离或依据地貌特征划定保护界线。

### 1.10 气候变化

由于气候的周期性变化以及人类活动使大气中二氧化碳浓度增加、温室效应加重，导致全球气候变暖，降水减少，对大气的调温、调湿作用减弱，吉林省西部有些地区出现旱灾和沙漠化加剧等现象。

### 1.11 土壤肥力下降

由于各类工程及开垦，原有的泛洪湿地蓄水调节功能下降，不能形成具有丰富营养成分的洪泛区，致使土壤肥力下降，这一点在松嫩平原表现得尤为突出。

## 2 重点调查湿地受威胁状况

本次调查对全省 24 块重点调查湿地的受威胁状况做了专项调查。湿地处于安全状态的有 14 块，占 58.34%；处于轻度受威胁状态的有 8 块，占 33.33%；处于重度受威胁状态的 2 块，占 8.33%。表现为普遍性特征的威胁因子主要有围垦、污染和采集。表现为区域性特征的威胁因子，在中西部主要有过牧、盐碱化、沙化和泥沙淤积；在东部主要是森林采伐。表现为偶发性特征的威胁因子有基建和引排水工程等。

吉林省各重点调查湿地受威胁状况，见表5-9。

**表5-9 吉林省各重点调查湿地受威胁状况**

| 序号 | 湿地名称 | 属　地 | 主要湿地类 | 主要威胁因子 | 受威胁状况等级 |
|---|---|---|---|---|---|
| 1 | 向海湿地 | 通榆县 | 沼泽湿地 | 围垦、水利工程和引排水的负面影响、过牧、沙化 | 安全 |
| 2 | 莫莫格湿地 | 镇赉县 | 沼泽湿地 | 围垦、盐碱化、过牧 | 安全 |
| 3 | 松花江三湖湿地 | 吉林市、蛟河市、桦甸市、靖宇县、抚松县 | 人工湿地 | 过度采集 | 安全 |
| 4 | 查干湖湿地 | 前郭县 | 湖泊湿地 | 泥沙淤积、污染 | 轻度 |
| 5 | 大布苏湿地 | 乾安县 | 湖泊湿地 | 泥沙淤积、盐碱化、沙化 | 重度 |
| 6 | 月亮湖湿地 | 大安市 | 人工湿地 | 泥沙淤积、水利工程、盐碱化 | 轻度 |
| 7 | 龙沼湿地 | 大安市 | 沼泽湿地 | 围垦、盐碱化、过牧 | 重度 |
| 8 | 长白山熔岩台地沼泽 | 安图县 | 沼泽湿地 | 森林采伐 | 安全 |
| 9 | 长白山湿地 | 安图县、抚松县、长白县 | 湖泊湿地 | 基建、污染 | 安全 |
| 10 | 哈泥湿地 | 柳河县 | 沼泽湿地 | 污染、采集、森林采伐 | 轻度 |
| 11 | 龙湾湿地 | 辉南县 | 湖泊与沼泽湿地 | 基建、污染 | 安全 |
| 12 | 雁鸣湖湿地 | 敦化市 | 人工与沼泽湿地 | 无 | 安全 |
| 13 | 敬信湿地 | 珲春市 | 湖泊湿地 | 围垦、水利工程、沙化 | 轻度 |
| 14 | 包拉温都湿地 | 通榆县 | 沼泽湿地 | 围垦、过牧、沙化 | 安全 |
| 15 | 扶余湿地 | 扶余县 | 河流湿地 | 围垦 | 安全 |
| 16 | 波罗湖湿地 | 农安县 | 湖泊湿地 | 泥沙淤积、盐碱化、污染 | 轻度 |
| 17 | 黄泥河湿地 | 敦化市 | 沼泽湿地 | 围垦、采集 | 安全 |
| 18 | 靖宇湿地 | 靖宇县 | 沼泽湿地 | 无 | 安全 |
| 19 | 磨盘湖湿地 | 梅河口市 | 人工湿地 | 引排水 | 安全 |
| 20 | 牛心套保湿地 | 大安市 | 沼泽湿地 | 盐碱化、采集 | 轻度 |
| 21 | 园池湿地 | 安图县 | 沼泽与湖泊湿地 | 采集 | 安全 |
| 22 | 沿江泡湿地 | 大安市 | 湖泊湿地 | 捕捞和采集 | 轻度 |
| 23 | 双岗湿地 | 通榆县 | 沼泽湿地 | 盐碱化 | 安全 |
| 24 | 沙河庄湿地 | 敦化市 | 沼泽湿地 | 围垦、过度采集和森林采伐 | 轻度 |

# 第三节
# 湿地资源变化及其原因分析

## 1　湿地面积变化情况

本次调查，全省调查湿地总面积99.76万公顷(不包括稻田)。1996年首次湿地资源调查，湿地总面积131.57万公顷(不包括稻田)。与首次调查相比，吉林省湿地总面积减少了32.38万公顷。

变化的原因主要有两个方面：一是，调查技术方法的改进和调查标准的改变，使湿地区划更加精确，避免了大面积笼统区划所造成的各种土地类型夹杂其中的弊端，也解决了河流湿地无法调查而使用统计数字造成较大误差的问题；二是，由于气候干旱和围垦等人为活动使湿地萎缩，面积减少。

### 1.1　面积100公顷以上湿地的变化情况

在实际调查湿地中，面积100公顷以上湿地92.66万公顷(不包括稻田)。与首次调查相比，减少了38.91万公顷(表5-10)。

**表5-10　吉林省面积100公顷以上各湿地类变化情况统计**(公顷)

| 湿地类 | 近海与海岸湿地 | 河流湿地 | 湖泊湿地 | 沼泽湿地 | 人工湿地 | 合　计 |
|---|---|---|---|---|---|---|
| 2009年 | 0.00 | 221409.73 | 96783.39 | 492539.70 | 115839.51 | 926572.33 |
| 1996年 | 5825.44 | 567551.70 | 165800.00 | 364483.00 | 212000.00 | 1315660.14 |
| 差值 | -5825.44 | -346141.97 | -69016.61 | 128056.70 | -96160.49 | -389087.81 |
| 增减百分比(%) | -100 | -60.99 | -41.63 | 35.13 | -45.36 | -29.57 |

从表中可以看出，本次调查与首次调查相比，近海与海岸湿地、河流湿地、湖泊湿地和人工湿地面积减少了，尤其河流湿地面积减少最多；沼泽湿地面积增加了。

#### 1.1.1　河流湿地面积变化情况

本次调查，河流湿地面积比首次调查减少了34.61万公顷。其中，永久性河流减少了34.93万公顷，洪泛平原湿地减少了0.29万公顷，新增季节性河流0.61万公顷(表5-11、表5-12)。

**表5-11　吉林省河流湿地各湿地型面积变化情况统计**(公顷)

| 湿地型 | 永久性河流 | 季节性河流 | 洪泛平原湿地 | 合　计 |
|---|---|---|---|---|
| 2009年 | 165484.06 | 6058.99 | 49866.68 | 221409.73 |
| 1996年 | 514801.70 | 0.00 | 52750.00 | 567551.70 |
| 差值 | -349317.64 | 6058.99 | -2883.32 | -346141.97 |
| 减少百分比(%) | -67.85 | | -5.47 | -60.99 |

表 5-12 吉林省各地区永久性河流湿地面积变化情况统计(公顷)

| 地区 | 松原市 | 白城市 | 长春市 | 四平市 | 辽源市 | 吉林市 | 通化市 | 白山市 | 延边市 | 合 计 |
|---|---|---|---|---|---|---|---|---|---|---|
| 2009 年 | 16757.47 | 32482.53 | 10571.02 | 4095.89 | 17264.57 | 25485.35 | 14055.84 | 3201.25 | 41570.14 | 165484.06 |
| 1996 年 | 247677.00 | 42298.00 | 24309.00 | 10539.00 | 3084.00 | 76760.70 | 9789.00 | 19798.00 | 80547.00 | 514801.70 |
| 差值 | -230919.53 | -9815.47 | -13737.98 | -6443.11 | 14180.57 | -51275.35 | 4266.84 | -16596.75 | -38976.86 | -349317.64 |
| 减少百分比(%) | -93.23 | -23.21 | -56.51 | -61.14 | 459.81 | -66.80 | 43.59 | -83.83 | -48.39 | -67.85 |

白城、松原地区永久性河流面积减少最多，合计减少 24.07 万公顷，占减少总面积的 68.92%。其他各地区各有增减，变动幅度也比较大。据了解，首次调查由各县(市、区)上报河流长度后，再乘以一定的宽度，得出河流面积。本次调查方法是，以地理信息处理软件区划斑块，大型河流直接求积，小型单线河流由软件量算长度、现地调查平均宽度，求算面积，面积比较准确可靠。另据吉林统计信息网(http://tjj.jl.gov.cn)公布，2000 年末吉林省河流面积为 17.58 万公顷，与本次调查的 17.15 万公顷(不包括洪泛平原湿地)比较接近。洪泛平原湿地和新增季节性河流面积变化的主要原因是由于吉林省西部地区连年干旱，降水减少，湿地萎缩，河流断流引起的；另一个重要原因是洪泛平原湿地被开垦而面积减少。新增季节性河流主要分布在洮儿河流域。霍林河亦为季节性河流，首次调查也做面积量算；但因其断流 10 年以上，且无明显河道，所以本次调查未将其区划。

### 1.1.2 湖泊湿地面积变化情况

本次调查，面积 100 公顷以上的湖泊湿地比首次调查减少了 6.90 万公顷。其中，永久性淡水湖面积减少了 6.33 万公顷，永久性咸水湖减少了 0.62 万公顷，季节性咸水湖增加了 0.05 万公顷(表 5-13)。

表 5-13 吉林省湖泊湿地各湿地型面积变化情况统计(公顷)

| 湿地型 | 永久性淡水湖 | 永久性咸水湖 | 季节性咸水湖 | 合 计 |
|---|---|---|---|---|
| 2009 年 | 51657.30 | 44647.73 | 478.36 | 96783.39 |
| 1996 年 | 115000.00 | 50800.00 | 0.00 | 165800.00 |
| 差 值 | -63342.70 | -6152.27 | 478.36 | -69016.61 |
| 减少百分比(%) | -55.08 | -12.11 | | -41.63 |

吉林省的湖泊主要分布在西部松嫩平原，连年的干旱使湖面萎缩，水位下降，湿地面积减少。另外，干旱使湖水变浅，挺水植物迅速生长，占据水面，使部分湖面转变为沼泽。如牛心套保湿地，首次调查湖面最大面积 0.55 万公顷，本次调查湖面仅 43 公顷，沼泽 0.28 万公顷；大安新荒泡原有湖面最大面积 0.70 万公顷，本次调查湖面仅 0.02 万公顷，沼泽 0.41 万公顷。可见，不仅湖泊面积在萎缩，而且湿地类型发生了转化。

### 1.1.3 沼泽湿地面积变化情况

本次调查，面积 100 公顷以上的沼泽湿地面积比首次调查增加了 12.96 万公顷。除了藓类沼泽和草本沼泽减少以外，灌丛沼泽、森林沼泽、沼泽化草甸、内陆盐沼、季节性咸水沼泽都显著增加(表 5-14)。

表 5-14 吉林省沼泽湿地各湿地型面积变化情况统计(公顷)

| 湿地型 | 藓类沼泽 | 草本沼泽 | 灌丛沼泽 | 森林沼泽 | 内陆盐沼 | 季节性咸水沼泽 | 沼泽化草甸 | 合 计 |
|---|---|---|---|---|---|---|---|---|
| 2009 年 | 0.00 | 68880.60 | 17562.50 | 22880.03 | 111058.87 | 242599.36 | 29558.34 | 492539.70 |
| 1996 年 | 100 | 336805.00 | 947.00 | 5444.00 | 21160.00 | 0.00 | 0.00 | 364456.00 |
| 差 值 | -100 | -267924.40 | 16615.50 | 17436.03 | 89898.87 | 242599.36 | 29558.34 | 128083.70 |
| 减少百分比(%) | -100 | -79.55 | | | | | | 35.14 |

在东部地区草本沼泽减少，是由于上层植被生长，改变了群落结构，使之向灌丛沼泽和森林沼泽转化；在西部地区，水体萎缩，含盐浓度增加，盐生植物增加，而转化为内陆盐沼或季节性咸水沼泽。草本沼泽面积减少的另一主要原因是草本沼泽被开垦为稻田。

沼泽湿地总面积增加的主要原因是由于西部干旱，部分湖泊、库塘水位下降，水生植物生长旺盛，转化为沼泽。另一方面，由于调查标准改变，新增了沼泽化草甸过渡类型和季节性咸水沼泽。在西部白城、松原地区，根据水体的矿化度情况和季节性积水状况，以及由此引起的水位上下移动使土壤产生潴育现象，还有碱蓬等盐生植物生长情况，把部分盐碱草地划为季节性咸水沼泽，使沼泽湿地总面积增加。

### 1.1.4 人工湿地面积变化情况

本次调查，面积 100 公顷以上的人工湿地比首次调查减少了约 9.62 万公顷，其中库塘减少了约 10 万公顷。另外，新增少量输水河和水产养殖场(表 5-15)。

表 5-15 吉林省人工湿地各湿地型面积变化情况统计(公顷)

| 湿地型 | 库 塘 | 输水河 | 水产养殖场 | 合 计 |
|---|---|---|---|---|
| 2009 年 | 112011.78 | 2674.58 | 1153.15 | 115839.51 |
| 1996 年 | 212000.00 | 0.00 | 0.00 | 212000.00 |
| 差 值 | -99988.22 | 2674.58 | 1153.15 | -96160.49 |
| 减少百分比(%) | -47.16 | | | -45.36 |

库塘面积减少一方面是由于干旱，水面萎缩；另一方面是由于水位下降，水生植物占据水面，使其演化为沼泽湿地。如月亮湖水库，首次调查水面面积 2.06 万公顷，本次调查水面面积 0.88 万公顷，沼泽 0.40 万公顷。向海水库首次调查最大水面面积 0.71 万公顷，本次调查 0.50 万公顷。

## 1.2 面积 100 公顷以下的湿地

实际调查湿地中，面积 100 公顷以下的湿地 6.53 万公顷(表 5-16)。

表 5-16 吉林省面积 100 公顷以下各湿地型面积(公顷)

| 湿地型 | 永久性淡水湖 | 永久性咸水湖 | 季节性咸水湖 | 草本沼泽 | 灌丛沼泽 | 森林沼泽 | 内陆盐沼 |
|---|---|---|---|---|---|---|---|
| 面积 | 2061.19 | 6628.93 | 6482.46 | 6340.13 | 2646.85 | 5988.69 | 1235.81 |
| 湿地型 | 季节性咸水沼泽 | 沼泽化草甸 | 库　塘 | 输水河 | 水产养殖场 | 合　计 | |
| 面积 | 4754.04 | 11704.27 | 15780.17 | 1263.14 | 415.11 | 65300.79 | |

上述湿地中，存在部分由于细化湿地型而使原来 100 公顷以上的湿地斑块被区划分开，成为多块面积小于 100 公顷的湿地斑块，以及由于湿地萎缩，面积减少到 100 公顷以下的湿地。

### 1.3 湿地保护面积变化

本次调查与第一次全省湿地资源调查相比，新增加湿地类型自然保护区 3 个，面积 40764 公顷；新增湿地公园 6 个，面积 9115 公顷。湿地保护面积增加的原因，主要是行政主管部门的重视及相关单位的配合。首先，吉林省成立了湿地保护管理办公室，颁布实施了湿地保护条例，并与中国科学院东北地理研究所及东北师范大学湿地研究中心合作，制定了湿地保护管理规划，从法律、机构、技术上都给予湿地保护更大的支持。国家各级政府部门加大保护的资金投入，鼓励建立建设自然保护区及湿地公园，进行湿地恢复工程建设。其次是随着经济社会的发展和人类对环境保护意识的提高，全社会对保护湿地的积极性高涨。

## 2 湿地面积变化原因分析

通过两次调查结果比较，全省面积 100 公顷以上的湿地减少了 38.91 万公顷，各湿地类型之间也存在动态转化。经过分析，主要原因有以下几点。

### 2.1 自然演替

吉林省西部属典型的大陆性季风气候，干旱多风，降水少而集中，属半干旱气候区，年均降雨量在 400 毫米左右，年均蒸发量 1000～2000 毫米。干旱的气候使湖泊、库塘水面萎缩，河流水位下降，导致湿地总面积减少。另外，干旱的气候条件使湖泊、库塘水位变浅，植被生长，促使湿地类型的自然转化，沼泽湿地面积增加。东部地区的藓类沼泽、草本沼泽，由于乔灌木的生长而转化为灌丛沼泽或森林沼泽。

### 2.2 调查方法不同

本次调查采用卫星遥感数据，利用地理信息处理系统(GIS)软件分析判读，斑块界限清晰，斑块区划精准，与湿地边界契合度高，湿地面积调查更加精确。尤其在河流湿地的区划上，河流长度与河流面积调查比首次调查更加科学、准确。第二次湿地资源调查河流面积与吉林省统计局公布的数据接近。若剔除河流因素，则本次调查 100 公顷以上湿地面积比首次调查减少 4.29 万公顷。加上面积 100 公顷以下湿地 6.73 万公顷，则实际调查湿地面积略增 2.44 万公顷。

### 2.3　调查标准改变

由于本次调查起测面积为 8 公顷，把原本相连的水域和沼泽，沼泽湿地中的草本湿地、灌丛湿地和森林湿地等进行了细化，剔除了各斑块之间的间隔部分，同时也使部分斑块面积减少到了100 公顷以下。此外，新增季节性咸水沼泽和沼泽化草甸湿地型，也是各湿地类型面积格局发生变化的原因之一。

### 2.4　人为因素

面积 100 公顷以上湿地面积减少的另一个重要原因是开垦。本次统计采用的是 2009 年吉林省农委下发水稻良种补贴款所使用的稻田面积数据，比首次湿地调查的稻田增加了 8.06 万公顷。稻田面积增加主要是开垦湿地。

总之，吉林省面积 100 公顷以上湿地面积减少，有自然因素、人为因素，也有调查方法不同的原因；湿地型之间的动态变化是自然演替和划分标准改变共同作用的结果。

### 2.5　保护理念因素

以往，人们对湿地保护的概念比较模糊，文字和口号上重视的多，落实在实际行动中的少，特别是在与经济利益发生矛盾，例如石油开发、农田开垦、道路建设等时表现的更加显著。随着经济社会的发展，湿地的功能与作用得到广泛认知，普通群众特别是领导者对湿地保护的意识增强。即便如此，但将已开垦的湿地进行恢复难度可想而知，湿地面积能不能维持现状将拭目以待。

## 3　湿地类型变化及原因

本次调查，吉林省湿地共 4 类 16 型。比 1996 年首次调查的 5 类 12 型减少了近海与海岸湿地类，减少了三角洲、藓类沼泽 2 个湿地型，增加了季节性河流、季节性咸水湖、季节性咸水沼泽、沼泽化草甸、输水河、水产养殖场 6 个湿地型。

(1)近海与海岸湿地：本次调查，吉林省没有近海与海岸湿地。首次湿地资源调查中吉林省有近海与海岸湿地类，三角洲湿地型 0.58 万公顷，但只有面积记录没有区划斑块。资料显示，日本海的潮汐极小，日本沿岸潮差仅 0.2 米，西伯利亚沿岸为 0.4 ~ 0.5 米，朝鲜海峡潮差约为 2 米。图们江在中国境内最低海拔为 4 米，高于高潮水位，因此，图们江在我国境内河段不受潮汐影响。另外，从国界线到图们江口还有 15 公里距离，且两岸皆为山地，河口系统发育受限。敬信防川一带虽有泥沙淤积，但不属“离陆地较近的海域”范围，更不属于海岸。据此判断，敬信湿地不属于河口水域或三角洲等近海与海岸湿地类型。

(2)藓类沼泽：藓类沼泽分布于东部长白山地，分布零散，面积小，纯藓类沼泽单块面积不足 8 公顷。藓类沼泽是森林沼泽发展的最后阶段，上层一般有乔灌木覆盖，以黄花落叶松、臭冷杉、小叶杜鹃、笃斯越橘等为优势种。因此，本次调查藓类植被只在灌丛沼泽或森林沼泽中体现。

(3)季节性河流和季节性咸水湖：在首次调查中提及这一湿地型的存在，但没有调查面积，故无法比较。

(4)季节性咸水沼泽：该沼泽型分布于吉林省西部，由于降水量少，且雨季集中，大面积的碱性草甸只在6、7月份维持浸湿或过湿状况，季节性特征明显。首次调查中没有此湿地型。

(5)沼泽化草甸：该沼泽型分布于长白山暗针叶林林缘以下低山丘陵及丘陵台地区，系地势低洼的沟谷由于排水不畅，土壤通透性不良，过分潮湿积水，使典型草甸向沼泽植被过渡，形成沼泽化草甸过渡类型。首次调查中没有此湿地型。

(6)输水河和水产养殖场：该湿地型是根据建设目的不同和经营利用方向的转变而与库塘相区分的人工湿地型。输水河主要分布在西部平原，用于农业灌溉或泄洪等；8 公顷(含 8 公顷)以上水产养殖场较少，在全省零散分布。首次调查中没有这 2 种湿地型。

# 第六章 湿地保护与管理

## 第一节 湿地保护管理现状

吉林省非常重视湿地资源管理，始终坚持把保护湿地生态系统和改善湿地生态功能作为湿地管理工作的中心，积极立法、加强法规体系建设，使湿地资源管理有法可依。不断加强保护管理体系建设，加强湿地调查与监测，并在全省重要湿地区域，划建了一批湿地自然保护区、保护小区和湿地公园，实施重点保护。通过湿地保护与恢复工程建设，改善了管理条件，巩固了保护成果。经过近30年的不懈努力，吉林省在湿地科研和国际交流方面做了大量卓有成效的工作，湿地资源保护管理工作取得了显著成效。

### 1 湿地法规制度建设

#### 1.1 实行全省禁猎

吉林省结合本省实际，在《中华人民共和国野生动物保护法》《中华人民共和国陆生野生动物保护实施条例》的基础上，1996年在全国率先实施了《吉林省五年禁止猎捕陆生野生动物的决定》，又相继出台了《吉林省禁止猎捕陆生野生动物的决定》《吉林省禁止猎捕陆生野生动物实施办法》。2006年制定了《吉林省重点保护陆生野生动物造成人身财产损害补偿办法》，2007年出台了《〈吉林省重点保护陆生野生动物造成人身财产损害补偿办法〉实施细则》。通过人身财产伤害补偿，有效地缓解了人与野生动物保护之间的矛盾，极大地促进了湿地及野生动物资源的保护。

#### 1.2 “一区一例(法)”工作逐步推进

吉林省针对全省湿地分布广泛、区域差别显著的特点，加强了对国家重要湿地保护区的立法指导和推进工作。先后颁布实施了由省人大或地方政府审议通过的条例或办法，如《吉林长白山国家级自然保护区管理条例》《吉林松花江三湖保护区管理条例》《吉林向海国家级自然保护区管理条例》《吉林查干湖自然保护区管理条例》《吉林雁鸣湖国家级自然保护区管理办法》等。《吉林莫莫格国家级自然保护区管理条例(草案)》和《吉林龙湾国家级自然保护区管理条例(草案)》已经列入立法调研计划。随着各项法规制度的不断完善，各保护区依法保护管理湿地的能力显著增强。

### 1.3 《吉林省湿地保护条例》颁布实施

为了贯彻落实国务院办公厅《关于加强湿地保护管理的通知》精神，更好地实施对湿地的保护与管理，强化湿地法制建设，吉林省于2006年启动了湿地立法工作。经过省人大法工委、省法制办、省林业厅及有关部门的密切沟通协商，深入调查研究，反复论证修改，完成了《吉林省湿地保护条例》(以下简称《条例》)的起草工作。2010年11月26日吉林省第十一届人民代表大会常务委员会第二十二次会议讨论通过了《条例》，并于2011年3月1日起正式实施。《条例》明确了湿地保护管理体制和执法主体，规范了湿地保护管理的工作程序、法律责任和违反《条例》的处罚规定。这部《条例》是继四川省之后，在全国第十个颁布实施的省级湿地保护条例，也是吉林省湿地保护管理的第一部法规，具有一定的前瞻性和较强的适用性。《条例》的实施，标志着吉林省湿地保护管理工作步入了法制化、规范化轨道。

## 2 湿地保护管理体制

根据2004年国务院《关于加强湿地保护管理的通知》精神，吉林省人民政府于同年10月下发了《关于切实加强湿地保护管理的通知》，进一步明确了各级政府和林业等相关部门保护管理湿地的职能和责任，与国家层面相一致。2005年，为了进一步加强湿地保护管理工作，吉林省在全国率先成立了第一个省级湿地保护管理机构——吉林省湿地保护管理办公室，设在省林业厅。各重要湿地所在的市(州)、县(市、区)也建立了相应的湿地保护管理专职机构，或在野生动物保护等部门增加了湿地监管职能。同年，吉林省在全国率先成立了由林业部门牵头，发改委、农委、财政厅、环保厅、国土厅、水利厅、城乡建设厅等12个部门为成员的“吉林省湿地保护管理协调领导小组”，负责协调解决湿地保护管理中的重大问题。2011年实施的《吉林省湿地保护条例》规定：“县级以上人民政府林业主管部门是湿地保护管理的主管部门，负责本行政区域内湿地保护的组织、协调、指导和监督管理工作。湿地保护实行综合协调、分部门实施的保护管理体制。”这标志着吉林省湿地保护管理体制的最终确立，湿地保护管理工作的协调机制初步建成。针对保护区与周边各单位以及社区群众之间矛盾突出的问题，吉林省林业厅积极探索湿地自然保护区与地方政府联合加强湿地保护管理的互动机制。在莫莫格、向海、龙湾、松花江三湖、雁鸣湖等保护区开展了“社区共建”“社区共管”活动，普遍成立了由当地政府主要领导挂帅，保护区和有关部门以及乡镇领导参加的湿地保护委员会或保护领导小组，初步形成了湿地保护管理的共管共建机制，对强化区内湿地保护工作、合理开发利用湿地资源发挥了极大的促进作用。

## 3 湿地保护体系建设

多年来，吉林省在湿地保护管理方面做了大量工作，抢救性地建立了一批湿地自然保护区和湿地公园。从20世纪80年代开始，相继建立了向海、莫莫格等国家级湿地自然保护区。截至2014年年底，全省已建立湿地自然保护区23个(表6-1)。其中，国家级湿地自然保护区12个，省级湿地自然保护区11个。已建立湿地保护小区4个(表6-2)。已建立湿地公园26个(表6-3)。其中，国家湿地公园(试点)21个，省级湿地公园5个。大安嫩江湾和梅河口磨盘湖两个国家湿地公园试点已成功获得国家验收，正式批准为国家湿地公园。湿地保护区和湿地公园的建立，使全省 45.18% 的天然湿地得到了有效的保护。

**表 6-1　吉林省已建湿地保护区名录**

| 序　号 | 名　称 | 等　级 |
|---|---|---|
| 1 | 吉林向海国家级自然保护区 | 国家级 |
| 2 | 吉林莫莫格国家级自然保护区 | 国家级 |
| 3 | 吉林松花江三湖国家级自然保护区 | 国家级 |
| 4 | 吉林龙湾国家级自然保护区 | 国家级 |
| 5 | 吉林哈泥国家级自然保护区 | 国家级 |
| 6 | 吉林雁鸣湖国家级自然保护区 | 国家级 |
| 7 | 吉林查干湖国家级自然保护区 | 国家级 |
| 8 | 吉林鸭绿江上游国家级自然保护区 | 国家级 |
| 9 | 吉林大布苏国家级自然保护区 | 国家级 |
| 10 | 吉林黄泥河国家级自然保护区 | 国家级 |
| 11 | 吉林波罗湖国家级自然保护区 | 国家级 |
| 12 | 吉林靖宇国家级自然保护区 | 国家级 |
| 13 | 吉林扶余洪泛省级自然保护区 | 省　级 |
| 14 | 吉林包拉温都省级自然保护区 | 省　级 |
| 15 | 吉林九台湿地省级自然保护区 | 省　级 |
| 16 | 吉林长岭龙凤湖省级自然保护区 | 省　级 |
| 17 | 吉林敬信湿地省级自然保护区 | 省　级 |
| 18 | 吉林安图圆池省级自然保护区 | 省　级 |
| 19 | 吉林上屯湿地省级自然保护区 | 省　级 |
| 20 | 吉林辉南大椅山湿地省级自然保护区 | 省　级 |
| 21 | 吉林长白鸭绿江源湿地省级自然保护区 | 省　级 |
| 22 | 吉林海兰江源省级自然保护区 | 省　级 |
| 23 | 吉林双辽白鹤省级自然保护区 | 省　级 |

**表 6-2　吉林省已建湿地保护小区名录**

| 序　号 | 名　称 |
|---|---|
| 1 | 吉林大安沿江天鹅保护小区 |
| 2 | 吉林通榆双岗湿地保护小区 |
| 3 | 吉林通榆什花道野生动植物保护小区 |
| 4 | 吉林白石山大石河红苇湿地自然保护小区 |

表6-3 吉林省已建湿地公园名录

| 序 号 | 名 称 | 等 级 |
|---|---|---|
| 1 | 吉林大安嫩江湾国家湿地公园 | 国家级 |
| 2 | 吉林大石头亚光湖国家湿地公园 | 国家级 |
| 3 | 吉林梅河口磨盘湖国家湿地公园 | 国家级 |
| 4 | 吉林扶余大金碑国家湿地公园 | 国家级 |
| 5 | 吉林大安牛心套保国家湿地公园 | 国家级 |
| 6 | 吉林榆树老干江国家湿地公园 | 国家级 |
| 7 | 吉林镇赉环城国家湿地公园 | 国家级 |
| 8 | 吉林长春北湖国家湿地公园 | 国家级 |
| 9 | 吉林东辽鴜鹭湖国家湿地公园 | 国家级 |
| 10 | 吉林辽源凤鸣湖国家湿地公园 | 国家级 |
| 11 | 吉林长白泥粒河国家湿地公园 | 国家级 |
| 12 | 吉林和龙泉水河国家湿地公园 | 国家级 |
| 13 | 吉林通化蝲蛄河国家湿地公园 | 国家级 |
| 14 | 吉林八家子古洞河国家湿地公园 | 国家级 |
| 15 | 吉林长白山碱水河国家湿地公园 | 国家级 |
| 16 | 吉林集安霸王潮国家湿地公园 | 国家级 |
| 17 | 吉林临江五道沟国家湿地公园 | 国家级 |
| 18 | 吉林长春新立湖国家湿地公园 | 国家级 |
| 19 | 吉林农安太平池国家湿地公园 | 国家级 |
| 20 | 吉林汪清嘎呀河国家湿地公园 | 国家级 |
| 21 | 吉林白山珠宝河国家湿地公园 | 国家级 |
| 22 | 吉林长春净月省级湿地公园 | 省 级 |
| 23 | 吉林泉阳省级湿地公园 | 省 级 |
| 24 | 吉林松原哈达山省级湿地公园 | 省 级 |
| 25 | 吉林白城原上湖省级湿地公园 | 省 级 |
| 26 | 吉林四平架树台省级湿地公园 | 省 级 |

# 4 湿地规划

## 4.1 湿地保护与恢复工程建设规划

吉林省根据国家林业局关于编制“十二五”湿地保护工程规划的总体部署，按照《全国湿地保护工程规划(2006～2030)》的具体要求，在第二次湿地资源调查的基础上，于2010年组织编写了《吉林省湿地保护与恢复工程建设规划(2011～2015)》。该规划结合本省实际，“以保护湿地资源、建设生态文明、促进经济社会可持续发展”为总体目标，以“科学规划、保护优先、合理利用、持续发展”为基本原则，重点加强全省有重要影响的国际重要湿地、国家重要湿地、湿地自然保护区、国家湿地公园、关键物种栖息地，以及对气候变化有重要影响的泥炭地、省级重要湿地的保护工程建设；重点开展长白山区退化泥炭地生态恢复、松嫩平原退化湿地生态恢复等湿地生态功能恢复工程建设。

### 4.2 全省湿地保护规划

为加强全省湿地资源保护、科学合理地开发利用湿地资源、更加规范有序地推进全省湿地保护管理工作。吉林省以《吉林省湿地保护条例》为法律依据，以国务院办公厅《关于加强湿地保护管理的通知》精神为指导，在充分调研和广泛征求各方面意见的基础上，于2011年组织编写了《吉林省湿地保护规划(2011~2020)》(以下简称《规划》)。《规划》从加强全省生态环境建设出发，结合全省湿地保护与经济社会发展实际，着眼湿地管理全局，在规划范围上覆盖了全省各部门、各行业管理的湿地，力争使湿地保护管理工作在法制体系、管理体系、保护体系、运行机制、宣传教育、科研监测、对外交流及湿地保护工程建设等各方面实现协调统一。吉林省政府于2012年4月23日第3次常务会议正式批准了《规划》，并对《规划》实施提出了新的更高的要求。《规划》作为一个全面系统的指导性文件，极大地促进和推动了全省湿地保护事业规范有序、又好又快的发展。

## 5 湿地调查

### 5.1 湿地资源调查

吉林省于1996年和2009年开展了两次湿地资源调查，都是由国家林业局统一安排，在省林业厅的直接指挥、协调下进行的。并分别成立了湿地资源调查工作领导小组，设立了领导小组办公室，成立了专家顾问组或专家技术委员会，邀请了中国科学院东北地理与农业生态研究所、吉林省环境科学研究院、东北师范大学泥炭沼泽研究所等相关科研院所作为技术支撑单位。依托东北师范大学、吉林省林业科学研究院、吉林省林业调查规划院等成立了湿地专业调查队伍。吉林省首次湿地资源调查参加总人数为47人，第二次湿地资源调查的参加总人数达到422人，全面完成了国家林业局下达的湿地调查任务。通过湿地资源调查，全面掌握了全省湿地资源现状及湿地野生动植物的分布特点，完善了湿地资源数据库，初步分析了湿地资源的消长变化规律，为吉林省湿地资源的保护管理与合理利用提供了重要的科学依据。

### 5.2 泥炭沼泽资源调查

2013年，国家林业局将吉林省确定为全国泥炭沼泽资源调查试点省份，安排吉林省率先开展正式调查工作。吉林省高度重视，成立了泥炭沼泽碳库资源调查工作领导小组，负责调查工作的总体协调调度。设立了领导小组办公室，负责组织实施和沟通协调工作。同时成立了专家技术小组，负责技术指导和技术把关。依托中国科学院东北地理与农业生态研究所、东北师范大学及吉林省林业调查规划院等科研院所编制了《吉林省泥炭沼泽碳库调查工作方案》和《吉林省泥炭沼泽碳库调查实施细则》，并成立了泥炭资源调查队伍。调查工作从2013年下半年开始，预计到2014年年底结束，将全面完成国家林业局下达的泥炭沼泽资源调查任务。查清全省泥炭沼泽现状，对全省泥炭沼泽及其碳库资源的分布、数量和质量进行客观分析与评价，并结合环境影响状况提出泥炭沼泽碳库资源量及其保护管理的意见和建议，为吉林省制定泥炭沼泽碳库资源长期保护与利用规划、实现资源的有效保护和永续利用奠定良好的基础。

# 6 湿地保护与恢复

## 6.1 多方筹措资金 加快湿地保护与恢复步伐

为遏制湿地萎缩退化的趋势，吉林省一方面利用国家政策积极争取湿地保护恢复工程项目，另一方面积极征得地方政府和有关部门的支持，加大资金投入。同时还千方百计引入社会资金，加快湿地保护和恢复的步伐。据统计，全省在向海、莫莫格、龙湾、松花江三湖、哈泥、雁鸣湖、查干湖等重要湿地保护区和梅河口磨盘湖、大安嫩江湾、大石头亚光湖、扶余大金碑等湿地公园基础设施建设方面，已累计投入资金3.5亿元，湿地保护管理的设施和功能不断完善提高。2010年，财政部、国家林业局在全国开展湿地保护补助项目试点工作，用于补助部分国际重要湿地、湿地自然保护区以及国家湿地公园开展湿地监测监控和生态恢复建设。对此，省林业厅十分重视，截至2014年，共争取国家湿地保护补助资金5150万元，主要用于增加管护力量，完善设施设备，提高保护能力，使向海、莫莫格国际重要湿地及部分国家级湿地自然保护区、国家湿地公园得到了及时的保护和恢复。2014年，财政部和国家林业局开展了生态效益补偿、退耕还湿和湿地保护奖励试点。省林业厅紧紧抓住这一重要机遇，为向海国家级自然保护区争取到退耕还湿资金2400万元，为雁鸣湖国家级自然保护区争取到生态效益补偿资金2000万元，为大安市人民政府、通化县林业局争取到湿地保护奖励资金1000万元。此项目已得到国家财政部的批复，将适时组织实施。

## 6.2 引水保湿

针对西部地区大部分年份干旱少雨、湿地周期性缺水严重的状况，省林业厅积极与省政府及相关部门沟通协调，多方筹措资金，先后启动实施了“引霍入向”“引嫩入莫”“引洮入向”“河湖连通”等重点引水工程，累计为向海、莫莫格等重要湿地补水约6亿多立方米，恢复湿地近4万公顷。特别是2004年和2011年先后两次从200公里以外的察尔森水库为向海应急引水1.1亿立方米，有效恢复湿地2万多公顷。2013年降雨量大，河流上游来水多，湿地自然补水比较充分，整个西部地区湿地水覆盖面积增加了15.8万公顷，向海和莫莫格两个保护区湿地面积增加了3.7万公顷，接近历史最高水平，湿地功能得到有效恢复，西部地区的生态环境有了明显的改善，野生动植物数量明显增加。以莫莫格自然保护区为例，鸟类种类比建区时增加100种，增长近50%。白鹤迁徙停歇数量由2000年以前的500多只增加到现在的3000多只，约占世界种群数量的95%以上，创造性地打造了全球最大的五星级白鹤驿站。白鹤在莫莫格的停歇时间和种群数量堪称世界之最，提升了中国在国际保护濒危鸟类中的重要地位，备受国际组织的关注。

为切实解决湿地周期性缺水，且供水矛盾相对复杂的局面，吉林省省政府明确提出要建立一个由省政府统一领导，各部门分工负责，有稳定的补充水源、有补水工程措施、有补水资金保障的湿地生态补水长效机制。通过新机制的调节和保障作用，变湿地应急补水为适时补水、常态化补水，进而实现湿地生态用水的良性循环和可持续发展。省林业厅在深入调研、广泛征求各部门意见和借鉴外省先进经验的基础上，组织编制了《吉林省重要湿地生态补水长效机制可行性研究报告》和《吉林省重要湿地生态补水长效机制实施方案》。并决定从林业厅列支1000万元，先行用于开展重要湿地生态补水试点，当年用多少，下年补多少，始终保持一个基本数量。目前，西部地区重要湿地生态补水长效机制已基本建立。

### 6.3 退耕(林)还湿

为了有效保护和恢复湿地生态系统，吉林省积极开展退耕还湿工程。截至目前，莫莫格、雁鸣湖国家级自然保护区及大安嫩江湾、通化蝲蛄河国家湿地公园已累计完成退耕还林还草还湿6900公顷，湿地生态系统得到了有效的保护和恢复。2013年，白石山林业局针对20世纪70年代实施的300公顷水湿地改造地实施了退林还湿。该工程对项目区人工落叶松实施了清伐，保留了沼泽中的灌木和部分适宜湿地的乔木；修筑了小型堤坝、围堰等水利工程，将地表径流水重新引入沼泽，促进水流在泥炭层中渗透；根据地形条件、积水深度等条件，引种和自然抚育等方式，修复了不同的沼泽植物群落。

### 6.4 生态草建设

2000年，经省政府批准，由林业部门牵头实施了“生态草”建设工程，共完成“生态草”建设工程620多万亩，其中70%的地块是在中西部湿地范围内，有效地恢复了退化湿地的植被，促进了湿草甸、内陆盐沼等类型湿地的恢复。同时，吉林省政府从生态省建设的大局出发，将芦苇部门划归林业部门管理，通过对芦苇资源的保护与经营，推动了湿地资源合理利用的有效开展，增强了林业部门在湿地保护和综合管理方面的协调能力。

### 6.5 油田区植被恢复

自2006年以来，莫莫格自然保护区和吉林油田共同组织实施了采油区湿地植被恢复综合治理工程。截至目前，已成功实施了6期建设工程，投资3160万元，恢复湿地植被面积162万平方米，妥善地解决了保护与利用的矛盾，确保了生态环境和石油开采共同发展，创造了“生态油田，和谐湿地”的保护与开发的模式，得到了国家林业局和省政府领导的充分肯定。

### 6.6 生态移民

自2003年以来，省发改委、水利、民政、林业等部门积极配合，先后在吉林市的松花湖和长春市的净月经济开发区实施了生态移民工程，总投资近14亿元，迁出居民5100人，既有效地降低了水质污染，也减少了湿地保护的压力。2008年，梅河口市政府筹措资金1670万元，建设湿地保护居民迁移小区13361平方米，将梅河口磨盘湖国家湿地公园水域周边的居民全部迁出，共计162户，770人。通过湿地植被恢复，原址生态系统得到有效恢复。2014年初，省林业厅向省政府提出了实施向海国家级自然保护区核心区生态移民的建议，得到了省长的高度重视，明确要求由省发改委统筹安排，迅速启动。初步安排向海核心区移民248户，856人，补偿安置资金10亿元。

# 7 湿地科研监测

## 7.1 湿地科研

20 世纪 50 年代末，沼泽学已在中国作为独立的学科进行系统的研究，东北师范大学地理系率先成立了沼泽研究机构，就是现在的泥炭沼泽研究所。1958 年，中国科学院长春地理研究所(现称：中国科学院东北地理与农业生态研究所)成立，沼泽研究是其主攻方向之一。中国科学院长春地理研究所先后对包括松嫩平原、长白山区在内的全国多个地区进行了湿地综合科学考察，在三江平原、松嫩平原开展了沼泽地综合开发试验研究。1982 年，水利部松辽水利委员会成立，选址在长春市，对吉林省的湿地科研工作起到了积极的推动作用。

吉林省的湿地科研工作，是在省政府对国际、国内湿地发展形势的准确判断下开展起来的，期间得到了中国科学院长春地理研究所和东北师范大学等科研教学机构的大力支持。1992 年，吉林省林业科学研究院成立了野生动物与湿地研究所。1999 年 9 月，成立了第一个由地方组织建立的、针对湿地保护的研究所——吉林省湿地研究中心。2011 年，吉林省林业厅分别与东北师范大学、中国科学院长春地理研究所签署了湿地保护管理共建协议，并在东北师范大学城市与环境科学学院建立了吉林省湿地科学研究与人才培养基地。2013 年，吉林省林业厅与中国科学院长春地理研究所在大安牛心套保国家湿地公园建立了全省第一个湿地恢复与合理利用研究示范基地。吉林省开展湿地科研的基本内容包括湿地的形成、发育与演化、湿地动植物、湿地泥炭、湿地资源综合利用、湿地生态、湿地旅游等内容。中国科学院刘兴土院士带领科研团队，历经 10 年，对大安牛心套保重度盐沼湿地恢复和“苇、稻、鱼、蟹”湿地循环经济模式潜心进行研究，取得了重要成果，发挥了显著的社会、经济与生态效益，为吉林省西部退化湿地恢复与合理利用提供了示范，开创了全省湿地保护与合理利用的新局面。十几年来，全省共参与完成国际国内湿地科研项目 48 项，在研项目 26 项。出版发行专业著作 12 本，发表学术论文 54 篇。

## 7.2 湿地监测

湿地资源监测是湿地资源保护和管理的基础性工作，是科学决策和有效管理的基础，也是监督考核湿地资源保护管理效果的重要依据。吉林省先后建立了多个野生动植物、湿地、自然保护区监测管理站；建立了向海、莫莫格、龙湾等 6 个生态监测管理中心站；建立了野生动物疫源疫病防控监测站、点 29 个。其中 10 个为国家级，19 个为省级。监测工作主要有湿地植被监测、湿地水鸟监测、湿地水文监测、专题监测等。

# 8 国际交流与合作

吉林省积极与各类国际组织开展相关湿地内容的交流与合作，拓宽国际合作空间，得到了有关国际组织的关注与支持。湿地国际(WI)、联合国计划开发署(UNDP)、世界自然基金会(WWF)、国际鹤类基金会(ICF)等国际湿地与湿地鸟类保护组织，多年来与吉林省在湿地环境监测，鹤、鹳类珍稀湿地鸟类与泥炭沼泽生态系统研究等方面有着广泛的接触与合作。特别是

2003～2009年，向海、莫莫格等重要湿地参与实施了联合国环境署/全球环境基金（UNEP/GEF）“亚洲白鹤及其他国际重要迁徙水鸟迁徙通道与重要湿地的保护”项目（简称白鹤GEF项目），取得了较好的效果，受到国际社会的关注。吉林省在国内与国际组织开展交流合作的同时，也多次组织人员参加国际组织开展的湿地保护网络的交流与培训，与香港米埔保护区及世界自然基金会（WWF）香港分会联合举办了多期湿地管理培训班，有效地提高了吉林省湿地保护管理人员的业务素质和管理水平。

## 9　湿地宣传教育

吉林省湿地保护宣传教育起步较晚，从1998年松花江、嫩江发生特大洪水以来，地方政府和相关部门感受到了湿地生态退化给经济社会发展带来的负面影响，湿地保护宣传教育工作逐步得到加强。

### 9.1　湿地保护宣传

吉林省林业厅以《国家林业局湿地保护管理规定》《吉林省湿地保护条例》和《吉林省湿地保护规划》等为重点，充分利用广播、电视、报纸、网络等媒体平台，大力宣传湿地保护的基础知识、政策法规及其重要意义，并以“世界湿地日”“湿地保护宣传月”“爱鸟周”“白鹤节”等为契机，积极开展湿地保护宣传教育活动，极大地提高了社会公众的湿地保护意识。

湿地自然保护区是开展湿地生态环境保护、生物多样性保护等宣传教育的重要场所。吉林省各湿地自然保护管理机构成立了专门的宣传队伍，配备宣传教育设备和专门人员，长期开展湿地保护相关的法律法规、环保等方面的宣传教育活动，为湿地保护管理保驾护航。同时，各湿地自然保护区纷纷建立网站，借助网络优势，扩大宣传面，普及湿地知识，吸引更多人关注和参与湿地保护。

2004年，莫莫格自然保护区建立了全省第一个湿地博物馆，成为全国林业科普基地、东北林业大学教学科研实习基地、中国野生动物管理人才培训中心、吉林省首家青少年生态体验教育基地等。2013年向海自然保护区与长春北湖国家湿地公园也相继建立了湿地博物馆，湿地保护宣传与湿地科普教育深入人心。

龙湾自然保护区于2005年被中国科协命名为“全国科普教育基地”，同时被中国人与生物圈国家委员会批准纳入“中国人与自然生物圈保护网络成员”。2006年被列为“吉林省青少年拓展训练基地”。2007年被全国摄影家协会选定为“全国摄影创作基地”。同年10月被第四届东亚国家旅游博览会组委会评选为“东亚旅游十大知名景区”。保护区的宣传教育活动在其中起到了巨大作用。

此外，查干湖、松花江三湖、雁鸣湖等湿地自然保护区及大安嫩江湾、梅河口磨盘湖等国家湿地公园，把握自身特点和区域优势，宣传教育工作也开展得有声有色。

### 9.2　湿地文化宣传

宣传教育是湿地保护的基础工作之一，宣传重点在于加强人们的生态意识、环保意识、危机意识，使人们自觉地去保护自然、保护湿地。但宣传教育的终极目标是人与湿地形成有机的结合，人成为湿地的一部分，人像爱护自己一样去爱护湿地。因此要从湿地文化入手，加强湿地文化的宣传，使湿地生态与人类文明相结合，让湿地具有永恒的生命力。2009 年，吉林省评选出"吉林八景"，其中有 6 处与湿地有关，对推进吉林省湿地文化宣传起到积极作用。

湿地宣传教育最初由政府部门发动，随着人们生态意识、环保意识的逐步提高，来自民间自发的环保宣传活动也逐渐发展起来。2010 年，以向海生态环境保护为背景拍摄的 26 集电视剧《永远的田野》在中央电视台一套热播，引起了社会极大反响，获得了较好的宣传效果。

### 9.3 湿地合理利用教育

湿地资源合理开发利用也是湿地宣传教育的重要内容。湿地宣传教育同其他宣传教育一样，要服务于社会。吉林省在湿地资源合理利用教育方面，制定并组织实施了系统的业务培训计划。从人们的实际需要出发，积极开展湿地资源合理开发利用技术培训、湿地资源综合利用技术培训，有计划、有目的地引导湿地资源科学开发利用的内容与方向，避免资源浪费和无序开发。

## 第二节<br>湿地保护管理建议

湿地是重要的生态资源，与人们的生产、生活息息相关，从某种意义上讲，保护好湿地就是在保护人类自己。健康的湿地生态系统是国家生态安全的重要组成部分和经济社会可持续发展的重要基础。但是，由于人口、经济与环境的矛盾日益突出，湿地生态系统受到严重威胁，从而导致湿地生态环境的恶化和生物多样性的下降。因此，必须采取相应的措施，寻求湿地资源的可持续利用方式，达到湿地资源保护与利用的有机协调。下面针对吉林省湿地资源管理的现状，以及湿地管理工作存在的问题，站在国土安全、生态安全的角度，从湿地保护与利用的可持续性原则出发，提出一些建议：

### 1 加强宣传，强化意识

湿地保护是一项社会性、群众性很强的工作，广大群众的自觉参与是搞好这项事业的社会基础。要把湿地保护宣传作为一项经常性的工作，创新宣传形式，加大宣传力度。大力弘扬生态文明理念，引导人们摒弃征服自然、主宰自然、以生态换效益的行为，树立热爱自然、尊重自然、顺应自然的现代文明理念，在现实生活中主动把生态理念转化为保护湿地、建设生态、传承文明的自觉行动。通过广播、电视、报纸、书刊等媒介，利用公益活动、学校教育、网络宣传等手段，大力宣传湿地保护的重要性与紧迫性，普及有关湿地保护与合理利用的科普知识。结合"世界湿地日"(2 月 2 日)、全国"爱鸟周"(4 月 22 ~ 28 日)、"观鸟节"等各类活动，精心安排、积极组织一些群众喜闻乐见、丰富多彩的湿地宣传教育项目，开展广泛、深入、持久的宣传教育活动，切实提高社会公众对保护湿地的责任意识，在全社会形成爱护湿地、保护生态的良好社会风气，促进政府全面履行保护湿地的职责，激发社会各界广泛参与保护湿地的热情。结合《国家林业局湿地保护管理规定》《吉林省湿地保护条例》的实施，大力宣传有关湿地保护的法律常识，强化广大群众的湿地保护法律意识，做到知法、懂法、守法。重点针对各湿地自然保护区、保护小区、湿地公园、生态重要区域和生态脆弱区域，深入基层、深入农村，扩大宣传效果。

## 2 加强领导，创新机制

湿地保护管理涉及多部门、多层面、多领域，情况复杂，任务艰巨。应切实加强组织领导，健全和完善省、市、县各级湿地保护管理领导体制和工作机构，力求建立一个以政府为主导，统一指挥，分工明确，协调配合，监督有力，运行高效，具有较强的适应性和可操作性的湿地保护管理体制。对湿地保护管理的重大事项定期召开会议进行研究，及时解决工作中出现的重大问题，从而形成上下协调一致、沟通顺畅、运转高效的湿地保护工作机制。同时，按照党的十八届三中全会要求，推动建立湿地生态保护政绩考核机制，切实把湿地保护纳入地方各级政府的重要议事日程，纳入经济社会发展的总体规划，纳入地方各级政府领导干部的政绩考核范围。政府主要领导对本辖区的湿地保护负总责。针对湿地保护与合理利用等工作内容，建立领导干部任期责任制，将其作为考核政绩的一项重要指标。加强推进，加强检查，做到有人看，有人管，有人监督。对违反湿地保护有关法律、法规，不履行法律义务，以及因决策失误造成重大损失的，要追究其相应责任。

## 3 完善法制，加强执法

《吉林省湿地保护条例》(以下简称《条例》)于2011年3月1日起实施，各级地方政府及各湿地自然保护区、湿地保护小区、湿地公园等管理机构应根据本地湿地资源状况和面临的生态和经济形势，以及湿地保护与管理中亟待解决的问题，进一步制定实施细则，修改和完善本部门管理条例中与《条例》不相适应的部分，健全湿地保护的法规体系，就湿地保护职责、范围、要求、湿地合理利用审批程序、执法与处罚、机构建设等作出明确规定。尤其是各级政府及相关部门的责任、任务要落实明确，制定湿地资源开发和合理利用的限制性条款，对涉及占用天然湿地或改变自然状态以及实施湿地开发利用的项目，行政主管部门都要会同有关部门按有关法律规定实行严格的审批。坚决制止随意侵占和破坏湿地的违法行为，坚决杜绝对湿地资源滥采、滥捕、乱用的现象。

省级湿地主管部门要依法履行指导、监督职责，全面贯彻落实《条例》的各项内容，并通过地方反馈、案例分析、跟踪调研等方式总结经验。进一步完善《条例》，尽快出台《条例》实施细则，明确执法主体、执法程序等相关内容。加强执法监督，建立案件追踪、案件复核、案件反馈等执法监督制度，坚决杜绝有法不依的现象。

## 4 加大投入，生态补偿

资金投入是做好湿地保护工作的保障，要在积极争取国家湿地保护资金支持的基础上，建立完善湿地保护的公共财政体制，为管理队伍、基础设施、科研监测和宣教工作提供经费保障。并研究制定有关湿地保护的鼓励和支持政策。多形式、多层次、全方位开辟融资渠道，逐步建立投资主体多元化、投资渠道和投资方式多样化的稳定的生态保护经济政策体系。鼓励和支持企业和个人参与湿地保护和合理开发利用，扩大资金来源，降低保护成本，提高整体效益。

2014 年，财政部和国家林业局开展了生态效益补偿试点。这标志着建立湿地生态效益补偿制度已上升到党和国家意志，对我国湿地保护将产生深远影响。建议省政府尽快研究制定省级湿地生态效益补偿制度，以经济措施为主，综合运用政策、资金、科技、市场等手段，协调重要湿地区域内各种利益的关系，使之相互融合，相互促进。这对于实现“保护优先、合理利用、可持续发展”将有着重要的意义，也是湿地保护的根本之策，长远大计。

## 5　加强科研监测，提供科技支撑

充分发挥省湿地专家委员会、各科研院所、大专院校的人才技术优势，加大对湿地退化、湿地修复、湿地的产出功能、污染控制、区域环境改善、减灾功能和水资源管理等基础理论与关键技术的研究，提出适应于全省可持续发展战略的湿地管理对策，实现湿地保护重大决策科学化。进一步完善湿地科研监测体系，强化湿地监测能力，整合科研监测资源，实现信息共享，为湿地保护管理决策提供科学依据。积极推进湿地监测能力和人才队伍建设，改善湿地科研基础设施状况，培养和引进专业人才，提高科研水平，充分发挥科研监测在湿地保护、修复以及合理开发利用方面的强大支撑作用。

## 6　强化国际交流与合作

吉林向海、莫莫格、查干湖、松花江三湖、哈泥、龙湾等湿地在国际、国内都有较高的知名度，今后应进一步加强与湿地国际(WI)、联合国计划开发署(UNDP)、世界自然基金会(WWF)、国际鹤类基金会(ICF)等国际湿地与湿地鸟类保护国际组织的合作，积极引进和利用先进的理念、技术和资金；密切关注国际湿地保护工作的新动向，积极倡议、参与和推动国际湿地保护工作的新行动；努力做好《湿地公约》的履约工作，进一步扩大吉林省在国际湿地保护领域中的影响，把湿地生态环境保护管理工作提高到一个新水平。

## 7　扩大保护范围，提高保护级别

吉林省目前建立的各级湿地自然保护区、保护小区、湿地公园等，使天然湿地的有效保护率达到了 45.18%。实践证明，建立湿地自然保护区和湿地公园，是保护湿地最积极、最直接、最有效的措施，是湿地保护管理的重要手段。但是，目前全省还有部分湿地处于完全开放状态，湿地安全受到严重威胁。要加快湿地自然保护区、湿地公园建设，强化重要湿地的保护管理力度。积极组织专家开展重要湿地认定工作，对符合条件的应鼓励申报建立湿地自然保护区或湿地公园，把河源地区、风沙干旱地区、饮用水水源区、风景名胜区、珍稀濒危野生动物栖息地、珍稀野生植物生长地 、生物多样性丰富的重要湿地生态区域，以及距离城镇较近、社会效益明显的湿地保护起来，扩大湿地保护范围，提高重要湿地的保护级别。

根据吉林省的湿地类型、分布及重要性，近期拟推荐为国际重要湿地、国家重要湿地及在“十三五”规划中计划建立的湿地自然保护区、湿地公园名录，分别见表 6-4 至表 6-7。

**表 6-4　吉林省拟推荐的国际重要湿地名录(公顷)**

| 序 号 | 湿地名称 | 主要湿地类型 | 区域面积 | 湿地面积 | 地理位置 |
|---|---|---|---|---|---|
| 1 | 查干湖湿地 | 湖泊湿地 | 65769.2 | 59316.0 | 前郭县、乾安县、大安市 |
| 2 | 龙湾湿地 | 湖泊湿地 | 15061.0 | 511.0 | 辉南县 |

**表 6-5　吉林省拟推荐的国家重要湿地名录(公顷)**

| 序 号 | 湿地名称 | 主要湿地类型 | 区域面积 | 湿地面积 | 地理位置 |
|---|---|---|---|---|---|
| 1 | 雁鸣湖湿地 | 湖泊湿地 | 53940.0 | 6797.0 | 敦化市 |
| 2 | 哈泥湿地 | 沼泽湿地 | 28630.0 | 2049.0 | 柳河县 |
| 3 | 花敖泡湿地 | 湖泊湿地 | 10000.0 | 2779.5 | 乾安县 |
| 4 | 波罗湖湿地 | 湖泊湿地 | 24915.0 | 68006.8 | 农安县 |
| 5 | 敬信湿地 | 湖泊湿地 | 23720.5 | 6805.6 | 珲春市 |
| 6 | 包拉温都湿地 | 沼泽湿地 | 62190.0 | 11821.0 | 通榆县 |
| 7 | 扶余湿地 | 河流湿地 | 61010.0 | 28372.0 | 扶余县 |

**表 6-6　吉林省拟建湿地保护区名录(公顷)**

| 序 号 | 保护区名称 | 主要湿地类型 | 区域面积 | 湿地面积 | 地理位置 | 规划等级 |
|---|---|---|---|---|---|---|
| 1 | 沙河庄自然保护区 | 沼泽湿地 | 87717.1 | 11821.1 | 敦化市 | 省级 |
| 2 | 长白山熔岩台地自然保护区 | 沼泽湿地 | 117100.7 | 16155.0 | 安图县 | 省级 |
| 3 | 松原三江口自然保护区 | 沼泽湿地 | 10000.0 | 5800.0 | 松原市 | 省级 |
| 4 | 花敖泡自然保护区 | 湖泊湿地 | 10000.0 | 2779.5 | 乾安县 | 省级 |
| 5 | 小城子自然保护区 | 沼泽湿地 | 15000.0 | 1907.3 | 舒兰市 | 省级 |
| 6 | 海兰江自然保护区 | 沼泽湿地 | 10000.0 | 500.0 | 和龙市 | 省级 |
| 7 | 二龙湖自然保护区 | 湖泊湿地 | 34000.0 | 10504.2 | 四平市、公主岭市、伊通县、东辽市 | 省级 |
| 8 | 石头口门自然保护区 | 湖泊湿地 | 28000.0 | 6625.1 | 长春市、九台市、永吉县 | 省级 |
| 9 | 新立城自然保护区 | 湖泊湿地 | 25000.0 | 6556.1 | 长春市 | 省级 |
| 10 | 十三泡自然保护区 | 湖泊湿地 | 10000.0 | 6488.3 | 长岭县 | 省级 |
| 11 | 亮甲山自然保护区 | 湖泊湿地 | 5000.0 | 1608.8 | 舒兰市 | 省级 |
| 12 | 星星哨自然保护区 | 湖泊湿地 | 5000.0 | 1314.9 | 永吉县 | 省级 |

**表 6-7 吉林省拟建湿地公园名录(公顷)**

| 序 号 | 湿地公园名称 | 主要湿地类型 | 区域面积 | 湿地面积 | 地理位置 | 规划等级 |
|---|---|---|---|---|---|---|
| 1 | 长春南溪湿地公园 | 河流湿地 | 135.0 | 45.0 | 长春市 | 国家级 |
| 2 | 长春莲花山湿地公园 | 沼泽湿地 | 1200.0 | 100.0 | 长春市 | 省级 |
| 3 | 大安月亮湖湿地公园 | 湖泊湿地 | 23000.0 | 5067.0 | 大安市 | 省级 |
| 4 | 敦化六顶山湿地公园 | 沼泽湿地 | 2291.0 | 180.0 | 敦化市 | 省级 |
| 5 | 长东北湿地公园 | 河流湿地 | 966.0 | 240.0 | 长春市 | 省级 |
| 6 | 双阳湖湿地公园 | 湖泊湿地 | 1600.0 | 1100.0 | 双阳区 | 省级 |
| 7 | 九台饮马河湿地公园 | 河流湿地 | 1160.0 | 300.0 | 九台市 | 省级 |
| 8 | 蛟河拉法河湿地公园 | 河流湿地 | 1800.0 | 120.0 | 蛟河市 | 省级 |
| 9 | 双辽茂林湿地公园 | 沼泽湿地 | 6600.0 | 1100.0 | 双辽市 | 省级 |
| 10 | 辽河源湿地公园 | 湖泊湿地 | 3000.0 | 1000.0 | 辽源市 | 省级 |
| 11 | 洮南蛟流河湿地公园 | 河流湿地 | 3000.0 | 830.0 | 洮南市 | 省级 |
| 12 | 松原哈拉毛都湿地公园 | 沼泽湿地 | 1150.0 | 300.0 | 松原市 | 省级 |
| 13 | 延边五道沟湿地公园 | 河流湿地 | 460.0 | 50.0 | 延 边 | 省级 |
| 14 | 敦化珠尔多河湿地公园 | 河流湿地 | 470.0 | 140.0 | 敦化市 | 省级 |
| 15 | 和龙亚东湿地公园 | 湖泊湿地 | 1000.0 | 200.0 | 和龙市 | 省级 |

# 附录1　吉林湿地调查区域植物名录

| 序号 | 科 | 属 | 种 | |
|---|---|---|---|---|
| | | | 中文名 | 拉丁名 |
| 一、苔藓植物 | | | | |
| 1 | 钱苔科 | 钱苔属 | 叉钱苔 | *Riccia fluitans* |
| 2 | | | 钱苔 | *Riccia gluca* |
| 3 | 地钱科 | 地钱属 | 地钱 | *Marchantia polymorpha* |
| 4 | 泥炭藓科 | 泥炭藓属 | 拟尖叶泥炭藓 | *Sphagnum acutifolioides* |
| 5 | | | 喙叶泥炭藓 | *Sphagnum apiculatum* |
| 6 | | | 锈色泥炭藓 | *Sphagnum fuscum* |
| 7 | | | 白齿泥炭藓 | *Sphagnum girgenshohnii* |
| 8 | | | 毛壁泥炭藓 | *Sphagnum imbricatum* |
| 9 | | | 中位泥炭藓 | *Sphagnum magellanium* |
| 10 | | | 尖叶泥炭藓 | *Sphagnum nemoreum* |
| 11 | | | 大泥炭藓 | *Sphagnum cymbifolium* |
| 12 | | | 偏叶泥炭藓 | *Sphagnum subsecundum* |
| 13 | | | 粗叶泥炭藓 | *Sphagnum squarrosum* |
| 14 | | | 细叶泥炭藓 | *Sphagnum teres* |
| 15 | 皱蒴藓科 | 皱蒴藓属 | 皱蒴藓 | *Aulacomnium palustre* |
| 16 | | | 沼泽皱蒴藓 | *Aulacomnium paluster* |
| 17 | 柳叶藓科 | 湿原藓属 | 湿原藓 | *Calliergon cordifolium* |
| 18 | 曲尾藓科 | 曲尾藓属 | 棕色曲尾藓 | *Dicranum fuscescens* |
| 19 | | | 波叶曲尾藓 | *Dicranum polysetum* |
| 20 | | | 曲尾藓 | *Dicranum scoparium* |
| 21 | | | 皱叶曲尾藓 | *Dicranum undulatum* |
| 22 | 凤尾藓科 | 凤尾藓属 | 卷叶凤尾藓 | *Fissidens cristatus* |
| 23 | | | 凤尾藓 | *Fissidens bryoides* |
| 24 | 紫萼藓科 | 紫萼藓属 | 高山紫萼藓 | *Grimmia alpicola* |
| 25 | 葫芦藓科 | 葫芦藓属 | 葫芦藓 | *Funaria hygrometrica* |
| 26 | 真藓科 | 真藓属 | 真藓 | *Bryum argenteum* |
| 27 | | | 细叶真藓 | *Bryum capillare* |
| 28 | | | 沼生真藓 | *Bryum knowltonii* |
| 29 | | 大叶藓属 | 大叶藓 | *Rhodobryum roseum* |

（续）

| 序号 | 科 | 属 | 种 | |
|---|---|---|---|---|
| | | | 中文名 | 拉丁名 |
| 30 | 提灯藓科 | 提灯藓属 | 圆叶提灯藓 | *Mnium punctatum* |
| 31 | | | 扁叶提灯藓 | *Mnium rugicum* |
| 32 | | | 提灯藓 | *Mnium vesicatum* |
| 33 | 白齿藓科 | 白齿藓属 | 小白齿藓 | *Leucodon peudulus* |
| 34 | 平藓科 | 羽平藓属 | 羽平藓 | *Necker pennata* |
| 35 | 万年藓科 | 万年藓属 | 万年藓 | *Climacium dendroides* |
| 36 | | | 东亚万年藓 | *Climacium japonicum* |
| 37 | | 树藓属 | 树藓 | *Girgensohnia ruthenica* |
| 38 | 羽藓科 | 沼羽藓属 | 沼羽藓 | *Helodium blandowii* |
| 39 | | 毛尖羽藓属 | 毛尖羽藓 | *Thuidium philibertii* |
| 40 | 青藓科 | 青藓属 | 青藓 | *Brachythecium albicans* |
| 41 | | | 羽枝青藓 | *Brachythecium plumosum* |
| 42 | 绢藓科 | 赤茎藓属 | 赤茎藓 | *Pleurozium shreberi* |
| 43 | 灰藓科 | 梳藓属 | 梳藓 | *Ctenidium molluscum* |
| 44 | 垂枝藓科 | 拟垂枝藓属 | 垂枝藓 | *Rhytiadelphus rugosum* |
| 45 | | | 粗叶拟垂枝藓 | *Rhytiadelphus squarosus* |
| 46 | | | 拟垂枝藓 | *Rhytiadelphus triquetrus* |
| 47 | 塔藓科 | 塔藓属 | 塔藓 | *Hylocomium splendens* |
| 48 | 金发藓科 | 金发藓属 | 大金发藓 | *Polytrichum commune* |
| 49 | | | 桧叶金发藓 | *Polytrichum juniperinum* |
| **二、蕨类植物** | | | | |
| 50 | 石松科 | 石松属 | 杉蔓石松 | *Lycopodium annotinum* |
| 51 | | | 东北石松 | *Lycopodium clavatum* var. *robustius* |
| 52 | | | 玉柏石松 | *Lycopodium obscurum* |
| 53 | 卷柏科 | 卷柏属 | 卷柏 | *Selaginella tamariscina* |
| 54 | 木贼科 | 问荆属 | 问荆 | *Equisetum arvense* |
| 55 | | | 水问荆 | *Equisetum fluviatile* |
| 56 | | | 犬问荆 | *Equisetum palustre* |
| 57 | | | 草问荆 | *Equisetum pratense* |
| 58 | | | 林问荆 | *Equisetum silvaticum* |
| 59 | | 木贼属 | 木贼 | *Hippochaete hyemale* |
| 60 | 紫萁蕨科 | 紫萁蕨属 | 分株紫萁 | *Osmunda cinnamomea* |
| 61 | 蕨科 | 蕨属 | 蕨 | *Pteridium aquilinum* var. *latiusculum* |
| 62 | 铁线蕨科 | 铁线蕨属 | 掌叶铁线蕨 | *Adiantum pedatum* |
| 63 | 蹄盖蕨科 | 蹄盖蕨属 | 猴腿蹄盖蕨 | *Athyrium multidentatum* |
| 64 | | 羽节蕨属 | 鳞毛羽节蕨 | *Gymnocarpium dryopteris* |
| 65 | 金星蕨科 | 金星蕨属 | 金星蕨 | *Parathelypteris glanduligera* |
| 66 | | 沼泽蕨属 | 毛叶沼泽蕨 | *Thelypteris palustris* |

（续）

| 序号 | 科 | 属 | 种 | |
|---|---|---|---|---|
| | | | 中文名 | 拉丁名 |
| 67 | 鳞毛蕨科 | 鳞毛蕨属 | 粗茎鳞毛蕨 | *Dryopteris crassirhizoma* |
| 68 | | | 细叶鳞毛蕨 | *Dryopteris woodsiisora* |
| 69 | 水龙骨科 | 石韦属 | 有柄石韦 | *Pyrrosia petiolosa* |
| 70 | 苹科 | 苹属 | 苹 | *Marsilea quadrifolia* |
| 71 | 槐叶苹科 | 槐叶苹属 | 槐叶苹 | *Salvinia natans* |
| 72 | 满江红科 | 满江红属 | 满江红 | *Azolla imbricata* |
| **三、裸子植物** | | | | |
| 73 | 松科 | 冷杉属 | 松杉冷杉 | *Abies holophylla* |
| 74 | | | 臭冷杉 | *Abies nephrolepis* |
| 75 | | 落叶松属 | 黄花落叶松 | *Larix olgensis* |
| 76 | | 云杉属 | 长白鱼鳞云杉 | *Picea jezoensis* var. *komarovii* |
| 77 | | | 鱼鳞云杉 | *Picea jezoensis* var. *microsperma* |
| 78 | | | 红皮云杉 | *Picea koraiensis* |
| 79 | | 松属 | 红松 | *Pinus koraiensis* |
| 80 | | | 偃松 | *Pinus pumila* |
| **四、被子植物** | | | | |
| 81 | 胡桃科 | 胡桃楸属 | 胡桃楸 | *Juglans mandshurica* |
| 82 | 杨柳科 | 钻天柳属 | 钻天柳 | *Chosenia arbutifolia* |
| 83 | | 杨属 | 山杨 | *Populus davidiana* |
| 84 | | | 香杨 | *Populus koreana* |
| 85 | | | 小叶杨 | *Populus simonii* |
| 86 | | | 大青杨 | *Populus ussuriensis* |
| 87 | | 柳属 | 垂柳 | *Salix babylonica* |
| 88 | | | 崖柳 | *Salix floderusii* |
| 89 | | | 细柱柳 | *Salix gracilistyla* |
| 90 | | | 杞柳 | *Salix integra* |
| 91 | | | 光果江界柳 | *Salix kangensis* var. *leiocarpa* |
| 92 | | | 朝鲜柳 | *Salix koreensis* |
| 93 | | | 筐柳 | *Salix linearistipularis* |
| 94 | | | 旱柳 | *Salix matsudana* |
| 95 | | | 龙爪柳 | *Salix matsudana* var. *tortuosa* |
| 96 | | | 越桔柳 | *Salix myrtilloides* |
| 97 | | | 五蕊柳 | *Salix pentandra* |
| 98 | | | 大黄柳 | *Salix raddeana* |
| 99 | | | 粉枝柳 | *Salix rorida* |
| 100 | | | 细叶沼柳 | *Salix rosmarinifolia* |
| 101 | | | 圆叶柳 | *Salix rotundifolia* |

（续）

| 序号 | 科 | 属 | 种 | |
|---|---|---|---|---|
| | | | 中文名 | 拉丁名 |
| 102 | 杨柳科 | 柳属 | 卷边柳 | *Salix siuzevii* |
| 103 | | | 司氏柳 | *Salix skovrtzovii* |
| 104 | | | 谷柳 | *Salix taraikensis* |
| 105 | | | 三蕊柳 | *Salix triandra* |
| 106 | | | 日本三蕊柳 | *Salix triandra* var. *nipponica* |
| 107 | | | 蒿柳 | *Salix viminalis* |
| 108 | | | 细叶蒿柳 | *Salix viminalis* var. *angustifolia* |
| 109 | | | 伪蒿柳 | *Salix viminalis* var. *gmelini* |
| 110 | 桦木科 | 赤杨属 | 东北赤杨 | *Alnus mandshurica* |
| 111 | | | 水冬瓜赤扬 | *Alnus sibirica* |
| 112 | | 桦木属 | 硕桦 | *Betula costata* |
| 113 | | | 岳桦 | *Betula ermanii* |
| 114 | | | 柴桦 | *Betula fruticosa* |
| 115 | | | 油桦 | *Betula fruitcosa* var. *ruprechtiana* |
| 116 | | | 白桦 | *Betula platyphylla* |
| 117 | | 鹅耳枥属 | 千金榆 | *Carpinus cordata* |
| 118 | | 榛属 | 榛 | *Corylus heterophylla* |
| 119 | | | 毛榛 | *Corylus mandshurica* |
| 120 | 榆科 | 榆属 | 春榆 | *Ulmus japonica* |
| 121 | | | 大果榆 | *Ulmus macrocarpa* |
| 122 | | | 榆树 | *Ulmus pumila* |
| 123 | | | 裂叶榆 | *Ulmus taciniata* |
| 124 | 荨麻科 | 冷水花属 | 透茎冷水花 | *Pilea pumila* |
| 125 | | | 矮冷水花 | *Pilea peploides* |
| 126 | | 荨麻属 | 狭叶荨麻 | *Ultica angustifolia* |
| 127 | 蓼科 | 蓼属 | 狐尾蓼 | *Polygonum alopecuroides* |
| 128 | | | 两栖蓼 | *Polygonum amphibium* |
| 129 | | | 萹蓄蓼 | *Polygonum aviculare* |
| 130 | | | 本氏蓼 | *Polygonum bungeanum* |
| 131 | | | 水蓼 | *Polygonum hydropiper* |
| 132 | | | 朝鲜蓼 | *Polygonum koreense* |
| 133 | | | 乌苏里蓼 | *Polygonum korshinskianum* |
| 134 | | | 酸模叶蓼 | *Polygonum lapathifolium* |
| 135 | | | 马氏蓼 | *Polygonum maackianum* |
| 136 | | | 耳叶蓼 | *Polygonum manshuriense* |
| 137 | | | 头状蓼 | *Polygonum nepalense* |
| 138 | | | 东方蓼 | *Polygonum orientale* |

（续）

| 序号 | 科 | 属 | 种 | |
|---|---|---|---|---|
| | | | 中文名 | 拉丁名 |
| 139 | 蓼科 | 蓼属 | 沼地蓼 | *Polygonum paludosum* |
| 140 | | | 穿叶蓼 | *Polygonum perfoliatum* |
| 141 | | | 桃叶蓼 | *Polygonum persicaria* |
| 142 | | | 西伯利亚蓼 | *Polygonum sibiricum* |
| 143 | | | 箭叶蓼 | *Polygonum sieboldi* |
| 144 | | | 水湿蓼 | *Polygonum strigosum* |
| 145 | | | 戟叶蓼 | *Polygonum thunbergii* |
| 146 | | | 珠芽蓼 | *Polygonum viviparum* |
| 147 | | | 毛叶耳蓼 | *Polygonum vladimiri* |
| 148 | | 酸模属 | 酸模 | *Rumex acetosa* |
| 149 | | | 黑水酸模 | *Rumex amurensis* |
| 150 | | | 皱叶酸模 | *Rumex crispus* |
| 151 | | | 毛脉酸模 | *Rumex gmelini* |
| 152 | | | 洋铁酸模 | *Rumex patientia* var. *callosus* |
| 153 | 马齿苋科 | 马齿苋属 | 马齿苋 | *Portulaca oleracea* |
| 154 | 石竹科 | 卷耳属 | 卷耳 | *Cerastium arvense* |
| 155 | | | 毛蕊卷耳 | *Cerastium pauciflorum* var. *amurense* |
| 156 | | | 高山卷耳 | *Cerastium rubescens* var. *ovatum* |
| 157 | | 石竹属 | 头石竹 | *Dianthus baratus* var. *asiaticus* |
| 158 | | | 石竹 | *Dianthus chinensis* |
| 159 | | 剪秋萝属 | 浅裂剪秋萝 | *Lychnis cognata* |
| 160 | | | 丝瓣剪秋萝 | *Lychnis wilfordii* |
| 161 | | 女娄菜属 | 光萼女娄菜 | *Melandrium firmum* |
| 162 | | 莫石竹属 | 莫石竹 | *Moehring lateriflora* |
| 163 | | 假繁缕属 | 蔓假繁缕 | *Pseudostellaria davidi* |
| 164 | | | 毛假繁缕 | *Pseudostellaria japonica* |
| 165 | | | 森林假繁缕 | *Pseudostellaria sylvatica* |
| 166 | | 漆姑草属 | 漆姑草 | *Sagina japonica* |
| 167 | | | 无毛漆姑草 | *Sagina saginoides* |
| 168 | | 麦瓶草属 | 毛萼麦瓶草 | *Silene repens* |
| 169 | | 繁缕属 | 林繁缕 | *Stellaria bungeana* |
| 170 | | | 叉繁缕 | *Stellaria dichotoma* |
| 171 | | | 翻白繁缕 | *Stellaria discolor* |
| 172 | | | 细叶繁缕 | *Stellaria filicaulis* |
| 173 | | | 伞繁缕 | *Stellaria longifolia* |
| 174 | | | 繁缕 | *Stellaria media* |
| 175 | | | 沼生繁缕 | *Stellaria palustris* |

（续）

| 序号 | 科 | 属 | 种 | |
|---|---|---|---|---|
| | | | 中文名 | 拉丁名 |
| 176 | 石竹科 | 繁缕属 | 垂梗繁缕 | *Stellaria radians* |
| 177 | 藜科 | 藜属 | 藜 | *Chenopodium album* |
| 178 | | | 灰绿藜 | *Chenopodium glaucum* |
| 179 | | 地肤属 | 地肤 | *Kochia scoparia* |
| 180 | | 碱蓬属 | 角果碱蓬 | *Suaeda corniculata* |
| 181 | | | 碱蓬 | *Suaeda glauca* |
| 182 | 五味子科 | 五味子属 | 五味子 | *Schizandra chinensis* |
| 183 | 毛茛科 | 乌头属 | 卷毛蔓乌头 | *Aconitum ciliare* |
| 184 | | | 敦化乌头 | *Aconitum dunhuaense* |
| 185 | | | 北乌头 | *Aconitum kusnezoffii* |
| 186 | | | 宽叶蔓乌头 | *Aconitum latisrctum* |
| 187 | | | 细叶乌头 | *Aconitum macroorhynchus* |
| 188 | | | 白山乌头 | *Aconitum paishanense* |
| 189 | | | 蔓乌头 | *Aconitum volubile* |
| 190 | | 银莲花属 | 二歧银莲花 | *Anemone dichotama* |
| 191 | | | 阴地银莲花 | *Anemone umbrosa* |
| 192 | | 驴蹄草属 | 薄叶驴蹄草 | *Caltha membranacea* |
| 193 | | | 白花驴蹄草 | *Caltha natans* |
| 194 | | | 驴蹄草 | *Caltha palustris* |
| 195 | | 升麻属 | 单穗升麻 | *Cimicifuga simplex* |
| 196 | | 铁线莲属 | 棉团铁线莲 | *Clematis hexapetala* |
| 197 | | | 黄花铁线莲 | *Clematis intricata* |
| 198 | | 毛茛属 | 水毛茛 | *Ranunculus bungei* |
| 199 | | | 回回蒜毛茛 | *Ranunculus chinensis* |
| 200 | | | 楔叶毛茛 | *Ranunculus cuneifolius* |
| 201 | | | 圆叶碱毛茛 | *Ranunculus cymbalaria* |
| 202 | | | 深山毛茛 | *Ranunculus franchetii* |
| 203 | | | 小叶毛茛 | *Ranunculus gmelinii* |
| 204 | | | 毛茛 | *Ranunculus japonicus* |
| 205 | | | 长叶碱毛茛 | *Ranunculus ruthenica* |
| 206 | | | 毛柄水毛茛 | *Ranunculus trichophyllum* |
| 207 | | 唐松草属 | 箭头唐松草 | *Thalictrum simplex* |
| 208 | | 金莲花属 | 长白金莲花 | *Trollius japonicus* |
| 209 | | | 短瓣金莲花 | *Trollius ledebouri* |
| 210 | | | 长瓣金莲花 | *Trollius macropetalus* |
| 211 | 睡莲科 | 芡属 | 芡实 | *Euryale ferox* |
| 212 | | 莲属 | 莲 | *Nelumbo nucifera* |

（续）

| 序号 | 科 | 属 | 种 | |
|---|---|---|---|---|
| | | | 中文名 | 拉丁名 |
| 213 | 睡莲科 | 睡莲属 | 睡莲 | *Nymphaea tetragona* |
| 214 | 金鱼藻科 | 金鱼藻属 | 金鱼藻 | *Ceratophyllum demersum* |
| 215 | | | 东北金鱼藻 | *Ceratophyllum manshuricum* |
| 216 | | | 五刺金鱼藻 | *Ceratophyllum oryzetorum* |
| 217 | 猕猴桃科 | 猕猴桃属 | 软枣猕猴桃 | *Actinidia arguta* |
| 218 | | | 狗枣猕猴桃 | *Actinidia kolomikta* |
| 219 | 金丝桃科 | 金丝桃属 | 长柱金丝桃 | *Hypericum ascyron* |
| 220 | | | 短柱金丝桃 | *Hypericum gebleri* |
| 221 | | 地耳草属 | 地耳草 | *Triadenium japonicum* |
| 222 | 茅膏菜科 | 茅膏菜属 | 圆叶茅膏菜 | *Drosera rotundifolia* |
| 223 | 十字花科 | 碎米荠属 | 白花碎米荠 | *Cardamine leucantha* |
| 224 | | | 草甸碎米荠 | *Cardamine pratensis* |
| 225 | | | 伏水碎米荠 | *Cardamine prorepens* |
| 226 | | 蔊菜属 | 风花菜 | *Rorippa islandica* |
| 227 | 虎耳草科 | 落新妇属 | 落新妇 | *Astilbe chinensis* |
| 228 | | 金腰属 | 互叶金腰 | *Chrysosplenium alternifolium* |
| 229 | | 溲疏属 | 东北溲疏 | *Deutzia amuresis* |
| 230 | | | 无毛溲疏 | *Deutzia glabrata* |
| 231 | | | 小花溲疏 | *Deutzia parviflora* |
| 232 | | 唢呐草属 | 唢呐草 | *Mitella nuda* |
| 233 | | 梅花草属 | 梅花草 | *Parnassia palustris* |
| 234 | | 扯根菜属 | 扯根菜 | *Penthorum chinense* |
| 235 | | 山梅花属 | 东北山梅花 | *Philadelphus schrenkii* |
| 236 | | 茶藨属 | 长白茶藨 | *Ribes komarovii* |
| 237 | | | 东北茶藨 | *Ribes mandshuricum* |
| 238 | | 虎耳草属 | 长白虎耳草 | *Saxifraga laciniata* |
| 239 | 蔷薇科 | 沼委陵菜属 | 沼委陵菜 | *Comarum pluatre* |
| 240 | | 蚊子草属 | 细叶蚊子草 | *Filipendula angustiloba* |
| 241 | | | 翻白蚊子草 | *Filipendula intermedia* |
| 242 | | | 蚊子草 | *Filipendula palmata* |
| 243 | | | 光叶蚊子草 | *Filipendula palmata* var. *glabra* |
| 244 | | 草莓属 | 东方草莓 | *Fragaria orientalis* |
| 245 | | 苹果属 | 山荆子 | *Malus baccata* |
| 246 | | 委陵菜属 | 鹅绒委陵菜 | *Potentilla ansrina* |
| 247 | | | 委陵菜 | *Potentilla chinensis* |
| 248 | | | 蔓委陵菜 | *Potentilla flagellaris* |
| 249 | | | 莓叶委陵菜 | *Potentilla fragariodes* |

（续）

| 序号 | 科 | 属 | 种 | |
|---|---|---|---|---|
| | | | 中文名 | 拉丁名 |
| 250 | 蔷薇科 | 委陵菜属 | 金露梅 | *Potentilla fruiticosa* |
| 251 | | | 蛇含委陵菜 | *Potentilla kleiniana* |
| 252 | | | 伏委陵菜 | *Potentilla paradoxa* |
| 253 | | 李属 | 稠李 | *Prunus padus* |
| 254 | | 蔷薇属 | 山刺玫 | *Rosa davurica* |
| 255 | | 悬钩子属 | 北悬钩子 | *Rubus arcticus* |
| 256 | | | 山楂叶悬钩子 | *Rubus creataegiflolius* |
| 257 | | 地榆属 | 地榆 | *Sanguisorba officinalis* |
| 258 | | | 小白花地榆 | *Sanguisorba parviflra* |
| 259 | | | 大白花地榆 | *Sanguisorba stipulata* |
| 260 | | 珍珠梅属 | 珍珠梅 | *Sorbaria sorbifolia* |
| 261 | | 绣线菊属 | 绣线菊 | *Spiraea salicifolia* |
| 262 | 豆科 | 黄耆属 | 黄耆 | *Astragalus membranaeeus* |
| 263 | | | 湿地黄耆 | *Astragalus uliginosus* |
| 264 | | 大豆属 | 野大豆 | *Glycine soja* |
| 265 | | 山黧豆属 | 山黧豆 | *Lathyrus palastiris* var. *pilosus* |
| 266 | | | 五脉山黧豆 | *Lathyrus quinquenervius* |
| 267 | | 马鞍树属 | 山槐 | *Maackia amurensis* |
| 268 | | 草木犀属 | 草木犀 | *Melilotus officinalis* |
| 269 | | 车轴草属 | 野火球 | *Trifolium lupinaster* |
| 270 | | | 白车轴草 | *Trifolium repense* |
| 271 | | 野豌豆属 | 山野豌豆 | *Vicia amoena* |
| 272 | | | 广布野豌豆 | *Vicia aracca* |
| 273 | 酢浆草科 | 酢浆草属 | 山酢浆草 | *Oxalis acetosella* |
| 274 | | | 酢浆草 | *Oxalis cornieulata* |
| 275 | | | 直酢浆草 | *Oxalis stricta* |
| 276 | 牻牛儿苗科 | 牻牛儿苗属 | 牻牛儿苗 | *Erodium stephanianum* |
| 277 | | 老鹳草属 | 毛蕊老鹳草 | *Geranium eriostemon* |
| 278 | | | 粗根老鹳草 | *Geranium dahuricum* |
| 279 | | | 突节老鹳草 | *Geranium krameri* |
| 280 | | | 鼠掌老鹳草 | *Geranium sibiricum* |
| 281 | | | 灰背老灌草 | *Geranium vlassowianum* |
| 282 | | | 老鹳草 | *Geranium wilfordi* |
| 283 | 槭树科 | 槭属 | 色木槭 | *Acer mono* |
| 284 | 凤仙花科 | 凤仙花属 | 水金凤 | *Impatiens noli-tangere* |
| 285 | 鼠李科 | 鼠李属 | 鼠李 | *Rhamnus davurica* |
| 286 | 葡萄科 | 葡萄属 | 山葡萄 | *Vitis amurensis* |

（续）

| 序号 | 科 | 属 | 种 | |
|---|---|---|---|---|
| | | | 中文名 | 拉丁名 |
| 287 | 椴树科 | 椴属 | 紫椴 | *Tilia amurnesis* |
| 288 | | | 糠椴 | *Tilia mandshurica* |
| 289 | 堇菜科 | 堇菜属 | 鸡腿堇菜 | *Viola acuminata* |
| 290 | | | 额穆尔堇菜 | *Viola amurica* |
| 291 | | | 球果堇菜 | *Viola collina* |
| 292 | | | 白花堇菜 | *Viola patrinii* |
| 293 | | | 堇菜 | *Viola verecunda* |
| 294 | 沟繁缕科 | 沟繁缕属 | 三蕊沟繁缕 | *Elatine triandra* |
| 295 | 千屈菜科 | 千屈菜属 | 千屈菜 | *Lythrum salicaria* |
| 296 | 菱科 | 菱属 | 丘角菱 | *Trapa japonica* |
| 297 | | | 冠菱 | *Trapa litwinowii* |
| 298 | | | 东北菱 | *Trapa manshurica* |
| 299 | | | 耳菱 | *Trapa potaninii* |
| 300 | | | 格菱 | *Trapa pseudoincisa* |
| 301 | 柳叶菜科 | 柳兰属 | 柳兰 | *Chamaenerion angustifolium* |
| 302 | | 露珠草属 | 高山露珠草 | *Circaea alpina* |
| 303 | | | 水珠草 | *Circaea quadrisulcata* |
| 304 | | 柳叶菜属 | 光华柳叶菜 | *Epilobium cephalostigma* |
| 305 | | | 东北柳叶菜 | *Epilobium cylindrostigma* |
| 306 | | | 多枝柳叶菜 | *Epilobium fastigiato-ramosum* |
| 307 | | | 柳叶菜 | *Epilobium hirsutum* |
| 308 | | | 水湿柳叶菜 | *Epilobium palustre* |
| 309 | 小二仙草科 | 狐尾藻属 | 穗状狐尾藻 | *Myriophyllum spicatum* |
| 310 | | | 狐尾藻 | *Myriophyllum verticillatum* |
| 311 | 杉叶藻科 | 杉叶藻属 | 杉叶藻 | *Hippuris vulgaris* |
| 312 | 五加科 | 五加属 | 刺五加 | *Acanthopanax senticosus* |
| 313 | 伞形科 | 羊角芹属 | 东北羊角芹 | *Aegopodium alpestre* |
| 314 | | 当归属 | 狭叶当归 | *Angelica anomala* |
| 315 | | | 白芷 | *Angelica dahurica* |
| 316 | | | 朝鲜当归 | *Angelica gigas* |
| 317 | | 毒芹属 | 毒芹 | *Cicuta virosa* |
| 318 | | | 细叶毒芹 | *Cicuta virosa* f. *angustifolia* |
| 319 | | 蛇床属 | 蛇床 | *Cnidium monnieri* |
| 320 | | 柳叶芹属 | 柳叶芹 | *Czernaevia laevigata* |
| 321 | | 水芹属 | 水芹 | *Oenanthe javaniea* |
| 322 | | 山芹属 | 全叶山芹 | *Ostericum maximowiczii* |
| 323 | | | 山芹 | *Ostericum sieboldi* |

（续）

| 序号 | 科 | 属 | 种 | |
|---|---|---|---|---|
| | | | 中文名 | 拉丁名 |
| 324 | 伞形科 | 变豆菜属 | 变豆菜 | *Sanicula chinensis* |
| 325 | | | 紫花变豆菜 | *Sanicula rubriflora* |
| 326 | | 泽芹属 | 泽芹 | *Sium suave* |
| 327 | 鹿蹄草科 | 鹿蹄草属 | 红花鹿蹄草 | *Pyrola incarnata* |
| 328 | | | 肾叶鹿蹄草 | *Pyrola renifolia* |
| 329 | | 单侧花属 | 单侧花 | *Orthilia secunda* |
| 330 | 杜鹃花科 | 甸杜属 | 甸杜 | *Chamaedaphne calyculata* |
| 331 | | 杜香属 | 细叶杜香 | *Ledum palustre* |
| 332 | | | 宽叶杜香 | *Ledum palustre* var. *dilatatum* |
| 333 | | 杜鹃属 | 牛皮杜鹃 | *Rhododendron aureum* |
| 334 | | | 小叶杜鹃 | *Rhododendron lapponicum* |
| 335 | | 越桔属 | 笃斯越橘 | *Vaccinium ulginosum* |
| 336 | | | 越桔 | *Vaccinium vitis-idaea* |
| 337 | 报春花科 | 点地梅属 | 东北点地梅 | *Androsace filiformis* |
| 338 | | | 点地梅 | *Androsace umbellata* |
| 339 | | 珍珠菜属 | 狼尾花 | *Lysimachia barystachys* |
| 340 | | | 黄连花 | *Lysimachia davurica* |
| 341 | | | 球尾花 | *Lysimachia thyrsiflora* |
| 342 | | 报春花属 | 樱草 | *Primula sieboldii* |
| 343 | | 七瓣莲属 | 七瓣莲 | *Trientalis europaea* |
| 344 | 木犀科 | 梣属 | 水曲柳 | *Fraxinus mandshurica* |
| 345 | | 丁香属 | 暴马丁香 | *Syringa reticulata* var. *mandshurica* |
| 346 | 龙胆科 | 龙胆属 | 白山龙胆 | *Gentiana jamesii* |
| 347 | | | 条叶龙胆 | *Gentiana manshurica* |
| 348 | | | 三花龙胆 | *Gentiana triflora* |
| 349 | | | 朝鲜龙胆 | *Gentiana uchiyamai* |
| 350 | | 睡菜属 | 睡菜 | *Menganthes trifoliata* |
| 351 | | 荇菜属 | 荇菜 | *Nymphoides. peltatum* |
| 352 | 茜草科 | 拉拉藤属 | 拉拉藤 | *Galium aparine* var. *echinospermum* |
| 353 | | | 北方拉拉藤 | *Galium boreale* |
| 354 | | | 兴安拉拉藤 | *Galium dahuricum* |
| 355 | | | 东北拉拉藤 | *Galium manshuricum* |
| 356 | | | 小叶拉拉藤 | *Galium trifidum* |
| 357 | | | 蓬子菜拉拉藤 | *Galium verum* |
| 358 | 花荵科 | 花荵属 | 兴安花荵 | *Polemonium boreale* |
| 359 | | | 腺毛花荵 | *Polemonium laxiflorum* |
| 360 | | | 花荵 | *Polemonium coeruleum* |

（续）

| 序号 | 科 | 属 | 种 | |
|---|---|---|---|---|
| | | | 中文名 | 拉丁名 |
| 361 | 旋花科 | 打碗花属 | 宽叶打碗花 | *Calystegia sepium* var. *communis* |
| 362 | 紫草科 | 勿忘草属 | 湿地勿忘草 | *Myosotis caespitosa* |
| 363 | | 附地菜属 | 水甸附地菜 | *Trigonotis myosotidea* |
| 364 | 水马齿科 | 水马齿属 | 沼生水马齿 | *Callitriche palustris* |
| 365 | 唇形科 | 香薷属 | 海州香薷 | *Elsholtzia pseudo-cristada* |
| 366 | | 地瓜苗属 | 异叶地瓜苗 | *Lycopus lucidus* |
| 367 | | | 小花地瓜苗 | *Lycopus parviflorus* |
| 368 | | 薄荷属 | 兴安薄荷 | *Mentha dahurica* |
| 369 | | | 薄荷 | *Mentha haplocalyx* |
| 370 | | 黄芩属 | 黄芩 | *Scutellaria baicalensis* |
| 371 | | | 纤弱黄芩 | *Scutellaria dependens* |
| 372 | | | 狭叶黄芩 | *Scutellaria regeliana* |
| 373 | | | 并头黄芩 | *Scutellaria scordifolia* |
| 374 | | 水苏属 | 毛水苏 | *Stachys baiealensis* |
| 375 | | | 水苏 | *Stachys japonica* |
| 376 | 玄参科 | 泽番椒属 | 泽番椒 | *Deinostema violaceum* |
| 377 | | 水茫草属 | 水茫草 | *Limosella aquatica* |
| 378 | | 沟酸浆属 | 沟酸浆 | *Mimulus tenellus* |
| 379 | | 马先蒿属 | 大野苏子马先蒿 | *Pedicularis grandiflora* |
| 380 | | | 鸡冠马先蒿 | *Pedicularis mandshuricum* |
| 381 | | | 小花沼生马先蒿 | *Pedicularis palustris* |
| 382 | | | 返顾马先蒿 | *Pedicularis resupinata* |
| 383 | | 玄参属 | 北玄参 | *Scrophularia buergeriana* |
| 384 | | 婆婆纳属 | 东北婆婆纳 | *Veronica rotunda* var. *subintegra* |
| 385 | | | 小婆婆纳 | *Veronica serpyllifolia* |
| 386 | 狸藻科 | 狸藻属 | 中狸藻 | *Utricularia intermedia* |
| 387 | | | 小狸藻 | *Utricularia minor* |
| 388 | | | 狸藻 | *Utricularia vulgaris* |
| 389 | 车前科 | 车前属 | 车前 | *Plantago asiatica* |
| 390 | | | 平车前 | *Plantago depressa* |
| 391 | 忍冬科 | 北极花属 | 北极花 | *Linnaea borealis* |
| 392 | | 忍冬属 | 黄花忍冬 | *Lonicera chrysantha* |
| 393 | | | 蓝靛果忍冬 | *Lonicera edulis* |
| 394 | | | 金银忍冬 | *Lonicera maackii* |
| 395 | | | 紫枝忍冬 | *Lonicera maximowiczii* |
| 396 | | | 长白忍冬 | *Lonicera ruprechtiana* |
| 397 | | 接骨木属 | 东北接骨木 | *Sambucus manshurica* |

（续）

| 序号 | 科 | 属 | 种 | |
|---|---|---|---|---|
| | | | 中文名 | 拉丁名 |
| 398 | 忍冬科 | 接骨木属 | 接骨木 | *Sambucus williamsii* |
| 399 | | 荚蒾属 | 朝鲜荚蒾 | *Viburnum koreanum* |
| 400 | | | 鸡树条荚蒾 | *Viburnum sargenti* |
| 401 | 五福花科 | 五福花属 | 五福花 | *Adoxa moschatellina* |
| 402 | 败酱科 | 败酱属 | 败酱 | *Patrinia scabiosaefolia* |
| 403 | | 缬草属 | 缬草 | *Valeriana officinalis* |
| 404 | | | 毛节缬草 | *Valeriana stubendorfi* |
| 405 | | | 北缬草 | *Valeriana corenana* |
| 406 | 桔梗科 | 半边莲属 | 山梗菜 | *Lobelia sessilifolia* |
| 407 | 菊科 | 蒿属 | 碱蒿 | *Artemisia anethifolia* |
| 408 | | | 蒙古蒿 | *Artemisia mongolica* |
| 409 | | | 万年蒿 | *Artemisia gmelini* |
| 410 | | | 水蒿 | *Artemisia selengensis* |
| 411 | | 紫菀属 | 圆苞紫菀 | *Aster maackii* |
| 412 | | 鬼针草属 | 鬼针草 | *Bidens bipinnata* |
| 413 | | | 小花鬼针草 | *Bidens parviflora* |
| 414 | | 旋覆花属 | 欧亚旋覆花 | *Inula britannica* |
| 415 | | | 线叶旋覆花 | *Inula linariaefolia* |
| 416 | | | 旋覆花 | *Inula japonica* |
| 417 | | 橐吾属 | 三角叶橐吾 | *Ligularia deltoidea* |
| 418 | | | 蹄叶橐吾 | *Ligularia fischeri* |
| 419 | | | 单花橐吾 | *Ligularia jamesii* |
| 420 | | | 全缘橐吾 | *Ligularia mongolica* |
| 421 | | | 橐吾 | *Ligularia sibirica* |
| 422 | | 风毛菊属 | 草地风毛菊 | *Saussurea amara* |
| 423 | | | 龙江风毛菊 | *Saussurea amurensis* |
| 424 | | | 风毛菊 | *Saussurea japonica* |
| 425 | | | 羽叶风毛菊 | *Saussurea maximowiczii* |
| 426 | | | 小花风毛菊 | *Saussurea parviflora* |
| 427 | | | 柳叶风毛菊 | *Saussurea salicifolia* |
| 428 | | | 林风毛菊 | *Saussurea sinuata* |
| 429 | | 苦苣菜属 | 苣荬菜 | *Sonchus brachyotus* |
| 430 | | 蒲公英属 | 红梗蒲公英 | *Taraxacum erythopodium* |
| 431 | | | 东北蒲公英 | *Taraxacum ohwianum* |
| 432 | | 三肋果属 | 三肋果 | *Tripleurospermum limosum* |
| 433 | | 女菀属 | 女菀 | *Turczaninowia fastigiata* |
| 434 | 泽泻科 | 泽泻属 | 泽泻 | *Alisma orientale* |
| 435 | | 慈姑属 | 浮叶慈姑 | *Sagittaria natans* |
| 436 | | | 野慈姑 | *Sagittaria trifolia* |

（续）

| 序号 | 科 | 属 | 种 | |
|---|---|---|---|---|
| | | | 中文名 | 拉丁名 |
| 437 | 泽泻科 | 慈姑属 | 狭叶慈姑 | *Sagittaria trifolia* var. *angustifolia* |
| 438 | 花蔺科 | 花蔺属 | 花蔺 | *Butomus umbellatus* |
| 439 | 水鳖科 | 黑藻属 | 黑藻 | *Hydrilla varticillata* |
| 440 | | 水车前属 | 水车前 | *Ottelia alismoides* |
| 441 | 水麦冬科 | 水麦冬属 | 海韭菜 | *Triglochin maritimum* |
| 442 | 眼子菜科 | 眼子菜属 | 柳叶眼子菜 | *Potamogeton compressus* |
| 443 | | | 菹草 | *Potamogeton crispus* |
| 444 | | | 眼子菜 | *Potamogeton distinctus* |
| 445 | | | 异叶眼子菜 | *Potamogeton gramineus* |
| 446 | | | 光叶眼子菜 | *Potamogeton lucens* |
| 447 | | | 微齿眼子菜 | *Potamogeton maackianus* |
| 448 | | | 竹叶眼子菜 | *Potamogeton malaianus* |
| 449 | | | 东北眼子菜 | *Potamogeton mandshuriensis* |
| 450 | | | 小浮叶眼子菜 | *Potamogeton mizuhikimo* |
| 451 | | | 浮叶眼子菜 | *Potamogeton natans* |
| 452 | | | 篦齿眼子菜 | *Potamogeton pectinatus* |
| 453 | | | 穿叶眼子菜 | *Potamogeton perfoliatus* |
| 454 | | | 小眼子菜 | *Potamogeton pussillus* |
| 455 | | 川蔓藻属 | 川蔓藻 | *Ruppia maritima* |
| 456 | 茨藻科 | 茨藻属 | 茨藻 | *Najas marina* |
| 457 | | | 小茨藻 | *Najas minor* |
| 458 | 百合科 | 葱属 | 北葱 | *Allium schoenoprasum* |
| 459 | | 铃兰属 | 铃兰 | *Convallaria keiskei* |
| 460 | | 萱草属 | 黄花菜 | *Hemerocallis citrine* |
| 461 | | | 北黄花菜 | *Hemerocallis lilio-asphodelus* |
| 462 | | | 小黄花菜 | *Hemerocallis minor* |
| 463 | | 百合属 | 东北百合 | *Lilium distichum* |
| 464 | | | 大花百合 | *Lilium megalanthum* |
| 465 | | 舞鹤草属 | 二叶舞鹤草 | *Maianthemum bifolium* |
| 466 | | | 舞鹤草 | *Maianthemum dilatatum* |
| 467 | | 重楼属 | 北重楼 | *Paris verticillata* |
| 468 | | 黄精属 | 小玉竹 | *Polygonatum humile* |
| 469 | | | 玉竹 | *Polygonatum odoratum* |
| 470 | | 鹿药属 | 鹿药 | *Smilacina japonica* |
| 471 | | | 三叶鹿药 | *Smilacina trifolia* |
| 472 | | 藜芦属 | 兴安藜芦 | *Veratrum dahuricum* |
| 473 | | | 毛穗藜芦 | *Veratrum maackii* |
| 474 | | | 藜芦 | *Veratrum nigrum* |
| 475 | | | 尖被藜芦 | *Veratrum oxysepalum* |

（续）

| 序号 | 科 | 属 | 种 | |
|---|---|---|---|---|
| | | | 中文名 | 拉丁名 |
| 476 | 雨久花科 | 雨久花属 | 雨久花 | *Monochoria korsakowii* |
| 477 | | | 鸭舌草 | *Monochoria vaginalis* |
| 478 | 鸢尾科 | 鸢尾属 | 玉婵花 | *Iris ensata* |
| 479 | | | 马蔺 | *Iris lactea* var. *chinensis* |
| 480 | | | 燕子花 | *Iris laevigata* |
| 481 | | | 紫苞鸢尾 | *Iris ruthenica* |
| 482 | | | 溪荪 | *Iris sanguinea* |
| 483 | 灯心草科 | 灯心草属 | 小灯芯草 | *Juncus bufonius* |
| 484 | | | 灯心草 | *Juncus effusus* |
| 485 | | | 滨灯心草 | *Juncus haenkei* |
| 486 | | 地杨梅属 | 火红地杨梅 | *Luzula rufescens* |
| 487 | 鸭跖草科 | 鸭跖草属 | 鸭跖草 | *Commelina communis* |
| 488 | 谷精草科 | 谷精草属 | 宽叶谷精草 | *Eriocaulon robustius* |
| 489 | 禾本科 | 獐毛属 | 獐毛 | *Aeluropus sinensis* |
| 490 | | 剪股颖属 | 华北剪股颖 | *Agrostis clavata* |
| 491 | | | 多枝剪股颖 | *Agrostis divaricatissima* |
| 492 | | 看麦娘属 | 看麦娘 | *Alopecurus aequalis* |
| 493 | | 拂子茅属 | 小叶章 | *Calamagrostis angustifolia* |
| 494 | | | 野青茅 | *Calamagrostis arundinacea* |
| 495 | | | 拂子茅 | *Calamagrostis epigejos* |
| 496 | | | 大叶章 | *Calamagrostis langsdorffii* |
| 497 | | | 假苇拂子茅 | *Calamagrostis pseudophragmites* |
| 498 | | 稗属 | 野稗 | *Echinochloa crusealii* |
| 499 | | | 稗子 | *Echinochloa frumentacea* |
| 500 | | 甜茅属 | 细弱甜茅 | *Glyceria lithoanica* |
| 501 | | | 狭叶甜茅 | *Glyceria spiculosa* |
| 502 | | | 东北甜茅 | *Glyceria triflora* |
| 503 | | 牛鞭草属 | 牛鞭草 | *Hemarthria sibirica* |
| 504 | | 赖草属 | 羊草 | *Leymus ehinensis* |
| 505 | | 乱子草属 | 乱子草 | *Muhlenbergia hugelii* |
| 506 | | 芦苇属 | 芦苇 | *Phragmites australis* |
| 507 | | 碱茅属 | 朝鲜碱茅 | *Puccinellia chinampoensis* |
| 508 | | | 星星草 | *Puccinellia tenuiflora* |
| 509 | | 早熟禾属 | 尖颖早熟禾 | *Poa acmocalyx* |
| 510 | | | 细叶早熟禾 | *Poa angustifolia* |
| 511 | | | 林地早熟禾 | *Poa nemoralis* |
| 512 | | | 泽地早熟禾 | *Poa palustris* |
| 513 | | | 草地早熟禾 | *Poa pratensis* |
| 514 | | | 普通早熟禾 | *Poa trivialis* |

（续）

| 序号 | 科 | 属 | 种 | |
|---|---|---|---|---|
| | | | 中文名 | 拉丁名 |
| 515 | 禾本科 | 早熟禾属 | 乌苏里早熟禾 | *Poa ussuriensi* |
| 516 | | 鹅观草属 | 直穗鹅观草 | *Roegneria gmelini* |
| 517 | | | 缘毛鹅观草 | *Roegneria pendulina* |
| 518 | | 狗尾草属 | 狗尾草 | *Setaria viridis* |
| 519 | | 大油芒属 | 大油芒 | *Spodiopogon sibiricus* |
| 520 | | 菰属 | 菰 | *Zizania latifolia* |
| 521 | 天南星科 | 菖蒲属 | 菖蒲 | *Acorus calamus* |
| 522 | | 水芋属 | 水芋 | *Calla palustris* |
| 523 | 浮萍科 | 浮萍属 | 浮萍 | *Lemna minor* |
| 524 | | | 稀脉浮萍 | *Lemna perpusilla* |
| 525 | | | 品萍 | *Lemna trisulca* |
| 526 | | 紫萍属 | 紫萍 | *Spirodela polyrrhiza* |
| 527 | 黑三棱科 | 黑三棱属 | 黑三棱 | *Sparganium coreanum* |
| 528 | | | 小黑三棱 | *Sparganium ermersum* |
| 529 | | | 密序黑三棱 | *Sparganium glomeratum* |
| 530 | | | 狭叶黑三棱 | *Sparganium stenophyllum* |
| 531 | 香蒲科 | 香蒲属 | 狭叶香蒲 | *Typha angustifolia* |
| 532 | | | 宽叶香蒲 | *Typha latifolia* |
| 533 | | | 小香蒲 | *Typha minima* |
| 534 | | | 香蒲 | *Typha orientalis* |
| 535 | 莎草科 | 薹草属 | 灰脉薹草 | *Carex appendiculata* |
| 536 | | | 丛薹草 | *Carex caespitosa* |
| 537 | | | 玉簪薹草 | *Carex globularis* |
| 538 | | | 叉齿薹草 | *Carex gotoi* |
| 539 | | | 吉林薹草 | *Carex kirinensis* |
| 540 | | | 凸脉薹草 | *Carex lanceolata* |
| 541 | | | 毛薹草 | *Carex lasiocarpa* |
| 542 | | | 尖嘴薹草 | *Carex leiorhyncha* |
| 543 | | | 沼薹草 | *Carex limosa* |
| 544 | | | 二柱薹草 | *Carex lithophila* |
| 545 | | | 乌拉草 | *Carex meyeriana* |
| 546 | | | 滑茎薹草 | *Carex micrantha* |
| 547 | | | 高鞘薹草 | *Carex middendorffii* |
| 548 | | | 翼果薹草 | *Carex neurocarpa* |
| 549 | | | 阴地针薹草 | *Carex onoei* |
| 550 | | | 疣囊薹草 | *Carex pallida* |
| 551 | | | 毛缘薹草 | *Carex pilosa* |
| 552 | | | 漂筏薹草 | *Carex pseudo-curaica* |
| 553 | | | 四花薹草 | *Carex quadriflora* |

（续）

| 序号 | 科 | 属 | 种 | |
|---|---|---|---|---|
| | | | 中文名 | 拉丁名 |
| 554 | 莎草科 | 薹草属 | 丝引薹草 | *Carex remotiuscula* |
| 555 | | | 走茎薹草 | *Carex reptabunda* |
| 556 | | | 石薹草 | *Carex rupestris* |
| 557 | | | 臌囊薹草 | *Carex schmidtii* |
| 558 | | | 宽叶薹草 | *Carex siderosticta* |
| 559 | | | 陌上菅 | *Carex thunbergii* |
| 560 | | | 乌苏里薹草 | *Carex ussuriensis* |
| 561 | | 莎草属 | 黄颖莎草 | *Cyperus microiria* |
| 562 | | | 毛笠莎草 | *Cyperus orthostachys* |
| 563 | | 羊胡子草属 | 细杆羊胡子草 | *Eriophorum gracile* |
| 564 | | | 东方羊胡子草 | *Eriophorum polystachion* |
| 565 | | | 红毛羊胡子草 | *Eriophorum russeolum* |
| 566 | | | 羊胡子草 | *Eriophorum vaginatum* |
| 567 | | 飘拂草属 | 飘拂草 | *Fimbristylis dichotoma* |
| 568 | | 水莎草属 | 水莎草 | *Juncellus serotinus* |
| 569 | | 荸荠属 | 牛毛毡针蔺 | *Heleocharis acicularis* |
| 570 | | | 针蔺 | *Heleocharis intersita* |
| 571 | | | 高针蔺 | *Heleocharis mamillata* |
| 572 | | | 卵状针蔺 | *Heleocharis ovata* |
| 573 | | | 乌苏里针蔺 | *Heleocharis ussuriensis* |
| 574 | | 扁莎属 | 球穗扁莎 | *Pycreas globosus* |
| 575 | | 刺子莞属 | 白鳞刺子莞 | *Rynchospora alba* |
| 576 | | 藨草属 | 荆三棱 | *Scirpus fluviatilis* |
| 577 | | | 吉林藨草 | *Scirpus komarovii* |
| 578 | | | 扁杆藨草 | *Scirpus planiculmis* |
| 579 | | | 东方藨草 | *Scirpus orientalis* |
| 580 | | | 水葱 | *Scirpus tabernaemontani* |
| 581 | | | 水毛花 | *Scirpus triangulatus* |
| 582 | | | 藨草 | *Scirpus triquater* |
| 583 | 兰科 | 玉凤花属 | 十字兰 | *Habenaria sagittifera* |
| 584 | | 朱兰属 | 朱兰 | *Pogonia japonica* |
| 585 | | 绶草属 | 绶草 | *Sprianthes sinensis* |

# 附录2　吉林湿地调查区域动物名录

| 序号 | 目 | 科 | 种 | |
|---|---|---|---|---|
| | | | 中文名 | 拉丁名 |
| 一、脊椎动物 | | | | |
| (一)鱼　类 | | | | |
| 1 | 七鳃鳗目 | 七鳃鳗科 | 日本七鳃鳗 | *Lampetra japonica* |
| | | | 东北七鳃鳗 | *Lampetra morii* |
| | | | 溪七鳃鳗 | *Lampetra reissneri* |
| 2 | 鲑形目 | 鲑科 | 大麻哈鱼 | *Oncorhynchus keta* |
| | | | 马苏大马哈鱼 | *Oncorhynchus masou* |
| | | | 驼背大马哈鱼 | *Oncorhynchus gorbuscha* |
| | | | 哲罗鱼 | *Hucho taimen* |
| | | | 石川氏哲罗鱼 | *Hucho ishikiaw* |
| | | | 细鳞鱼 | *Brachmystax lenok* |
| | | | 乌苏里白鲑 | *Coregonus ussuriensis* |
| | | | 花羔红点鲑 | *Salvelinus malam* |
| | | 茴鱼科 | 黑龙江茴鱼 | *Thymallus arcticus grubei* |
| | | | 鸭绿江茴鱼 | *Thymallus arcticus jaluensis* |
| | | 胡瓜鱼科 | 亚洲胡瓜鱼 | *Osmerus dentex* |
| | | | 池沼公鱼 | *Hypomesus olidus* |
| | | 狗鱼科 | 狗鱼 | *Esox reicherti* |
| 3 | 鲤形目 | 鲤科 | 青鱼 | *Mylopharyngodon piceus* |
| | | | 草鱼 | *Ctenopharyngodon idellus* |
| | | | 湖鲅 | *Phoxinus percnurus* |
| | | | 真鲅 | *Phoxinus phoxinus* |
| | | | 花鲅 | *Phoxinus czekanowskii* |
| | | | 洛氏鲅 | *Phoxinus lagowskii* |
| | | | 山西鲅 | *Phoxinuslagowskii horensis* |
| | | | 滩头鱼 | *Leuciscus brandti* |
| | | | 珠星雅罗鱼 | *Leuciscus hakonensis* |
| | | | 勃氏雅罗鱼 | *Leuciscus brandti* |
| | | | 瓦氏雅罗鱼 | *Leuciscus waleckii* |
| | | | 鳡鱼 | *Elopichthys bambusa* |
| | | | 黑龙江马口鱼 | *Opsariichthys unciorstris* |
| | | | 鳍鱲 | *Zacco platypus* |
| | | | 中华细鲫 | *Aphyocypris chinensis* |
| | | | 赤眼鳟 | *Squaliobarbus curriculus* |
| | | | 鳘 | *Hemiculter leucisculus* |

（续）

| 序号 | 目 | 科 | 种 | |
|---|---|---|---|---|
| | | | 中文名 | 拉丁名 |
| 3 | 鲤形目 | 鲤科 | 贝氏鳘 | *Hemiculter bleekeri* |
| | | | 长春鳊 | *Parabramis pekinensis* |
| | | | 红鳍鲌 | *Culter erythropterus* |
| | | | 三角鲂 | *Megalobrama terminalis* |
| | | | 团头鲂 | *Megalobrana mblycephala* |
| | | | 青梢红鲌 | *Erythroculter dabryi shinkainensis* |
| | | | 蒙古红鲌 | *Erythroculter mongolicus* |
| | | | 翘嘴红鲌 | *Erythroculter ilishaeformis* |
| | | | 银鲴 | *Xenocypris argentea* |
| | | | 细鳞斜颌鲴 | *Plagiognathops microlepis* |
| | | | 逆鱼 | *Acanthobrama simony* |
| | | | 黑龙江鳑鲏鲏 | *Phoreus sericeus* |
| | | | 彩石鲋 | *Pseudoperilampus aianesis* |
| | | | 大鳍刺鳑鲏 | *Acanthorhodeus acropterus* |
| | | | 兴凯刺鳑鲏 | *Acanthorhodeus chankaensis* |
| | | | 短须刺鳑鲏 | *Acanthorhodeus polylepis* |
| | | | 唇䱻 | *Hemibarbus labeo* |
| | | | 花䱻 | *Hemibarbus maculatus* |
| | | | 长吻䱻 | *Hemibarbus maculates* |
| | | | 条纹似白鮈 | *Hemibarbus longirostris* |
| | | | 扁吻鮈 | *Paraleucogobio strigatus* |
| | | | 麦穗鱼 | *Pungtungia herzi herzenstein* |
| | | | 平口鮈 | *Pseudorasbora parva* |
| | | | 东北鳈 | *Sarcocheilichtys lacustris* |
| | | | 东北黑鳍鳈 | *Sarcocheilichthys nigripinnis czerskii* |
| | | | 兴凯颌须鮈 | *Gnathopogon chankaensis* |
| | | | 银色颌须鮈 | *Gnathopogon argentatus* |
| | | | 高体鮈 | *Gobio soldatovi* |
| | | | 凌源鮈 | *Gnathopogon chankaensis* |
| | | | 犬首鮈 | *Gobio gobio cynocephalus* |
| | | | 大头鮈 | *Gobio gobio macrocephalus* |
| | | | 细体鮈 | *Gobio tenuicorpus* |
| | | | 图们江中鮈 | *Gobio iingyuanensis* |
| | | | 鸭绿江中鮈 | *Gobio gobio cynocephalus* |
| | | | 长吻似鮈 | *Pseudogobio vaillanti longirostris* |
| | | | 棒花鱼 | *Abbottina rivularis* |
| | | | 东北颌须鮈 | *Gnathopogon antschurrcus* |
| | | | 突吻鮈 | *Rostrogobio amurensis* |
| | | | 蛇鮈 | *Saurogobio dabryi* |
| | | | 鲤 | *Cyprinus carpio haematopterus* |

（续）

| 序号 | 目 | 科 | 种 | |
|---|---|---|---|---|
| | | | 中文名 | 拉丁名 |
| 3 | 鲤形目 | 鲤科 | 鲫 | *Carassius auratus gibelio* |
| | | | 鳅鮀 | *Gobiobtia pappenheimi* |
| | | | 鳙 | *Aristichthys nobilis* |
| | | | 鲢 | *Hypophthal michthys molitrix* |
| | | 鳅科 | 鳅 | *Misgurnus nguillicaubatus* |
| | | | 董氏条鳅 | *Nemacheilus toni* |
| | | | 纵带平鳅 | *Oreonectes costata* |
| | | | 花鳅 | *Cobitis taenia* |
| | | | 东北薄鳅 | *Leptobotia manchurica* |
| 4 | 鲇形目 | 鲿科 | 黄颡鱼 | *Pelteobagrus fulvidraco* |
| 5 | 鲶形目 | 鮠科 | 乌苏里鮠 | *Liocassis ussurinsis* |
| | | | 青鮠 | *Liocassis braschnikowi* |
| | | 鲶科 | 鲶鱼 | *Parasilurus asotus* |
| | | | 六须鲶 | *Silurus soldatovi* |
| 6 | 鳗鲡目 | 鳗鲡科 | 日本鳗鲡 | *Anguilla japonica* |
| 7 | 鳕形目 | 鳕科 | 江鳕 | *Lota lota* |
| | | | 远东宽突鳕 | *Eleginus gracilis* |
| | | | 细身宽突鳕 | *Eleginus navaga* |
| 8 | 刺鱼目 | 刺鱼科 | 三刺鱼 | *Gasterosteus aculeatus* |
| | | | 中华多刺鱼 | *Pungitius sinensis* |
| 9 | 鲻形目 | 鲻科 | 鲻 | *Mugil cephalus* |
| | | | 鲮 | *Liza haematocheila* |
| 10 | 鲈形目 | 鳢科 | 乌鳢 | *Opiocephalus argus* |
| | | 鮨科 | 鳜 | *Siniperca chuatsi* |
| | | | 斑鳜 | *Siniperca schezeri* |
| | | 攀鲈科 | 圆尾斗鱼 | *Maeropodus chinensis* |
| | | 塘鳢科 | 鲈塘鳢 | *Percottus glehni* |
| | | | 黄肚鱼 | *Hypseleotris swinhonis* |
| | | 鰕虎鱼科 | 克氏吻鰕虎鱼 | *Rhinogobius cliffoyd popei* |
| | | | 真吻鰕虎鱼 | *Rhinogobius similis* |
| | | | 尾纹长颌鰕虎鱼 | *Chaenogobiur annularis* |
| | | | 黄带长颌鰕虎鱼 | *Chaenogobiur laevis* |
| 11 | 鲉形目 | 杜父鱼科 | 黑龙江杜父鱼 | *Mesocottus haitel* |
| | | | 杂色杜父鱼 | *Cottus poecilopus* |
| **二、两栖类** | | | | |
| 1 | 无尾目 | 铃蟾科 | 东方铃蟾 | *Bombina orienitalis* |
| | | 蟾蜍科 | 中华蟾蜍 | *Bufo gargarizans* |
| | | | 花背蟾蜍 | *Bufo roddei* |

（续）

| 序号 | 目 | 科 | 种 | |
|---|---|---|---|---|
| | | | 中文名 | 拉丁名 |
| 1 | 无尾目 | 姬蛙科 | 北方狭口蛙 | *Kaloula borealis* |
| | | 雨蛙科 | 无斑雨蛙 | *Hyla arborea* |
| | | | 东北雨蛙 | *Hyla japonnica* |
| | | 蛙科 | 黑斑侧褶蛙 | *Pelophylax nigromaculatus* |
| | | | 金线侧褶蛙 | *Pelophylax plancyi* |
| | | | 黑龙江林蛙 | *Rana amurensis* |
| | | | 中国林蛙 | *Rana chensinensis* |
| 2 | 有尾目 | 小鲵科 | 爪鲵 | *Onychodactylus fischeri* |
| | | | 吉林爪鲵 | *Onychodactylus zhangyapingi* |
| | | | 极北小鲵 | *Salamandrella keyserlingii* |
| | | | 东北小鲵 | *Hynobius leechii* |
| 三、爬行类 | | | | |
| 1 | 龟鳖目 | 鳖科 | 鳖 | *Trionyx sinensis* |
| 2 | 有鳞目 | 蜥蜴科 | 北草蜥 | *Takydromus septentrionalis* |
| | | | 丽斑麻蜥 | *Eremias argus* |
| | | 蝰科 | 极北蝰 | *Vipera berus* |
| | | | 短尾蝮 | *Gloydius brevicaudus* |
| | | | 乌苏里蝮 | *Gloydius ussuriensis* |
| | | | 岩栖蝮 | *Gloydius saxatilis* |
| | | 游蛇科 | 东亚蝮链蛇 | *Amphiesma vibakari* |
| | | | 团花锦蛇 | *Elaphe davidi* |
| | | | 白条锦蛇 | *Elaphe dione* |
| | | | 棕黑锦蛇 | *Elaphe schrenckii* |
| | | | 虎斑颈槽蛇 | *Rhabdophis tigrinus* |
| | | | 赤链蛇 | *Dinodon rufozonatum* |
| | | | 黄脊游蛇 | *Coluber spinalis* |
| | | | 红纹滞卵蛇 | *Oocatochus rufodorsata* |
| 四、鸟　类 | | | | |
| 1 | 潜鸟目 | 潜鸟科 | 黑喉潜鸟 | *Gavia arctica* |
| 2 | 䴙䴘目 | 䴙䴘科 | 小䴙䴘 | *Tachybaptus ruficollis* |
| | | | 角䴙䴘 | *podiceps auritus* |
| | | | 黑颈䴙䴘 | *Podiceps nigricollis* |
| | | | 凤头䴙䴘 | *Podiceps cristatus* |
| | | | 赤颈䴙䴘 | *Podiceps grisegina* |
| 3 | 鹈形目 | 鸬鹚科 | [普通]鸬鹚 | *Phalacrocorax carbo* |
| | | | 红脸鸬鹚 | *Phalacrocorax urile* |
| 4 | 鹳形目 | 鹭科 | 苍鹭 | *Ardea cinerea* |
| | | | 草鹭 | *Ardea purpurea* |

（续）

| 序号 | 目 | 科 | 种 | |
|---|---|---|---|---|
| | | | 中文名 | 拉丁名 |
| 4 | 鹳形目 | 鹭科 | 绿鹭 | *Butorides striatus* |
| | | | 池鹭 | *Ardeola bacchus* |
| | | | 牛背鹭 | *Bubulcus ibis* |
| | | | 大白鹭 | *Egretta alba* |
| | | | 白鹭 | *Egretta garzetta* |
| | | | 黄嘴白鹭 | *Egretta eulophotes* |
| | | | 夜鹭 | *Nycticorax nycticorax* |
| | | | 黄苇鳽 | *Ixobrychus sinensis* |
| | | | 紫背苇鳽 | *Ixobrychus eurhythmus* |
| | | | 栗苇鳽 | *Ixobrychus cinnamomeus* |
| | | | 大麻鳽 | *Botaurus stellaris* |
| | | 鹳科 | 东方白鹳 | *Ciconia boyciana* |
| | | | 黑鹳 | *Ciconia nigra* |
| | | 鹮科 | 黑头白鹮 | *Threskiornis melanocephalus* |
| | | | 白琵鹭 | *Platalea leucorodia* |
| | | | 黑脸琵鹭 | *Platalea minor* |
| 5 | 雁形目 | 鸭科 | 疣鼻天鹅 | *Cygnus olor* |
| | | | 大天鹅 | *Cygnus cygnus* |
| | | | 小天鹅 | *Cygnus columbianus* |
| | | | 白额雁 | *Anser albifrons* |
| | | | 小白额雁 | *Anser erythropus* |
| | | | 黑雁 | *Branta bernicla* |
| | | | 豆雁 | *Anser fabalis* |
| | | | 灰雁 | *Anser anser* |
| | | | 雪雁 | *Anser caerulescens* |
| | | | 赤麻鸭 | *Tadorna ferruginea* |
| | | | 翘鼻麻鸭 | *Tadorna tadorna* |
| | | | 鸳鸯 | *Aix galericulata* |
| | | | 鸿雁 | *Anas cygnoides* |
| | | | 针尾鸭 | *Anas creccnas acuta* |
| | | | 绿翅鸭 | *Anas crecca* |
| | | | 花脸鸭 | *Anas formosa* |
| | | | 罗纹鸭 | *Anas falcata* |
| | | | 绿头鸭 | *Anas platyrhynchos* |
| | | | 斑嘴鸭 | *Anas poecilorhyncha* |
| | | | 赤膀鸭 | *Anas strepera* |
| | | | 赤颈鸭 | *Anas penelope* |
| | | | 白眉鸭 | *Anas querquedula* |

（续）

| 序号 | 目 | 科 | 种 | |
|---|---|---|---|---|
| | | | 中文名 | 拉丁名 |
| 5 | 雁形目 | 鸭科 | 琵嘴鸭 | *Anas clypeata* |
| | | | 红头潜鸭 | *Aythya ferina* |
| | | | 青头潜鸭 | *Aythya baeri* |
| | | | 凤头潜鸭 | *Aythya fuligula* |
| | | | 鹊鸭 | *Bucephala clangula* |
| | | | 斑头秋沙鸭 | *Mergus albellus* |
| | | | 中华秋沙鸭 | *Mergus squamatus* |
| | | | 普通秋沙鸭 | *Mergus merganser* |
| 6 | 隼形目 | 鹰科 | 鹗 | *Pandion haliaetus* |
| 7 | 鹤形目 | 三趾鹑科 | 黄脚三趾鹑 | *Turnix tanki* |
| | | 鹤科 | 丹顶鹤 | *Grus japonensis* |
| | | | 灰鹤 | *Grus grus* |
| | | | 白头鹤 | *Grus monacha* |
| | | | 白枕鹤 | *Grus vipio* |
| | | | 白鹤 | *Grus leucogeranus* |
| | | | 蓑羽鹤 | *Anthropoides virgo* |
| | | 秧鸡科 | 普通秧鸡 | *Rallus aquaticus* |
| | | | 董鸡 | *Gallicrex cinerea* |
| | | | 小田鸡 | *Porzana pusilla* |
| | | | 红胸田鸡 | *Porzana fusca* |
| | | | 斑胁田鸡 | *Porzana paykullii* |
| | | | 花田鸡 | *Coturnicops exquisitus* |
| | | | 黑水鸡 | *Gallinula chloropus* |
| | | | 骨顶鸡 | *Fulica atra* |
| 8 | 鸻形目 | 彩鹬科 | 彩鹬 | *Rostratula benghalensis* |
| | | 蛎鹬科 | 蛎鹬 | *Haematopus ostralegus* |
| | | 鹬科 | 中杓鹬 | *Numenius phaeopus* |
| | | | 小杓鹬 | *Numenius minutus* |
| | | | 红腰杓鹬 | *Numenius madagascariensis* |
| | | | 白腰杓鹬 | *Numenus arquata* |
| | | | 黑尾塍鹬 | *Limosa limosa* |
| | | | 红脚鹤鹬 | *Tringa erythropus* |
| | | | 泽鹬 | *Tringa stagnatilis* |
| | | | 红脚鹬 | *Tringa totanus* |
| | | | 青脚鹬 | *Tringa nebularia* |
| | | | 白腰草鹬 | *Tringa ochropus* |
| | | | 林鹬 | *Tringa glareola* |
| | | | 矶鹬 | *Tringa hypoleucos* |

（续）

| 序号 | 目 | 科 | 种 | |
|---|---|---|---|---|
| | | | 中文名 | 拉丁名 |
| 8 | 鸻形目 | 彩鹬科 | 灰鹬 | *Tringa incana* |
| | | | 翘嘴鹬 | *Xenus cinerea* |
| | | | 翻石鹬 | *Arenaria interpres* |
| | | | 半蹼鹬 | *Limnodromus semipalamtus* |
| | | | 孤沙锥 | *Gallinago solitaria* |
| | | | 澳南沙锥 | *Gallinago hardwickii* |
| | | | 大沙锥 | *Gallinago megala* |
| | | | 扇尾沙锥 | *Gallinago gallinago* |
| | | | 针尾沙锥 | *Gallinago stenura* |
| | | | 丘鹬 | *Scolopax rusticola* |
| | | | 大滨鹬 | *Calidris tenuriostris* |
| | | | 红胸滨鹬 | *Calidris ruficollis* |
| | | | 长趾滨鹬 | *Calidris subminutus* |
| | | | 乌脚滨鹬 | *Calidris temminckii* |
| | | | 尖尾滨鹬 | *Calidris acuminatas* |
| | | | 黑腹滨鹬 | *Calidris alpina* |
| | | | 弯嘴滨鹬 | *Calidris ferrugineus* |
| | | 反嘴鹬科 | 黑翅长脚鹬 | *Himantopus himantopus* |
| | | | 反嘴鹬 | *Recurvirotra avosetta* |
| | | 鸻科 | 凤头麦鸡 | *Vanellus vanellus* |
| | | | 灰头麦鸡 | *Vanellus cinerens* |
| | | | 灰斑鸻 | *Pluvialis squatarola* |
| | | | 剑鸻 | *Charadrius hiaticula* |
| | | | 金(斑)鸻 | *Pluvialis dominica* |
| | | | 金眶鸻 | *Charadrius dubius* |
| | | | 环颈鸻 | *Charadrius alexandrinus* |
| | | | 蒙古沙鸻 | *Charadrius monglus* |
| | | 燕鸻科 | 普通燕鸻 | *Glareola maldivarum* |
| | | 海雀科 | 扁嘴海雀 | *Synthiboramphus antiquus* |
| | | 鸥科 | 黑尾鸥 | *Larus crassirostris* |
| | | | 海鸥 | *Larus canus* |
| | | | 银鸥 | *Larus argentatus* |
| | | | 灰背鸥 | *Larus schistisagus* |
| | | | 灰翅鸥 | *Larus glaucescens* |
| | | | 北极鸥 | *Larus hyperboreus* |
| | | | 遗鸥 | *Lanus relictus* |
| | | | 红嘴鸥 | *Larus ridibundus* |
| | | | 黑嘴鸥 | *Larus saundersi* |

（续）

| 序号 | 目 | 科 | 种 | |
|---|---|---|---|---|
| | | | 中文名 | 拉丁名 |
| 8 | 鸻形目 | 鸥科 | 三趾鸥 | *Rissa tridactyla* |
| | | | 须浮鸥 | *Chlidonias hybridus* |
| | | 燕鸥科 | 白翅浮鸥 | *Chlidonias leucoptera* |
| | | | 鸥嘴噪鸥 | *Gelochelidon nilotica* |
| | | | 普通燕鸥 | *Sterna hirundo* |
| | | | 红嘴巨鸥 | *Hydroprogne caspia* |
| | | | 白额燕鸥 | *Sterna albifrons* |
| 9 | 佛法僧目 | 翠鸟科 | 普通翠鸟 | *Alcedo atthis* |
| | | | 赤翡翠 | *Halcyon coromanda* |
| | | | 蓝翡翠 | *Halcyon pileata* |
| | | | 冠鱼狗 | *Megaceryle lugubris* |
| 五、哺乳类 | | | | |
| 1 | 食虫目 | 鼩鼱科 | 水鼩鼱 | *Neomys fodiens* |
| | | | 大麝鼩 | *Crocidura lasiura* |
| | | | 大鼩鼱 | *Sorex mirabilis* |
| | | | 普通鼩鼱 | *Sorex araneus* |
| | | 鼹科 | 大缺齿鼹 | *Talpa robusta* |
| 2 | 兔形目 | 兔科 | 东北兔 | *Lepus mandschuricus* |
| | | | 蒙古兔 | *Lepus capensis* |
| 3 | 啮齿目 | 仓鼠科 | 大仓鼠 | *Cricetulus tyiton* |
| | | | 黑线仓鼠 | *Cricetulus barabensis* |
| | | | 东方田鼠 | *Microtus fortis* |
| | | | 莫氏田鼠 | *Microtus maximowiczii* |
| | | | 狭颅田鼠 | *Microtus gregalis* |
| | | | 普通田鼠 | *Microtus arvalis* |
| | | | 麝鼠 | *Ondatra zibethicus* |
| | | 鼠科 | 黑线姬鼠 | *Apodemus agrarius* |
| 4 | 食肉目 | 犬科 | 狼 | *Canis lupus* |
| | | | 赤狐 | *Vulpes vulpes* |
| | | | 貉 | *Nyctereutes procyonoides* |
| | | 鼬科 | 香鼬 | *Mustela altaica* |
| | | | 黄鼬 | *Mustela sibirica* |
| | | | 水貂 | *Mustela vison* |
| | | | 狗獾 | *Meles meles* |
| | | | 水獭 | *Lutra lutra* |
| 5 | 鳍足目 | 海豹科 | 斑海豹 | *Phoca largha* |

# 附录3　吉林重点调查湿地概况

**1. 向海湿地**

向海湿地重点调查湿地范围面积10.55万公顷，湿地面积为2.84万公顷，主要湿地类型为沼泽湿地。地理坐标为东经122°05′~122°35′，北纬44°50′~45°19′；位于吉林省通榆县内。

调查中记录到湿地高等植物4门13科21属22种。

调查中记录到湿地脊椎动物5纲33目78科346种。其中，鱼类4目8科20种，两栖类2目4科8种，爬行类2目3科6种，鸟类17目48科275种，哺乳类8目15科37种。

记录到国家重点保护野生动物35种。其中，国家Ⅰ级保护野生动物10种，国家Ⅱ级保护野生动物25种。在国家重点保护野生动物中，有湿地鸟类11种，其中国家Ⅰ级保护鸟类5种，国家Ⅱ级保护鸟类6种。

于1981年建立省级自然保护区，1986年晋升为国家级自然保护区。受林业部门管理，成立了向海国家级自然保护区管理局。

主要受到干旱缺水、沙漠化、人为活动等威胁。

**2. 莫莫格湿地**

莫莫格湿地重点调查湿地范围面积14.40万公顷，湿地面积为6.80万公顷，主要湿地类型为沼泽湿地。地理坐标为东经123°27′~124°04′，北纬45°42′~46°18′；位于镇赉县内。

调查中记录到湿地高等植物7科9属11种。

调查中记录到湿地脊椎动物5纲28目29科395种。其中，鱼类4目11科52种，两栖类1目3科6种，爬行类2目3科8种，鸟类17目31科298种，哺乳类4目11科31种。

记录到国家重点保护野生动物18种。其中，国家Ⅰ级保护野生动物5种，国家Ⅱ级保护野生动物13种。均为湿地鸟类。

于1981年建立省级自然保护区，1997年晋升为国家级自然保护区。受林业部门管理，成立了莫莫格国家级自然保护区管理局。

主要受到盐碱化、人为活动等威胁。

**3. 松花江三湖湿地**

松花江三湖湿地重点调查湿地范围面积114.47万公顷，湿地面积为5.65万公顷，主要湿地类型为人工湿地。地理坐标为东经126°35′~128°02′，北纬42°06′~43°51′；地跨吉林市和白山市两个地区。

调查中记录到湿地高等植物17科19属21种。

记录到国家重点保护野生植物1种，为国家Ⅱ级保护野生植物。

调查中记录到湿地脊椎动物5纲33目80科384种。其中，鱼类5目13科56种，两栖类2目6科13种，爬行类2目3科10种，鸟类18目44科255种，哺乳类6目17科50种。

记录到国家重点保护野生动物36种。其中，国家Ⅰ级保护野生动物10种，国家Ⅱ级保护野生动物26种。均为湿地鸟类。

于1990年建立省级自然保护区，2009年晋升为国家级自然保护区。受林业部门管理，成立了松花江三湖国家级自然保护区管理局。

主要受到人为采集泥炭藓、野生越橘(蓝莓)等活动的威胁。

#### 4. 查干湖湿地

查干湖湿地重点调查湿地范围面积6.58万公顷，湿地面积为5.92万公顷，主要湿地类型为湖泊湿地。地理坐标为东经124°03′~124°31′，北纬45°06′~45°26′；位于大安、乾安、前郭县内。

调查中记录到湿地高等植物77科属430种。

湿地植被可划分为7个植被型组，4植被组，11个群系。

调查中记录到湿地脊椎动物5纲31目77科318种。其中，鱼类6目13科46种，两栖类1目3科4种，爬行类3目3科5种，鸟类16目47科239种，哺乳类5目12科25种。

记录到国家重点保护野生动物43种。其中，其中国家Ⅰ级保护野生动物8种，国家Ⅱ级保护野生动物35种。均为湿地鸟类。

于1986年建立省级自然保护区，2007晋升为国家级自然保护区。受林业部门管理，成立了吉林查干湖国家级自然保护区管理局。

主要受到泥沙淤积、农田退水污染等威胁。

#### 5. 大布苏湿地

大布苏湿地重点调查湿地范围面积1.10万公顷，湿地面积为0.57万公顷，主要湿地类型为湖泊湿地。地理坐标为东经123°36′~123°42′，北纬44°45′~44°50′；位于乾安县内。

调查中记录到湿地高等植物2科4属4种。

调查中记录到湿地脊椎动物2纲13目30科119种。其中，鸟类12目29科118种，哺乳类1目1科1种。

记录到国家重点保护野生动物12种。其中，国家Ⅰ级保护野生动物2种，国家Ⅱ级保护野生动物10种。均为湿地鸟类。

于1993年建立省级自然保护区，2005年晋升为国家级自然保护区。受林业部门管理，成立了大布苏国家级自然保护区管理局。

主要受到泥沙淤积、盐碱化、干旱等威胁。

#### 6. 月亮湖湿地

月亮湖湿地重点调查湿地范围面积0.83万公顷，湿地面积为0.51万公顷，主要湿地类型为人工湿地。地理坐标为东经123°46′~124°02′，北纬45°40′~45°44′；位于大安市内。

调查中记录到湿地高等植物8科10属11种。

调查中记录到湿地脊椎动物5纲28目73科374种。其中，鱼类4目11科52种，两栖类1目3科4种，爬行类2目3科8种，鸟类17目50科298种，哺乳类4目6科12种。

受水利部门管理，成立了月亮湖水库管理局。

主要受到泥沙淤积、水利工程、盐碱化及非点源污染等威胁。

**7. 龙沼湿地**

龙沼湿地重点调查湿地范围面积16.58万公顷，湿地面积为10.99万公顷，主要湿地类型为沼泽湿地。地理坐标为东经123° 22′～124° 09′，北纬44° 56′～45° 36′；位于大安市内。

调查中记录到湿地高等植物5科7属7种。

调查中记录到湿地脊椎动物5纲27目65科264种。其中，鱼类5目10科30种，两栖类1目3科5种，爬行类2目3科7种，鸟类15目42科202种，哺乳类4目7科20种。

受林业部门管理，具体管理部门为大安市林业局。

主要受到盐碱化、围垦、过牧及干旱缺水等威胁。

**8. 长白山熔岩台地沼泽区**

长白山熔岩台地沼泽区重点调查湿地范围面积11.71万公顷，湿地面积为0.47万公顷，主要湿地类型为沼泽湿地。地理坐标为东经127°53′～128° 24′，北纬42° 02′～42° 39′；位于安图县内。

调查中记录到湿地高等植物23科31属41种。

调查中记录到湿地脊椎动物5纲32目88科330种。其中，鱼类5目10科23种，两栖类2目5科9种，爬行类1目3科12种，鸟类18目50科230种，哺乳类6目20科56种。

受林业部门管理，具体管理部门为白河林业局。

主要受到森林采伐的威胁。

**9. 长白山湿地**

长白山湿地重点调查湿地范围面积23.31万公顷，湿地面积为0.45万公顷，主要湿地类型为湖泊湿地。地理坐标为东经127°32′～128°17′，北纬41°42′～42°51′；位于安图、抚松、长白县内。

调查中记录到湿地高等植物23科31属41种。

记录到国家重点保护野生植物11种。其中，国家Ⅰ级保护野生植物2种，国家Ⅱ级保护野生植物9种。

湿地植被可划分为4植被组，8个群系。

调查中记录到湿地脊椎动物5纲32目88科330种。其中，鱼类5目10科23种，两栖类2目5科9种，爬行类1目3科12种，鸟类18目50科230种，哺乳类6目20科56种。

记录到国家重点保护野生动物36种。其中，国家Ⅰ级保护野生动物5种，国家Ⅱ级保护野生动物31种。

于1960年建立国家级自然保护区。受林业部门管理，成立了长白山保护开发管理委员会。

主要受到旅游开发、相关设施建设等威胁。

**10. 哈泥湿地**

哈泥湿地重点调查湿地范围面积2.86万公顷，湿地面积为0.20万公顷，主要湿地类型为沼泽湿地。地理坐标为东经126°04′~126°34′，北纬42°04′~42°15′；位于柳河县内。

调查中记录到湿地高等植物23科29属35种。国家重点保护野生植物7种，其中国家Ⅰ级保护野生植物1种，国家Ⅱ级保护野生植物6种。

湿地植被可划分为3个植被型组，5个植被型，12个群系。

调查中记录到湿地脊椎动物5纲31目75科326种。其中，鱼类5目9科32种，两栖类2目6科12种，爬行类2目3科10种，鸟类16目43科229种，哺乳类6目14科43种。

记录到国家重点保护野生动物35种。其中，国家Ⅰ级保护野生动物4种，国家Ⅱ级保护野生动物31种。在国家重点保护野生动物中，有湿地鸟类27种。其中，国家Ⅰ级保护鸟类1种，国家Ⅱ级保护鸟类26种。

于2002年建立省级自然保护区，2009年晋升为国家级自然保护区。受林业部门管理，成立了哈泥国家级自然保护区管理局。

主要受到植被过度采挖、水土流失、农药化肥污染等威胁。

**11. 龙湾湿地**

龙湾湿地重点调查湿地范围面积1.51万公顷，湿地面积为0.05万公顷，主要湿地类型为湖泊和沼泽湿地。地理坐标为东经126°14′~126°32′，北纬42°16′~42°27′；位于辉南县内。

调查中记录到湿地高等植物31科47属49种。

调查中记录到湿地脊椎动物5纲31目75科267种。其中，鱼类5目9科32种，两栖类2目6科11种，爬行类2目3科10种，鸟类16目43科171种，哺乳类6目14科43种。

于1991年建立省级自然保护区，2003年晋升为国家级自然保护区。受林业部门管理，成立了龙湾国家级自然保护区管理局。

主要受到旅游基础设施建设、游客对环境影响等威胁。

**12. 雁鸣湖湿地**

雁鸣湖湿地重点调查湿地范围面积5.39万公顷，湿地面积为0.68万公顷，主要湿地类型为人工与沼泽湿地。地理坐标为东经128°12′~128°46′，北纬43°39′~43°51′；位于敦化市内。

调查中记录到湿地高等植物19科24属28种。

调查中记录到湿地脊椎动物5纲35目87科363种。其中，鱼类6目13科47种，两栖类2目6科12种，爬行类2目3科10种，鸟类19目51科251种，哺乳类6目14科43种。

于2002年建立省级自然保护区，2007年晋升为国家级自然保护区。受林业部门管理，成立了雁鸣湖国家级自然保护区管理局。

**13. 敬信湿地**

敬信湿地重点调查湿地范围面积2.37万公顷，湿地面积为0.37万公顷，主要湿地类型为湖泊湿地。地理坐标为东经130° 22′~130° 38′，北纬42° 33′~42° 42′；位于珲春市内。

调查中记录到湿地高等植物15科16属16种。

调查中记录到湿地脊椎动物5纲32目62科198种。其中，鱼类7目10科32种，两栖类2目4科10种，爬行类2目3科6种，鸟类15目32科126种，哺乳类6目13科24种。

记录到国家重点保护湿地鸟类16种。

所在区域于2001年建立省级自然保护区，2005年晋升为珲春东北虎国家级自然保护区，2014年分出建立了敬信湿地省级自然保护区。受林业部门管理，由珲春市林业局代管。

主要受到沙化、水利工程、开垦等威胁。

### 14. 包拉温都湿地

包拉温都湿地重点调查湿地范围面积6.22万公顷，湿地面积为1.18万公顷，主要湿地类型为沼泽湿地。地理坐标为东经122° 16′~122° 41′，北纬44° 13′~44° 32′；位于通榆县内。

调查中记录到湿地高等植物11科12属16种。

调查中记录到湿地脊椎动物5纲30目73科264种。其中，鱼类4目8科20种，两栖类1目3科6种，爬行类2目3科6种，鸟类17目45科199种，哺乳类6目14科33种。

于2002年建立省级自然保护区。受林业部门管理，成立了吉林包拉温都省级自然保护区管理局。

主要受到放牧、围垦、沙化等威胁。

### 15. 扶余湿地

扶余湿地重点调查湿地范围面积6.10万公顷，湿地面积为0.48万公顷，主要湿地类型为河流湿地。地理坐标为东经125° 08′~126° 09′，北纬44° 46′~45° 31′；位于扶余县内。

调查中记录到湿地高等植物7科7属8种。

记录到国家重点保护野生植物1种，为国家Ⅱ级保护野生植物。

湿地植被可划分为1个植被型，7个群系。

调查中记录到湿地脊椎动物5纲29目67科220种。其中，鱼类6目12科39种，两栖类1目3科4种，爬行类2目3科5种，鸟类15目38科147种，哺乳类5目11科25种。

记录到国家重点保护野生动物25种。其中，国家Ⅰ级保护野生动物3种，国家Ⅱ级保护野生动物22种。在国家重点保护野生动物中，有湿地鸟类24种，其中国家Ⅰ级保护鸟类2种，国家Ⅱ级保护鸟类22种。

于2009年建立省级自然保护区。受林业部门管理，成立了吉林扶余洪泛湿地省级自然保护区管理局。

主要受到围垦、湿地补水减少等威胁。

### 16. 波罗湖湿地

波罗湖湿地重点调查湿地范围面积2.49万公顷，湿地面积为0.68万公顷，主要湿地类型为湖泊湿地。地理坐标为东经124°40′~124°59′，北纬44°22′~44°32′；位于农安县内。

调查中记录到湿地高等植物55科127属194种。

记录到国家重点保护野生植物2种，为国家Ⅱ级保护野生植物。

湿地植被可划分为5个植被型，9个群系。

调查中记录到脊椎动物5纲24目52科198种。其中，鱼类4目6科29种，两栖类1目4科7种，爬行类1目2科7种，鸟类13目32科137种，哺乳类5目8科18种。

记录到国家重点保护野生动物27种。其中，国家Ⅰ级保护野生动物4种，国家Ⅱ级保护野生动物23种。在国家重点保护野生动物中，有湿地鸟类23种，其中国家Ⅰ级保护鸟类3种，国家Ⅱ级保护鸟类21种。

于2004年建立省级自然保护区，2011年晋升为国家级自然保护区。受林业部门管理，成立了吉林波罗湖国家级自然保护区管理局。

主要受到泥沙淤积、盐碱化、非点源性污染等威胁。

**17. 黄泥河湿地**

黄泥河湿地重点调查湿地范围面积7.35万公顷，湿地面积为0.24万公顷，主要湿地类型为沼泽湿地。地理坐标为东经127° 51′ ~128° 04′，北纬43° 55′ ~44° 06′；位于敦化市内。

调查中记录到湿地高等植物35科41属50种。

调查中记录到湿地脊椎动物5纲31目72科239种。其中，鱼类5目9科32种，两栖类2目6科11种，爬行类2目3科8种，鸟类16目39科147种，哺乳类6目15科41种。

于2000年建立省级自然保护区，2012年晋升为国家级自然保护区。受林业部门管理，成立了吉林黄泥河国家级自然保护区管理局。

主要受到垦荒造田、开山修路、过度捕杀和采集野生动植物资源等威胁。

**18. 靖宇湿地**

靖宇湿地重点调查湿地范围面积4.23万公顷，湿地面积为0.33万公顷，主要湿地类型为沼泽湿地。地理坐标为东经126°30′ ~127°16′，北纬42°06′ ~42°48′；位于靖宇县内。

调查中记录到湿地高等植物14科15属20种。

调查中记录到湿地脊椎动物5纲32目57科188种。其中，鱼类5目9科32种，两栖类2目6科13种，爬行类2目3科10种，鸟类16目24科93种，哺乳类7目15科40种。

于2002年建立省级自然保护区。受林业部门管理，成立了吉林靖宇省级自然保护区管理局。

**19. 磨盘湖湿地**

磨盘湖湿地重点调查湿地范围面积0.33万公顷，湿地面积为0.17万公顷，主要湿地类型为人工湿地。地理坐标为东经125°18′ ~ 125°21′，北纬42°12′ ~ 42°16′；位于通化县内。

调查中记录到湿地高等植物330种。

记录到国家重点保护野生植物5种，为国家Ⅱ级保护野生植物。

调查中记录到湿地脊椎动物5纲20目32科103种。其中，鱼类5目9科38种，两栖类2目4科9种，爬行类1目2科13种，鸟类6目8科22种，哺乳类6目9科21种。

记录到国家重点保护野生动物14种。其中，其中国家Ⅰ级保护野生动物2种，国家Ⅱ级保护野生动物12种。

于2007年建立国家湿地公园(试点)，2013年通过国家林业局验收。受林业部门管理，成立了吉林磨盘湖国家湿地公园管理处。

主要是农业灌溉用水对湿地保护存在一定的威胁。

**20. 牛心套堡湿地**

牛心套堡湿地重点调查湿地范围面积0.47万公顷，湿地面积为0.30万公顷，主要湿地类型为沼泽湿地。地理坐标为东经123°18′~123°27′，北纬45°11′~42°17′；位于大安市内。

调查中记录到湿地高等植物39科132属239种。

湿地植被可划分为2个植被型组，2个植被型，4个群系。

调查中记录到湿地脊椎动物5纲26目70科294种。其中，鱼类4目11科52种，两栖类1目3科5种，爬行类2目3科8种，鸟类15目42科198种，哺乳类4目11科31种。

记录到国家重点保护湿地鸟类16种。其中，国家Ⅰ级保护鸟类3种，国家Ⅱ级保护鸟类13种。

于2011年建立国家湿地公园(试点)。受林业部门管理，成立了吉林大安牛心套堡国家湿地公园管理中心。

主要受到上游来水减少、盐碱化加重、矿化度升高等威胁。

**21. 园池湿地**

园池湿地重点调查湿地范围面积1.44万公顷，湿地面积为0.12万公顷，主要湿地类型为沼泽与湖泊湿地。地理坐标为东经128°16′~128°27′，北纬42°01′~42°10′；位于安图县内。

调查中记录到湿地高等植物8科9属11种。

调查中记录到湿地脊椎动物4纲12目29科44种。其中，两栖类1目3科5种，爬行类1目2科5种，鸟类6目14科19种，哺乳类4目10科15种。

于2013年建立省级自然保护区。受林业部门管理，具体管理部门为白河林业局。

主要受到采集野生越橘(蓝莓)对湿地植被造成的威胁。

**22. 沿江泡湿地**

沿江泡湿地重点调查湿地范围面积0.70万公顷，湿地面积为0.70万公顷，主要湿地类型为湖泊湿地。地理坐标为东经123° 41′~124° 14′，北纬45° 32′~45° 43′；位于大安市内。

调查中记录到湿地高等植物5科5属5种。

调查中记录到湿地脊椎动物5纲28目78科393种。其中，鱼类4目11科52种，两栖类1目3科5种，爬行类2目3科7种，鸟类17目50科298种，哺乳类4目11科31种。

于2006年建立省级湿地保护小区。受林业部门管理，具体管理部门为大安市林业局。

主要受到气候干旱、渔业、芦苇采集等威胁。

### 23. 双岗湿地

双岗湿地重点调查湿地范围面积0.05万公顷，湿地面积为0.05万公顷，主要湿地类型为沼泽湿地。中心地理坐标为东经123°01′，北纬45°01′；位于通榆县内。

调查中记录到湿地高等植物7科11属14种。

调查中记录到湿地脊椎动物5纲23目59科266种。其中，鱼类2目3科27种，两栖类1目2科3种，爬行类1目1科1种，鸟类15目42科200种，哺乳类4目11科35种。

于2006年建立省级湿地保护小区。受林业部门管理，由通榆县林业局代管，具体经营单位为通榆县绿仙达生态产业有限责任公司。

主要受到沙化、盐碱化等威胁。

### 24. 沙河庄湿地

沙河庄湿地重点调查湿地范围面积8.77万公顷，湿地面积为1.66万公顷，主要湿地类型为沼泽湿地。地理坐标为东经128°32″~129°13′，北纬43°15′~43°33′；位于敦化市内。

调查中记录到湿地高等植物15科15属19种。

记录到国家重点保护野生植物7种。其中，国家Ⅰ级保护野生植物1种，国家Ⅱ级保护野生植物6种。

湿地植被可划分为1个植被型组，1植被组，7个群系。

调查中记录到湿地脊椎动物5纲31目77科284种。其中，鱼类6目13科51种，两栖类2目6科10种，爬行类2目3科9种，鸟类15目40科170种，哺乳类6目16科44种。

调查中记录到国家重点保护野生动物35种。其中，国家Ⅰ级保护野生动物4种，国家Ⅱ级保护野生动物31种。

受林业部门管理，具体管理部门为大石头林业局。

主要受到围垦、挖沙、私捞滥捕等威胁。

# 参考文献

[1]安树青，等．湿地生态工程——湿地资源利用与保护的优化模式[M]．北京：化学工业出版社，2003.
[2]陈辉．生态旅游及其定价方法[J]．西北大学学报，1998，28(1)：24.
[3]陈克林，陆健健，吕宪国，等．中国湿地百科全书[M]．北京：北京科学技术出版社，2009.
[4]陈晓光，等．吉林年鉴[M]．北京：中国统计出版社，2008.
[5]陈宜瑜．中国湿地研究[M]．长春：吉林科学技术出版社，1995.
[6]冯巍，程建华，谭波，等．吉林统计年鉴(2009)[M]．北京：中国统计出版社，2009.
[7]国家林业局．全国湿地资源调查技术规程(试行)[R/DK]．2010.
[8]黄时达，王庆安，钱骏，等．从成都市活水公园看人工湿地系统处理工艺[J]．四川环境，2000，19(2)：8.
[9]吉林省林业厅．吉林省湿地资源报告[R].1999.
[10]吉林省林业厅．吉林省禁猎十年陆生野生动物资源调查报告[R].2006.
[11]郎惠卿，林鹏，陆健健．中国湿地研究与保护[M]．上海：华东师范大学出版社，1998.
[12]李文华．生态工程是可持续发展的有效手段[J]．生态学报，1996，16(6)：667.
[13]林业部野生动物和森林植物保护司．湿地保护与合理利用[M]．北京：中国林业出版社，1996.
[14]陆健健，何文珊，童春富，等．湿地生态学[M]．北京：高等教育出版社，2006.
[15]陈宜瑜．中国湿地研究[M]．长春：吉林科学技术出版社，1995.
[16] 马建章，等．中国野生动物保护实用手册[M]．北京：科学技术文献出版社，2002.
[17]孙根年．我国自然保护区生态旅游业开发模式研究[J]．资源科学，1998，20(6)：40.
[18]王庆安，任勇，钱骏，等．人工湿地塘床系统净化地表水的试验研究[J]．四川环境，2000，19(1)：9.
[19]肖荣寰，李桢，吕金福，等．吉林省志(卷四：自然地理)[R]．长春：吉林人民出版社，1992.
[20]于国海，等．中国东北鸟 101[M]．北京：中国摄影出版社，2008.
[21]张明祥，王建春．中国湿地资源的退化与原因分析[J]．林业资源管理，2001(3)：23.
[22]赵魁义，等．中国沼泽志[M]．北京：科学出版社，1999.
[23]郑文祥．人工湿地在农业面源污染控制中的应用研究[J]．环境科学研究，1997，10(4)：15.
[24]郑光美，等．中国鸟类分类与分布名录[M]．北京：科学出版社 ，2011.

# 附　件

# 吉林湿地资源调查主要参与单位及人员

## 吉林省第二次湿地资源调查单位及主要参加人员

王升忠　赵红艳　卜兆君　何春光　王　平　罗文泊　谢绿武　徐志伟　吴景才　吴志刚
李伟东　郑振和　韩晓东　孔维尧　孙　丽　张　怡　候丽伟　张明宇　李海波　杨伯然
相桂权　唐景文　王　波　李　成　徐吉凤　吴相平　杨天伟　庄边春　李志东　王国庆
李晓彦　肖　波　李晓峰　关永林　李明德　王　双　赵　伟　贾宝林　于景波　张立军
宋国民　齐建华　孙　立　王忠武　李希武　王广江　孟繁林　江子录　朱文武　易国栋
王　波　李凤春　金炳竹　廉文浩　于　庆　刘　达　曲振全　王选杰　刘青峰　李俊友
王利刚　常万忠　孙进才　张殿文　谭咏麟　王军山　张培柱　杨　军　朱春伟　孙孝维
邹畅林　王　永　候希刚　刘忠伟　王　学　刁洪伟　牟惠生　赵冷冰　李永杰　文庆玉

## 吉林省第二次湿地资源调查专家组成员

专家组顾问：刘兴土（中国工程院 院士）
　　　　　　吕宪国（东北地理与农业科学研究所 研究员）
组　　　长：王　伟（吉林省林业厅 副厅长）
林　　　业：陈　林（吉林省湿地保护管理办公室 主任）
湿 地 植 物：王升忠（东北师范大学沼泽研究所 教授）
野 生 动 物：吴景才（吉林省林业科学研究院 研究员）
湿 地 综 合：刁洪伟（吉林省林业调查规划院 高工）

# 后 记

2009年，吉林省开展的第二次全国湿地资源调查试点工作取得了比较理想的效果。调查成果全面、客观、真实、准确地反映了吉林湿地的现状、动态变化规律以及保护管理和开发利用等基本信息，形成了吉林省湿地区、重点调查湿地、湿地脊椎动物和湿地高等植物4个名录，绘制了吉林省湿地、河流湿地、湖泊湿地、沼泽湿地、人工湿地和重点调查湿地6个湿地分布图，为加强湿地资源保护管理和建立全国湿地资源数据库和管理信息平台提供了基础资料。

《中国湿地资源·吉林卷》主要以吉林省第二次全国湿地资源调查成果为依据。考虑到近年来由于人为生产经营活动和气候变化等因素影响，全省湿地呈现面积萎缩、功能退化的趋势。为使第二次调查成果数据更加真实准确反映吉林的湿地资源状况，编写组对第二次调查成果进行了科学总结整理和提炼。首先，研究确定《中国湿地资源·吉林卷》主要内容，各章节分别明确由省内相关资深专家牵头组织撰稿。然后，采取从县到省自下而上、从省到县自上而下，反复征求意见，层层审核，严格把关的办法，对第二次调查成果数据进行比对核实，对相关内容进行修改完善。对数据变化较大的采取遥感影像和现地验证相结合的办法加以确认。在总结整理过程中，还查阅参考了吉林省地形图、吉林省行政区划图、吉林省土地利用现状图、吉林省一二三级流域分布图以及《吉林年鉴》《吉林统计年鉴》《吉林省河流流域特征值》《吉林省水资源综合规划》等文献资料，确保了数据的科学性、准确性。

《中国湿地资源·吉林卷》主要包括基本概况、湿地类型、湿地生物资源、湿地资源利用、湿地资源评价、湿地保护与管理等六章内容。其中，第一章、第二章、第五章第一节编写人员：刁洪伟、陈林、李树生、刘 壮、闫晓旺、于海媛、王辉；第三章第一节、第四章第二节编写人员：王升忠、梁金花、陈建军、陈永财、李钟律；第三章第二节、第五章第二、三节编写人员：吴景才、宋立文、李伟东、韩晓东、赵洪艳；第四章第一节编写人员：高侃、范旭、郭 岳；第六章编写人员：赵日玲、卜云华、郭宝华、李明泉；插图：牟惠生、赵冷冰、汤政泽；照片摄影：李月安、赵冷冰；统稿：李彤、梁金花。

本书的编写得到了国家林业局湿地保护管理中心、国家林业局调查规划设计院、中国科学院东北地理与农业生态研究所、吉林省环境科学研究院、东北师范大学、吉林省林业科学研究院、吉林省林业调查规划院、各市（州）林业（管）局、各县（市、区）林业行政主管部门、各森工企业局、各相关湿地保护单位的大力支持，专家技术委员会各位专家、教授提出了宝贵的指导意见和建议。在此，向所有参与并对本书编写给予大力支持的单位和个人表示衷心感谢！

希望《中国湿地资源·吉林卷》的编辑出版，会对广大读者全面深入了解吉林湿地，认识湿地